SEXO E RELIGIÃO

Dag Øistein Endjsø

SEXO E RELIGIÃO

Do baile de virgens ao sexo sagrado homossexual

Tradução:
Leonardo Pinto Silva

GERAÇÃO

Título original:
Sex og Religion — Fra jomfruball til hellig homosex

1ª edição — Março de 2014

Grafia atualizada segundo o Acordo Ortográfico da Língua Portuguesa de 1990, que entrou em vigor no Brasil em 2009

Editor e Publisher
Luiz Fernando Emediato

Diretora Editorial
Fernanda Emediato

Produtora Editorial e Gráfica
Priscila Hernandez

Assistente Editorial
Carla Anaya Del Matto

Auxiliar de Produção Editorial
Isabella Vieira

Projeto Gráfico e Diagramação
Ilustrarte Design e Produção Editorial

Capa
Raul Fernandes

Preparação de Texto
Sandra Martha Dolinsky

Revisão
Daniela Nogueira
Rinaldo Milesi

Esta tradução foi publicada com o apoio financeiro do NORLA.

NORLA

NORWEGIAN LITERATURE ABROAD

DADOS INTERNACIONAIS DE CATALOGAÇÃO NA PUBLICAÇÃO (CIP)
(Câmara Brasileira do Livro, SP, Brasil)

Endjso, Dag Oistein
Sexo e religião: do baile de virgens ao sexo sagrado homossexual / Dag Oistein Endjso ; tradução Leonardo Pinto. — São Paulo : Geração Editorial, 2014.

Título original: Sex og religion: Fra jomfruball til hellig homosex.

ISBN 978-85-8130-229-4

1. Sexo - Aspectos religiosos I. Título.

14-02418 CDD-201.7

GERAÇÃO EDITORIAL

Rua Gomes Freire, 225 – Lapa
CEP: 05075-010 – São Paulo – SP
Telefax: (+ 55 11) 3256-4444
E-mail: geracaoeditorial@geracaoeditorial.com.br
www.geracaoeditorial.com.br

Impresso no Brasil
Printed in Brazil

Para

Steinar

Helge

Janicke

Mia

Sumário

Introdução 11
A religião contra e a favor do sexo 12
Regras fundamentais do jogo 13
Por que sexo e religião? 14
Ideia central e estrutura do livro 17

1. **Fronteiras e delimitações das religiões** 21
2. **Mas, o que é sexo, afinal?** 27
3. **Sexo não, obrigado** 37
4. **Sexo solitário** 55
5. **Bênçãos e maldições da heterossexualidade** 65
   A virgindade limitada 66
   As complicações do casamento 86
   Sexo, queira ou não 93
   Apenas para reprodução 101
   Quantos cônjuges você deseja? 110
   Sexo fora do casamento 121
   Saindo do casamento 133
   Demais proibições e orifícios corporais 143
6. **Sexo homossexual: Esperado, compulsório, condenado** 153
   Homossexualidade abençoada 156
   Outras fronteiras sexuais 167
   Esquartejamento, asfixia, fogueira, forca 171
   Aceitação ante a condenação esmagadora 190

Aceitação ou punição 195
Ambivalência original, opressão importada 202
Religião e homossexualidade hoje em dia 206

7. **Racismo sexo-religioso e outras formas de discriminação** **235**
O que Deus separou o homem não deve unir 236
Atenha-se à sua casta 249
Sexo ortodoxo e nem tanto 255

8. **Sexo de outro mundo** **259**
Sexo entre divindades 260
Sexo entre humanos e seres sobrenaturais 262
Sexo por toda a eternidade 271

9. **Porque você merece** **275**
Consequências do sexo depois da morte 277
Consequências do sexo nesta vida 287
Quando sociedades inteiras são punidas 291

10. **Sexo sagrado, sexo ritual** **299**
O uso sagrado do sexo 301
Religiosos especialistas em sexo 308
Simbolismo sexual sagrado 311

11. **Prioridades sexuais da religião** **323**
O desprezo do sexo pela religião 323
A primazia do sexo pela religião 333
A religião e as regras sobre a prática sexual 339

12. **Considerações finais** **343**

Bibliografia **347**
Índice de imagens **375**

Prefácio à edição inglesa

Ao adentrarmos o jardim sagrado do sexo e da religião, logo nos deparamos com uma quantidade incontável de variantes. Ao mesmo tempo que adolescentes cristãs vão a bailes de castidade nos quais prometem a Deus abstinência de sexo até o casamento, existem monges budistas que consideram o sexo entre homens um mistério sagrado. Não há abordagem simples à relação entre sexo e religião. Debates religiosos sobre homossexualidade dominam as manchetes dos jornais e fiéis especulam se a pena de morte deveria ser a punição para certas formas de heterossexualidade, se a promiscuidade é a causa de furacões e do holocausto nuclear, se Deus condena o casamento de pessoas de diferentes crenças e se existe sexo no paraíso.

Nossa sociedade é aparentemente obcecada por sexo — assim como nossas religiões. O sexo desempenha papel proeminente na maioria das cosmovisões religiosas, que chegam a abordar a frequência com que (ou mesmo se) deveríamos praticá-lo. Várias crenças tanto condenam quanto glorificam o sexo; proíbem-nos e nos compelem a ele; punem-nos por nossa atividade sexual e por ela nos recompensam. Seu comportamento sexual não tem consequências apenas nesta vida, mas no além. Gênero, estado civil, cor, religião, casta e quantidade de parceiros sexuais, todos esses são fatores que podem selar nosso destino para todo o sempre.

Mas, como é possível que a mesma forma de sexo possa nos levar à perdição, de acordo com alguns, e à salvação, segundo outros? A maneira aparentemente infinita como sexo e religião podem ser combinados não implica haver falta de lógica nessa combinação. Porém, essa é uma lógica muito particular, encontrada em modelos complexos que refletem nossa relação com o divino e com a natureza humana, ela mesma explicada de um modo diverso segundo cada religião em particular.

Abordando particularmente o judaísmo, o cristianismo, o islã, o hinduísmo e o budismo, este livro tenta explicar um pouco do pano de fundo da motivação e das crenças gerais no cenário complexo das atitudes religiosas em relação ao sexo nos dias de hoje, recorrendo a textos sagrados, mitos antigos, doutrinas, material histórico, pesquisas sobre comportamento sexual e a uma grande variedade de outras referências.

A imensa diversidade nesse campo é mais que apenas empolgante. Em um tempo em que repetidas vezes nos deparamos com alegações de verdades sexuais eternas — e universais —, torna-se ainda mais importante ter consciência de quão limitadas, religiosa e historicamente, são de fato essas alegações. É igualmente relevante perceber como algumas das mais profundas demandas religiosas de hoje estão, em sua origem, intimamente conectadas com crenças que podem, inclusive, soar vexatórias para muitos daqueles que ora as advogam. Tradicionalmente, existe um controle pio e rígido do sexo extraconjugal *feminino* em paralelo a uma nítida tolerância a assuntos extraconjugais *masculinos*; a lógica religiosa que explica a dura condenação do sexo entre *homens* está simultaneamente ligada à aceitação tácita do sexo entre *mulheres*; alegações de fiéis sobre como a criação de Deus invalida uniões de pessoas do mesmo sexo se espelham em argumentos criacionistas contra casamentos entre pessoas de diferentes tons de pele.

Assim como falar de sexo raramente é falar apenas de sexo, o tema do sexo e religião é também muito mais que a soma de ambos os assuntos: é sobre política e identidade, relaciona-se à linguagem e à economia e está intimamente ligado a nosso tecido social no sentido mais amplo do termo. Não importa se cremos ou não em Deus, sexo e religião nos conectam com a maneira como vivemos e como nos percebemos como seres humanos.

Introdução

Hipólito era um jovem com pouco entusiasmo pelo sexo. Simplesmente não se interessava pelo assunto: "Ele evita o leito do amor e não deseja nada que tenha a ver com o casamento". Só o que quer fazer é correr pelas florestas de Troezen, cidade grega da idade do bronze, à caça de animais selvagens.

Afrodite, a deusa do amor e do sexo, odeia Hipólito. O jovem que prefere a caça ao sexo demonstra, por seus atos, sua imensa desconsideração para com a deusa do amor, a quem considera "a pior entre os deuses".

A conduta de Hipólito, que ignora os domínios de Afrodite — a vida sexual —, não passa despercebida aos olhos da deusa. O belo efebo terminou seus dias mutilado, ao tombar com a carruagem quando os cavalos que a conduziam se assustaram diante de um monstro enviado pelos deuses especificamente com esse propósito.

Essa é mais que uma narrativa fascinante da mitologia grega[1]. O destino de Hipólito reflete a convicção religiosa autêntica de que os deuses não apenas desejavam, mas exigiam que fôssemos sexualmente ativos. Abstinência sexual era simplesmente um comportamento abominável.

---

[1] A narrativa sobre Hipólito é primeiramente citada na tragédia de Eurípedes de 428 a.C., também denominada Hipólito. As citações são dos versos 13 e 14.

A Religião contra e a favor do sexo

O relato sobre Hipólito e Afrodite não se coaduna com a imagem comum que temos da relação entre sexo e religião. As manchetes dos jornais atuais podem facilmente nos dar a impressão de que as religiões estão mais preocupadas do que nunca com o sexo, mas a realidade é quase invariavelmente o oposto daquela expressa na história de Hipólito. A maioria das religiões normalmente condena e é contrária ao sexo — com as pessoas erradas, da maneira errada, na hora errada, no local errado. Irritam-se porque muito se escreve e se fala sobre sexo; exasperam-se porque sexo é assunto abordado em prosa e verso da maneira errada. A condenação se dá em termos tão extremos que muitas pessoas ficam com a impressão de que a religião rejeita o sexo em todas as suas variantes.

Como é possível que uma religião condene pessoas que se abstêm do sexo enquanto outra reprova a maioria das pessoas que o praticam? Não há respostas simples para essa questão, e a própria pergunta talvez seja por demais simplista. Nem mesmo a antiga religião grega de Hipólito e Afrodite apregoava a aceitação completa de todas as formas de sexualidade, e, a menos que um indivíduo obedecesse a uma série de regras complexas sobre que tipos de sexo eram aceitos, as consequências podiam ser severas. Ainda que o trágico destino de Hipólito seja o reflexo de crenças importantes na Grécia antiga, não passa de uma peça no complexo quebra-cabeça que compõe a imagem integral da relação entre sexo e aquela religião específica.

Mesmo hoje em dia essa imagem é mais complexa do que nos querem fazer acreditar as manchetes dos jornais. Ao se opor unilateralmente às várias formas de sexo, a religião não facilita nossa percepção das nuanças. Não logramos ver que muito dessa condenação implica simultaneamente abençoar o sexo — contanto que seja o tipo "certo" de sexo, claro. A culpa e a bênção do sexo caminham de mãos dadas. Ter em perspectiva a relação entre sexo e cada religião em particular é importante para mantermos o foco nas fronteiras que delimitam o que é aceito e o que é rejeitado, o que é sagrado e o que é profano.

Regras fundamentais do jogo

Nenhuma sociedade conhecida jamais existiu sem regras sobre o sexo. De tempos em tempos, marinheiros animados, artistas e antropólogos acreditaram ter descoberto uma sociedade altamente liberada em alguma ilha paradisíaca dos mares do sul, uma sociedade sem impedimentos sexuais de qualquer sorte. Isso sempre se provou uma ilusão. Esses viajantes cobriam longas distâncias simplesmente para se descobrir em sociedades com poucas, senão nenhuma, das restrições sexuais que conheciam nos locais de onde provinham; apenas não eram capazes de identificá-las onde se encontravam então porque eram completamente alheios a elas.

É difícil, talvez impossível, descobrir o que veio primeiro, os padrões sexuais culturais ou as regras religiosas para o sexo. Teriam os primeiros consentimentos e proibições sexuais surgido aparte da religião, para somente depois ganhar uma significação religiosa? Ou será que as normas religiosas de controle da sexualidade surgiram à revelia do comportamento sexual *de facto* das pessoas, para em seguida direcionar a conduta sexual para novos rumos? As religiões primeiro sancionaram padrões sexuais que já existiam na sociedade humana ou a religião interveio e modificou nossa prática sexual desde o princípio?

É muito evidente que nossos antepassados faziam sexo bem antes de que possuíssemos uma religião.

Praticamos o sexo desde que nossos antepassados eram pequenos aglomerados celulares, há centenas de milhares de anos. Se dispúnhamos ou não de regras claras para o sexo antes de termos uma religião é, contudo, um tanto mais incerto. Zoólogos mostram que mesmo os animais possuem diferentes padrões de ação que ditam muito de sua atividade sexual; porém, se isso pode ser entendido como *regras* também é algo controverso. Todas as sociedades humanas conhecidas até hoje, portanto, têm regras claras para o sexo; mas, quando surgiram, não sabemos. Referimo-nos aqui a um evento ocorrido em um passado tão remoto que é impossível chegar a conclusões definitivas.

Não encontramos religião entre os animais. Antigas pinturas rupestres e sepulturas elaboradas, porém, mostram que a religião avança em nosso passado mais remoto, talvez até o momento em que surgimos como espécie.

A pergunta passa a ser, então, se as religiões sempre tentaram reger a sexualidade humana. O que sabemos é que as fontes escritas disponíveis sobre religião nos mostram sanções e condenações religiosas a diversas formas de sexualidade. O mesmo também vale para todas as civilizações ágrafas conhecidas.

Tanto nas fontes mais remotas como nas sociedades mais tradicionais existe também uma conformidade entre regras religiosas e normas mais gerais em relação à sexualidade — as regras e as aprovações que existem, em geral, também têm caráter religioso.

Não importa quando surgiu a relação entre religião e sexualidade: fica evidente que a incrível diversidade e a intricada estrutura sexual que encontramos em todas as sociedades foram sendo estabelecidas por meio de um complexo processo cultural e religioso. Não existe um padrão acerca de como a religião se relaciona com a sexualidade humana; uma determinada forma de sexo considerada ideal, ou mesmo sagrada, por uma religião pode ser vista como abominável por outra. Mas todos esses padrões têm uma coisa em comum: nenhum dos modelos de sexualidade defendidos pelas diversas religiões representa uma limitação natural ao sexo. Estamos sempre lidando com conceitos culturais.

Por que sexo e religião?

O fato de a religião dizer respeito primeiramente à fé é um fenômeno relativamente novo. Originalmente, a religião ocupava-se mais da conduta correta, na qual o sexo geralmente desempenhava um papel central. A convicção de que determinadas ações são fundamentais nos ritos religiosos jamais deixou de ter importância, e o permanente foco da religião na sexualidade é um bom exemplo disso.

Mas, mesmo entre ritos religiosos o sexo parece ocupar uma posição destacada. Existem regras religiosas sobre como se comportar, o que comer, como pentear o cabelo, como se assear e como se portar durante os rituais religiosos, mas raramente alguém mata um semelhante com base nessas regras.

Por outro lado, um bom número de pessoas é morta em decorrência da reação de terceiros a sua própria vida sexual. Sexo é um fator de combustão muito mais plausível que qualquer outro nesse contexto. A Igreja católica da Espanha, que se manteve silente por quase quarenta anos diante da pressão sistemática de Franco contra os mais fundamentais direitos humanos, é a mesma que tratou de organizar manifestações com centenas de milhares de fiéis tão logo o governo democrático propôs um referendo para permitir a união homossexual[2].

A maioria das religiões de hoje abandonou a ideia de que é possível obrigar as pessoas a seguir uma única e verdadeira fé. Ainda assim, muitas das mesmas religiões buscam impingir certos aspectos de sua crença à sociedade como um todo, e o sexo tende a figurar no topo dessa lista.

O que faz do sexo uma questão tão central, por vezes *a* questão principal, para tantas religiões? É impossível oferecer uma resposta conclusiva a uma questão dessa grandeza, e todas as respostas vão, naturalmente, variar de acordo com a religião da qual estivermos falando. Em muitas delas o sexo surge como um fenômeno de enorme poder, sobretudo porque o sexo vaginal heterossexual é a única forma natural pela qual seres humanos podem conceber uma nova vida. Para muitas crenças, o sexo — ou sua abstinência — representa uma forma importante pela qual podemos imitar o comportamento dos deuses ou dos seres humanos perfeitos que surgiram no começo dos tempos. À luz de muitas religiões, certos tipos de sexo tornarão a salvação impossível; algumas sustentam que *qualquer* forma de sexo nos impedirá de atingir nosso verdadeiro potencial; enquanto isso, outras consideram certas formas de sexo necessárias para aplacar a ira dos deuses. Nem todas as religiões, entretanto, ocupam-se do sexo com a mesma intensidade.

Outra resposta fundamental para o porquê de tantas religiões se preocuparem em regular o sexo encontramos, talvez, quando vislumbramos as consequências que o controle sexual implica. O fato de uma religião tentar regular a vida sexual das pessoas não implica apenas um controle religioso expresso do âmbito mais íntimo da vida privada de cada um. O controle sexual do indivíduo tem impacto na

---

2 BBC 2005a.

maior parte de sua existência. Por meio de proibições e consentimentos sobre quando, como e, sobretudo, *com quem* se pode fazer sexo, determina-se não apenas nossa sexualidade, mas com quem podemos nos conectar no plano mais pessoal, quem serão nossos filhos e netos. Significa determinar nossas circunstâncias, nossos parceiros e aliados, como viveremos por toda a vida. Desta forma, o sexo é frequentemente um fator-chave para como as religiões desejam que nos comportemos durante a existência inteira, de forma que conquistemos a salvação ou a redenção.

Embora o uso da homossexualidade e da heterossexualidade como marcadores de identidade seja um fenômeno relativamente recente, a sexualidade sempre desempenhou um papel definidor das identidades humanas. Regras sexuais preservam e reforçam identidades e categorias dentro de muitas religiões. Sexo, estado civil, religião, etnia, casta — todos são marcadores de identidade religiosos mais importantes. Ao regular a sexualidade humana, as religiões reforçam e asseguram o controle dessas categorias sagradas. Ao romper com esses preceitos ou proibições, estamos rompendo também com nossa identidade.

Em última instância, uma vez que nossas crenças sexo-religiosas tendem a definir nossa identidade como ser humano, qualquer aspecto que não se enquadre na moldura de referência pode ser considerado desnaturado. Se não nos comportarmos da maneira sexo-religiosa adequada, não seremos considerados nem mesmo seres humanos como tais.

Logo, quando as religiões regulam nossa vida sexual também controlam nossa vida, nossa identidade e até mesmo nossa compreensão do que é ser humano. Quando as religiões lutam para que autoridades seculares sigam sua cartilha de crenças sexo-religiosas, sabem que isso significa que o núcleo de sua doutrina parecerá natural e autoevidente. Podem até não ter êxito em nos converter, mas ao controlar nossa vida sexual podem nos obrigar a viver como se fôssemos fiéis. Desta forma, logram nos colocar no caminho da salvação, naquilo que consideram ser a perfeição humana.

Torna-se, assim, mais fácil compreender por que tantas religiões dão ênfase ao sexo. É particularmente evidente no caso daquelas religiões que vêm a público reconhecer que não podem mais controlar todos os aspectos da sociedade: se tiverem êxito no reconhecimento de suas regras sexuais aceitas como princípios gerais, os grandes elementos de estruturação de sua sociedade religiosa ideal terão sido alicerçados.

Ideia central e estrutura do livro

Uma apresentação completa de todos os aspectos da relação entre sexo e religião resultaria em uma obra que encheria infinitas páginas. O objetivo aqui é tentar identificar aspectos mais importantes e característicos do panorama sexo-religioso.

Neste livro, tento apontar alguns dos mais importantes padrões sexuais encontrados nas principais religiões, e também incluo um grande número de exemplos, que embora nem sempre igualmente representativos, são os mais importantes exatamente porque mostram outras maneiras pelas quais sexo e religião podem ser combinados. Mesmo lidando com as principais religiões, é importante observar os fenômenos mais marginais, que com frequência oferecem um contraponto a afirmações genéricas do tipo "O judaísmo sempre foi..." ou "O islã sempre foi...".

A diversidade sexo-religiosa nos leva de volta a nosso ponto de partida. Não existe nada natural ou autoevidente sobre as maneiras pelas quais as várias religiões prescrevem, proscrevem, abençoam ou condenam diferentes tipos de sexualidade. O fato de o sexo se tornar sagrado ou abominável depende inteiramente de uma religião em particular defini-lo como tal.

Quando se resolve escrever um livro sobre sexo e religião não há, é claro, uma maneira óbvia de apresentar o tema. Um livro tal pode oferecer uma abordagem cronológica do modo como a relação entre sexo e religião se modificou ao longo da história, ou pode tomar cada religião à parte e discorrer sobre o papel do sexo em cada uma delas individualmente. Escolhi realizar um trabalho mais temático. A divisão dos capítulos reflete algumas das questões mais contemporâneas que dizem respeito à religião e ao sexo. Incluem o que se entende por sexo no contexto religioso, com quem se pode fazer sexo, sexo como uma atividade diretamente religiosa e quais as implicações do sexo segundo as religiões — tanto para o indivíduo como para o conjunto da sociedade.

No primeiro capítulo, examino as fronteiras e as limitações da religião: como podemos determinar se algo é ou não religioso; como podemos dizer que certas normas são as características desta ou daquela religião quando cada uma individualmente espelha uma ampla gama de abordagens diante de diferentes tipos de sexo?

No capítulo seguinte, abordo a controversa compreensão do que é sexo para as religiões. Não se trata, de modo algum, de uma categoria naturalmente definida. Enquanto para os muçulmanos extremamente conservadores do talibã uma mulher que deixa os tornozelos à mostra está cometendo um crime sexual passível de punição, em alguns círculos cristãos não se julga que jovens solteiros que pratiquem masturbação mútua estejam praticando sexo. As definições do que se considera sexual variam segundo cada comunidade de fiéis. Isso demonstra novamente nosso entendimento de que o sexo é, em essência, um fenômeno construído culturalmente.

Muitos fiéis estão convencidos de que seria preferível não praticar sexo de maneira alguma. O ideal religioso de abstinência absoluta é o tema do terceiro capítulo do livro.

Muito embora o sexo seja principalmente uma atividade social, absolutamente não se resume apenas a isso. Como veremos no capítulo quatro, sexo solitário não é apenas completamente possível, mas também objeto de interpretações diferentes por diferentes religiões.

A heterossexualidade é o tema do capítulo seguinte, o maior do livro. Há uma diferença entre as categorias de heterossexualidade. Ante toda a condenação contemporânea da homossexualidade, muitos frequentemente perdem de vista que algumas poucas religiões, se tanto, endossam a conduta daqueles que querem praticar sexo livremente com quem escolheram. Culpa, danação eterna e pena de morte são apenas alguns exemplos do que aguarda àqueles que não lograram se ater ao *parceiro heterossexual* correto, ao *contexto* correto e aos *orifícios* corretos. O capítulo é subdividido em seções que lidam com sexo pré-conjugal, casamento como instituição, sexo obrigatório, sexo para fins de procriação, poligamia, sexo extraconjugal, divórcio e, por fim, demais proibições e orifícios corporais.

O sexto capítulo trata da homossexualidade. Enquanto muitas das religiões hoje em dia parecem quase obcecadas pela condenação da homossexualidade, outras religiões consideram o sexo entre indivíduos do mesmo gênero algo admissível, ou mesmo sagrado; ou, em alguns casos, superior ao intercurso sexual heterossexual. Mas a homossexualidade não é, em si, uma categoria distinta: muitas religiões consideram algumas formas de homossexualidade natural enquanto simultaneamente condenam outras.

A acachapante concentração do debate religioso moderno sobre sexo na questão do gênero nos faz ignorar as inúmeras outras categorias humanas capazes de fundamentar tanto proibições quanto mandamentos. Um pouco desse tema está no sétimo capítulo. Assim como a cor da pele foi um importante fator durante boa parte da história da cristandade, outras religiões estão mais preocupadas em regular a possibilidade de seus fiéis fazerem sexo com alguém de um credo diferente. Na Ásia, aliás, temos a casta como um fator decisivo na conduta sexual de hindus e outros fiéis.

Enquanto as religiões têm constantemente que lutar por seu território no mundo físico e empírico, assentam-se em um terreno bem mais firme em outras partes do universo humano. Paraíso, inferno e demais regiões onde podemos acabar depois da morte continuam sendo prioritariamente os domínios da religião. Neles também o sexo é praticado e regulado segundo uma variedade de regras religiosas. Até os seres que habitam esses locais — deuses, anjos e demônios — não estão isentos da urgência religiosa em regular o comportamento sexual. Esse é o assunto do oitavo capítulo.

A prática sexual nesta vida é, com frequência, tida como uma chave para nossa existência depois da morte. Mas as consequências do sexo podem facilmente ser mais amplas que isso. Não apenas os deuses podem nos punir como indivíduos enquanto ainda vivos, como nossa conduta sexual pode afetar o modo como as forças divinas afetam o conjunto de nossa comunidade. Esse é o tema do capítulo 9.

O capítulo 10 trata de como o sexo é utilizado, da maneira mais literal possível, no contexto religioso. Visitaremos locais de devoção, por exemplo, para ver quais tipos de manifestações sexuais se encontram por lá. Nem todos os mestres de cerimônia religiosos estão alheios à prática do sexo em seus rituais.

O livro termina com um capítulo em que examinamos mais de perto as prioridades sexo-religiosas. Diferentes proibições e mandamentos religiosos ganham ênfase ou são negligenciados tanto diante da relação entre ambos como diante de outros aspectos religiosos. Como é possível que as mesmas proibições ou mandamentos religiosos por vezes sejam facilmente esquecidos, enquanto outras vezes passam a constituir algo da mais alta importância dentro de uma cosmovisão religiosa?

Ainda que escrever um livro hoje em dia se constitua tarefa desafiadora e fatigante, pude contar com a ajuda de um grande número de pessoas ao longo do caminho. Neste contexto, quero agradecer especialmente a Mia Berner, Jonis Forland, Ingvild Sælid Gilhus, Hege Gundersen, Liv Ingebord Lied, Kaizad Mehta, Henrik Nordhus, Steinar Opstad, Pål Steiner, Helge Svare, Knut Olav, Åmås e a meus pais por toda a ajuda, apoio e entusiasmo. Desejo também agradecer a Pål Bjørby, Ole Aastad Bråten, Guna Dahl, Christine Endsjo, Roald Fervang, Bjørn Hatterud, Wenche Helstad, Janicke Iversen, Per Thore Lanner, José Martinez, Lisbeth Mikaelsson, Håkan Rydving, Mara Senes e Michael Stausberg.

1

Fronteiras e delimitações das religiões

Como se pode definir a conduta cristã correta em relação ao sexo? Ou a conduta muçulmana? Ou a hindu? Com frequência, ouvimos falar de condutas que seriam proibidas para um cristão ou um budista, ou a um judeu, para logo em seguida ouvir um terceiro dizer algo totalmente diferente. E aí, o que se segue é uma discussão sobre quem está certo ou errado. Em outras palavras, adentrar o terreno do sexo e da religião é certeza de se deparar com uma confusão imediata. Quem sabe, muitas das respostas a nossas perguntas talvez residam nessa discordância.

Todos os fiéis gostam de enxergar a si mesmos como verdadeiros cristãos, verdadeiros muçulmanos, verdadeiros hindus, seja o que for que "verdadeiro" signifique. Não cabe discussão. Ainda por conta da multiplicidade das tradições, a percepção de que alguém possa ser um verdadeiro cristão, muçulmano ou hindu traz em si um dilema. Se Mona, que é uma judia praticante, acredita nisso e naquilo, o que seria então Hanna, se porventura não acreditar nas mesmas coisas? Não seria tão judia quanto? Encontramos o mesmo dilema no que diz respeito ao que religiosos entendem ser correto em relação ao sexo. Cada religião é tão diversa em seu íntimo que se torna difícil chegar a conclusões absolutas sobre a relação que têm com o sexo.

Muitos clérigos cristãos, muçulmanos, hindus e de outros credos costumam falar em nome de seus fiéis, afirmando que isso ou aquilo é proibido para eles. O que ignoram, consciente ou inconscientemente, é a enorme diversidade existente no perímetro de cada religião. Com tais afirmações desprezam-se não apenas as circunstâncias contemporâneas, mas também as históricas. Todas as grandes religiões tanto condenam como defendem a homossexualidade, aliás, apesar de ressaltarem que sempre foi condenada pela maioria dos credos.

No âmbito de cada tradição religiosa sempre haverá um número de lideranças nas quais os seguidores depositarão sua confiança — autoridades que frequentemente fazem afirmações diferentes e nem sempre deixam de cair em contradição. Até onde fiéis seguirão o que alguma dessas lideranças diz dependerá, em parte, da escolha que cada um faz para si, e em parte do nível de compulsões e sanções a que estão submetidos. Mas, ainda que se considerem seguidores de uma dada religião apenas formalmente, resguardando somente o nome de sua crença, devem ser considerados budistas, cristãos, muçulmanos e assim por diante. O fato de que tantas pessoas se comportarem de maneira diversa da que desejam suas autoridades religiosas não implica uma ruptura com a denominação que a religião lhes dá, mas que professam aquela fé de uma maneira nova e diferente. Dado o permanente conflito interno existente nas religiões no que tange a sua relação com o sexo, a resposta à pergunta sobre qual seria a verdadeira conduta sexual de um muçulmano, de um cristão ou de um hindu estará sempre aberta a múltiplas alternativas.

Porém, nem tudo é relativo. Algumas hierarquias são mais centralizadoras que outras, incluindo, por exemplo, certos textos sagrados e lideranças religiosas proeminentes. Existem também algumas tendências claras entre diferentes autoridades, com ênfase maior ou menor no peso que se dá às escrituras sagradas. Ao mesmo tempo, é importante deixar bem claro a que se dá prioridade e a que se faz vista grossa, pois isso demonstra como boa parte da expressão religiosa é o resultado de escolhas tanto conscientes como inconscientes. Mais adiante, podemos ver que também há tendências claras no modo como os fiéis seguem ou ignoram um ou outro mandamento ou proibição. Um pouco disso vamos examinar mais de perto quando tentarmos traçar um mapa da paisagem sexo-religiosa.

Muitas pessoas selecionam bem suas referências para enunciar afirmações absolutas. Escolhem trechos específicos da Bíblia ou do

Alcorão e os utilizam para provar que o judaísmo, o cristianismo ou o islã possuem esta ou aquela visão sobre uma dada variante sexual. Esse tipo de seleção mostra como até mesmo as referências mais centrais não podem ser utilizadas para chegar a respostas conclusivas sobre uma religião, embora tais afirmações possam frequentemente representar convicções e tradições arraigadas. Nos evangelhos, Jesus proíbe totalmente o divórcio, mas a maioria dos cristãos de hoje pensa de modo diferente. Isso, é claro, não torna menos cristãos tanto quem defende como quem condena o divórcio.

Isso nos leva à questão sobre quais fontes devemos consultar na pesquisa da relação entre sexo e religião. Textos sagrados, por exemplo, não podem servir de referência sozinhos porque os fiéis mesmos optam por interpretá-los de modo tão diverso. Quando tentamos esboçar um rascunho da relação entre sexo e religião, precisamos, portanto, utilizar um sortimento variado de referências. A leitura de textos religiosos deve ser cotejada com uma pesquisa da opinião dos membros de diferentes comunidades de fiéis de hoje, e como essa opinião evoluiu ao longo da história. Discursos de líderes religiosos não podem ser tomados independentemente do grau em que os fiéis seguem esses sermões. Ideais religiosos devem ser comparados com o que de fato é praticado e tolerado, o comportamento que na verdade resulta das sanções assim como as reações que se seguem quando alguém se move na fronteira do que é religiosamente aceito.

Quando observamos a relação entre sexo e religião, precisamos também questionar até onde se estendem as fronteiras que é do religioso. Para muitas pessoas de fé, principalmente em nossos dias, o sexo vem à parte do que se entende como sagrado. Para outras, certas regras sexuais são centrais em sua crença, ao passo que outras regras têm um significado mais cultural. O que originalmente era um mandamento ou proibição no âmbito da *religião* está com frequência tão interiorizado que é visto como "natural". Em todos esses contextos em que pessoas religiosas afastam toda ou parte de sua vida sexual da esfera religiosa, suas atitudes em relação ao sexo e à religião permanecerão relevantes assim mesmo, simplesmente porque veem a si mesmas como religiosas.

Além disso, enormes diferenças culturais e regionais servem para complicar ainda mais a imagem — tanto dentro de uma religião em particular como entre credos diferentes. Em toda a área do Mediterrâneo, por sinal, existe um padrão tradicional comum para questões sexuais, segundo o qual os homens podem, mais ou menos, fazer o que bem entenderem, enquanto a sexualidade feminina está sujeita a controles bem mais rígidos. Esse modelo é essencialmente o mesmo quando nos referimos ao cristianismo, ao judaísmo, ao islã ou a outras religiões. A pergunta é se isso é uma questão que se refere à religião, à cultura ou a ambas. Uma vez que esse é um padrão cultural que sobreviveu a milhares de anos e experimentou muitas mudanças religiosas, há uma boa razão para pensar que representa um traço cultural fundamental que extrapola a religião. Mas, se questionarmos individualmente cristãos, judeus ou muçulmanos, provavelmente teremos respostas diferentes: embora poucos argumentassem que existe uma explicação religiosa para que seja permitido a homens fazer o que bem entendam, a maioria diria que o controle rígido da sexualidade feminina está associado de perto às crenças religiosas às quais diz respeito. Uma vez que um padrão desse tipo seja internalizado em uma religião específica, torna-se também parte dela.

Em alguns países o Estado tenta controlar a vida sexual dos cidadãos extrapolando princípios religiosos, algo que evidentemente afetará o grau em que os cidadãos seguirão as regras tradicionais de conduta sexual. Mas, ao mesmo tempo que cada vez mais países permitem a seus habitantes fazer o que quiserem, as possibilidades de controlar a vida sexual das pessoas torna-se mais presente à medida que o aparelho estatal se faz mais abrangente e mais efetivo. Ainda que, em geral, no passado os mandamentos e proibições fossem mais fortes, as religiões e o poder estatal tinham menos possibilidades de acompanhar sua consecução.

É possível também encontrar uma pletora de padrões culturais diversos em outras regiões do planeta. Padrões sexuais de judeus, cristãos e muçulmanos em Nova Iorque ou Berlim têm mais traços em comum do que com jovens irmãos de fé de um povoado em Kerala ou na Etiópia. Aqui entram também fatores econômicos e não religiosos. É evidente que os níveis de controle social e religioso são muito diferentes para alguém que é solteiro e independente que em locais onde a rejeição familiar significa uma tragédia social e econômica. A familiar nuclear pequena, economicamente independente, capaz de migrar para outro extremo do país, oferece um conjunto muito diferente de circunstâncias para um indivíduo que a família mais extensa, na qual, mesmo quando adulto, não se pode escapar do escrutínio de pais, avós, tias e tios. Fatores como esses explicam, em parte, por que, por exemplo, muçulmanos e hindus em maior grau vivem de acordo com regras sexuais mais tradicionais que cristãos e muçulmanos. São poucos os muçulmanos e hindus habitando sociedades nas quais o indivíduo tem a possibilidade de viver mais independente de suas famílias e de outras redes sociais menos permeáveis. Há pouco ou nada nessas religiões que sustente tantas diferenças estatísticas. Em todas as religiões é possível encontrar o espectro inteiro de comportamentos sexuais, desde regras extremamente rígidas a posturas mais complacentes.

É, portanto, difícil encontrar alguma faceta pela qual se possa decifrar a relação de uma religião específica com o sexo. As religiões não são unidades claramente definidas. Trata-se de categorias cujas fronteiras são indeterminadas. São grandezas históricas que passaram por grandes mudanças ao longo do tempo. E cada um desses credos abraça um amplo espectro de convicções religiosas diversas. Tudo isso se deve ter em mente quando estudamos a relação entre sexo e as diferentes religiões.

2

Mas, o que é sexo, afinal?

Ao examinarmos a relação das religiões com o sexo é relevante ter uma concepção nítida do que este último é de fato; mas isso não é tão fácil como parece. De acordo com o *Dicionário Houaiss da Língua Portuguesa*, sexo é a "conformação física, orgânica, celular, particular que permite distinguir o homem e a mulher, atribuindo-lhes um papel específico na reprodução", entre outras definições. Uma acepção mais genérica de sexo incluiria a atividade em que os órgãos sexuais e certo grau de excitação estão envolvidos. Ao adentrarmos a seara religiosa, não encontraremos uma explicação mais esclarecedora. Ao contrário. Que um intercurso sexual vaginal seja considerado sexo é uma conclusão que encontramos em todas as religiões. Mas se tomarmos isso como ponto de partida, as variações intra e inter-religiosas são extremas.

Muita energia foi gasta pelas religiões ao logo da história para regular o que pode ser entendido, em um sentido mais amplo, como território sexual. Na lei mosaica, por exemplo, o conceito de *yichud* refere-se à necessidade de manter afastados fisicamente uns dos outros homens e mulheres inuptos. Ainda que esse princípio não seja largamente difundido hoje em dia, é possível encontrar novas e constantes expressões dele. Em Jerusalém, ônibus específicos para homens e mulheres são cada vez mais comuns para atender à demanda de judeus ultraortodoxos, e mesmo naqueles trechos em que tais ônibus não estão disponíveis, as mulheres devem ocupar os assentos de trás,

Albrecht Dürer. Adão e Eva expulsos do paraíso. 1510. Gravura sobre madeira

Crédito: Germanisches Nationalmuseum, Nürenberg

de forma a evitar o contato com representantes do sexo oposto, o que seria fundamentalmente uma indecência. Por vezes ocorre de mulheres serem agredidas por ultraortodoxos porque se recusam a observar essa regra[1]. Em regiões mais conservadoras do islã encontra-se uma série de normas correspondentes para manter homens e mulheres apartados. As leis sauditas que proíbem mulheres de se locomover fora do lar sem a supervisão masculina representam apenas um dos muitos exemplos atuais disso. Mas os homens também podem ser o alvo. No inverno de 2008, cinquenta e sete rapazes foram presos num *shopping center* em Meca por usar roupas indecentes, ouvir música alta e dançar, desta forma atraindo a atenção das mulheres[2]. No outono de 2008, um grupo de imãs de Oslo fez uma passeata durante um festival norueguês-somali protestando em alto e bom som contra homens e mulheres que não tinham parentesco e estavam ali aglomerados[3]. Não faltam exemplos similares tampouco no hinduísmo. Informações turísticas na metade hindu do Nepal advertem visitantes para evitar a troca de beijos e carinhos, "especialmente entre homens e mulheres"[4]. O grupo político radical hindu Shiv Shema instituiu sua própria tradição de Dia dos Namorados na Índia: casais heterossexuais avistados em público pelos ativistas têm o rosto pintado de preto e o cabelo cortado à força, enquanto lojas que celebram o Dia dos Namorados são vandalizadas.

No cristianismo, Jesus insistia desde cedo que era possível ser culpado de infidelidade sexual sem que os órgãos sexuais estivessem envolvidos: "Mas eu vos digo que todo aquele que persiste em olhar para uma mulher, a ponto de ter paixão por ela, já cometeu no coração adultério com ela"[5]. De acordo com são Tomás de Aquino, tido como o primeiro teólogo católico, carícias e beijos entre pessoas de sexos opostos não constituem um pecado capital em si, mas podem muito bem dar causa a tanto[6]. O desejo não consumado configurando um grave pecado sexual é algo que faz parte de uma longa tradição dentro do cristianismo. Quando missionários cristãos se espalharam pelo mundo pregando que

1 Lefkovits 2007.
2 BBC 2008a.
3 ImageNepal vol. 23:3, Jan-Fev 2010:12.
4 2010a.
5 Mateus 5:28.
6 Tomás de Aquino, Summa Theologica 2-2.154.4.

tais pensamentos sexuais eram pecaminosos, isso representou um novo conceito para muitos dos povos com os quais entraram em contato[7].

Nesse mesmo espírito é que Maomé acreditava que cobiçar coisas ou pessoas apenas por olhar para elas constituía adultério, e conversar sobre coisas proibidas, ou sobre o desejo de alguém, era cometer adultério com a língua[8]. Há também o adultério do ouvido, quando se escutam conversas de teor sexual, e adultério da mão, quando alguém toca aquilo que estava cobiçando. Um pouco menos sublime, talvez, seja o adultério dos pés, que implica caminhar até o lugar em que se planejava cometer adultério[9]. Maomé, contudo, parece ser mais tolerante com o desejo humano que Jesus, contanto que não seja consumado: ele não acena com consequências religiosas nesse caso.

Também no budismo o desejo em si é uma categoria limítrofe e problemática, mas nele o desejo é um desafio maior que o sexo como tal. A questão do desejo é conectada com todos os sentidos que, a seu modo, tentam e nos arrastam para o sofrimento. A exemplo de outras religiões, porém, o budismo também opera algumas vezes com um conceito estendido de sexo: o simples fato de homens olharem para mulheres, mesmo que apenas em imagens, é compreendido como ato sexual[10].

A nudez, ou a mera sugestão do nu, representa outro território que foi altamente sexualizado no âmbito das religiões. Já no relato bíblico sobre o Éden, Adão e Eva envergonharam-se de sua própria nudez e se cobriram com folhas de figueira assim que comeram o fruto da árvore da sabedoria e "seus olhos se abriram"[11]. Quando Noé, ébrio, foi visto nu por seu filho Caim, amaldiçoou a este e as suas futuras gerações[12].

Antônio, o Grande, primeiro dos patriarcas cristãos do deserto, foi cultuado por jamais ter permitido que lhe vissem nu enquanto viveu. Para se manter em correção, esse santo homem jamais se banhou, e

---

[7] Wiesner-Hanks 2000:156.

[8] Imam Bukhari Sahih Bukhari 8.74.260,8.77.609; Muslim Ibn al-Hajjaj Sahih Muslim 33.64 21-21-22.

[9] Muslim Ibn al-Hajjaj SahihMuslim 33.64 22.

[10] Faure 1998:17.

[11] Gênesis 3:7.

[12] Gênesis 9:21-27.

como bom exemplo de cristão não punha "sequer seus pés na água, a menos que fosse obrigado"[13].

A atitude cristã em relação à nudez, entretanto, passou por mudanças. O papa Júlio II, no início do século XVI, não viu problema nas várias figuras bíblicas nuas pintadas por Michelangelo na Capela Sistina, ao passo que o papa Paulo IV, algumas décadas mais tarde, sentiu-se horrorizado por aquela nudez e planejou destruir os afrescos. Somente a força dos protestos decorrentes o demoveu de seu plano original: em vez disso, comissionou discípulos de Michelangelo para que cobrissem com roupas aquelas figuras bíblicas indecentes[14]. Na era moderna, uma energia infinita continua a ser empregada por cristãos da mesma maneira, com o objetivo de coibir a nudez em filmes e publicações. É um tema que continua atual. Enquanto cada vez mais o número de clubes de futebol e associações de donas de casa publicam calendários de pessoas nuas, incluindo fotos de seus integrantes, o norte-americano Chad Hardy foi excomungado da Igreja mórmon por ter publicado um calendário de missionários com torsos nus[15].

Idealmente falando, muçulmanos adultos não deveriam se mostrar nus, mesmo diante de pessoas do mesmo sexo, mas a prática varia bastante, especialmente em banhos públicos[16]. A interdição da nudez está ligada ao modo como o Alcorão exorta as mulheres a se vestir modestamente, menos diante de parentes próximos e sobretudo em relação a estranhos[17]. Mulheres decentes devem estar bem cobertas. Com homens não é sempre assim. O que se observa em praias europeias são muçulmanas cobertas dos pés à cabeça junto de seus maridos e parentes masculinos vestindo trajes de banhos sumários. Mas não é sempre que homens se livram dessas restrições. Desde a revolução de 1979, iranianos não estão mais autorizados a se vestir da forma que bem entendem, e em 2009 milicianos do Hamas na Faixa de Gaza

[13] Athanasius Vita Antonii 47.2-3.
[14] Bullough 1976:442.
[15] 365gay 2008b.
[16] Bouhdiba [1975]:165-67.
[17] Alcorão 24.31.

passaram a admoestar homens que passeavam pela orla marítima com o torso descoberto[18].

Entretanto, às vezes até roupas não bastam para cobrir a nudez feminina. Abu Hurairah, um dos seguidores mais próximos de Maomé, adverte contra "mulheres que estão nuas mesmo quando se cobrem de roupas". Tais mulheres "vão por descaminhos e arrastam outros por eles". De acordo com Abu Hurairah, quem se veste dessa forma é impedido de adentrar o paraíso[19]. O estímulo a se vestir modestamente é o que está por trás do incremento do *hijab* e do *niqab* (lenço e véu) que vemos hoje, muito embora o próprio Maomé não exigisse o uso de nenhum deles. Foi o califa Omar quem, sob suposta inspiração divina, inventou o *hijab* logo após a morte do profeta[20]. Existe, apesar disso, uma enorme diferença entre mulheres que seguem a moda em Teerã, que usam *hijabs* finos encobrindo penteados elaborados, e o hábito de se cobrir completamente com tecidos e véus negros, comum a praticamente todas as mulheres em Sanaa, capital do Iêmen. No outono de 2008, o mais destacado juiz da Arábia Saudita declarou que a exibição de mulheres vestidas indecentemente e outros "grandes males" justificaria o assassinato dos proprietários da estação de TV em questão. De modo bastante idêntico, até 1980 as famílias mais conservadoras dos Emirados Árabes Unidos não permitiam que seus filhos desposassem uma jovem que houvesse sido vista por outra pessoa, fosse homem ou mulher, que não pertencesse ao seu círculo familiar mais íntimo[21].

No extremo oposto eventualmente encontraremos uma compreensão religiosa mais precisa sobre o sexo que aquela que a maioria das pessoas possui. Uma pesquisa norte-americana de 2012 mostrou que 27% de um grupo de estudantes universitários que havia assinado um "contrato pessoal" com uma instituição cristã conservadora, comprometendo-se a se abster de sexo antes do casamento, conseguiram se manter fiéis ao compromisso no decorrer de um ano, exceto por terem praticado sexo oral nesse ínterim. Eles simplesmente não consideravam

---

18 Imã Malik Muwatta 48.4.7.

19 Bouhdiba [19475]:36.

20 BBC 2008b.

21 Brooks1995:107-87-8.

ter praticado sexo[22]. Um estudo envolvendo mulheres que cresceram em ambientes religiosos na Noruega mostra que a proibição do sexo antes do casamento, na prática, costuma significar "qualquer coisa menos dormir junto"[23]. Casais de namorados heterossexuais costumam "bolinar-se até o orgasmo e coisas assim", sem que isso seja visto como sexo[24]. Uma jovem cristã, para quem está bem claro o desejo de não fazer sexo antes do casamento, relata como, apesar disso, seu namorado ficou "surpreso com o fato de eu chupá-lo logo de cara, sabe?"[25]. Esses limites, decerto surpreendentes, estabelecidos por cristãos solteiros oriundos de ambientes conservadores para o que podem fazer ou não com pessoas do sexo oposto — muito embora insistam que não desejam o sexo antes do casamento —, são ao mesmo tempo "totalmente normais nesses ambientes"[26].

Tais condutas sexuais podem criar um aparato conceitual confuso, e o pastor digital Bill McGinnis oferece um bom exemplo do tipo de confusão decorrente. Ele explica, por exemplo, ao descrever a compreensão que um conservador cristão norte-americano tem de sexo, que "namorar fazendo carícias até chegar ao clímax" pode ser uma opção para cristãos que desejam se manter fiéis à proibição do sexo pré-conjugal. Não há nada de novo nisso no contexto cristão, e McGinnis, referindo-se a si mesmo, observa que era basicamente esse o mesmo entendimento entre a maioria dos jovens da década de 1960. Ele fala por experiência própria: "Ambos os parceiros alcançavam o orgasmo, nenhum perdia a virgindade". Enquanto não houvesse penetração "não seria possível falar em sexo[27].

A justificativa de Bill Clinton para o episódio com Monica Lewinsky não foi inventada ao acaso, mas refletiu ideias fundamentais compartilhadas pelos mesmos círculos cristãos conservadores que o condenavam. O que Clinton parece ter ignorado, entretanto, foi que as fronteiras do que constitui o sexo mudam depois que as pessoas se casam.

---

22 Akst 2003.

23 Røthing 1998:13, cf. 166-7, 176, 182-7.

24 Røthing 1998:183.

25 Røthing 1998:184.

26 Røthing 1998:13.

27 Reverendo BillMcGinnis, "Study of Christian sexuality", em LoveAllPeople.org, http://www.loveallpeople.org/pearl-christiansexuality.html.

As mesmas ações aceitas inocentemente *antes* do casamento passam *depois* a ser encaradas como ilegais, caso realizadas com outro parceiro que não o cônjuge. Além disso, para evitar ser encarado como sexo, esse tipo de bolinação mais intensa deve nitidamente ser restrita a pessoas do sexo oposto, sem importar o estado civil. Quando jovens dos círculos conservadores são ensinados a não "tocar o outro em demasia nem fazer carícias tão intensas"[28], não significa que é permitido fazer o mesmo com pessoas do mesmo sexo.

Mesmo com os incontáveis beijos ardentes exibidos nas redes de TV dos EUA, bastou ir ao ar apenas um beijo homossexual — o primeiro da história, exibido na série de TV *Relativity*, em 1997 — para que Tim Wildmon, vice-presidente da conservadora Christian American Family Association, declarasse que "a indústria da televisão continua a nos empurrar a agenda homossexual com um fervor redobrado"[29]. E não foi preciso mais que um simples beijo entre dois homens em uma propaganda de refrigerante para que o ex-primeiro-ministro norueguês Kjell Magne Bondevik viesse a público manifestar sua indignação.

Em um contexto bem diferente, segundo uma escala de valores parecida, em algumas regiões conservadoras muçulmanas e hindus dois homens podem andar de mãos dadas naturalmente, mas se uma mulher solteira e um homem qualquer fizerem o mesmo, o ato terá nítidas conotações sexuais.

O entendimento de que sexo necessariamente deve incluir penetração vaginal não é consenso para certos grupos conservadores cristãos. Sexo entre mulheres é normalmente ignorado por muitas religiões simplesmente por não ser considerado sexo. Nem a Bíblia judaica nem o Alcorão trazem condenações ao sexo entre mulheres; a primeira apenas determina pena capital para o sexo anal entre homens, que merece uma punição menos específica no segundo. A literatura rabínica cita as *mesolelot*, "mulheres que se esfregam", isto é, mulheres que friccionam seu órgão sexual no de outras. Segundo a maioria das autoridades religiosas que abordam essa prática em detalhes, não significa que as

28 Røthing 1998:15, itálicos meus.

29 American Family Association "Disney using ABC to sell homosexual vision to nation's television viewers' in American Family Association Journal 21.2, março 1997. http://www.despatch.cth.com.au/Misc/disney.html

mulheres em questão deixem de ser virgens por isso[30]. Da mesma forma, Hincmar, arcebispo de Reims no século IX, insistia que sexo entre mulheres só seria possível mediante o uso de objetos penetrantes[31], e as mulheres de Aragão acusadas de sexo lésbico em 1560 foram absolvidas justamente porque não haviam penetrado umas às outras[32].

Mas mesmo a penetração não é critério absoluto para a compreensão do que é sexo. Tomemos a prática sexual entre um número de jovens solteiros católicos em diferentes países da África e da América. Veremos que eles praticam sexo anal heterossexual para "proteger a virgindade das mulheres". Em 1998, em Porto Rico, a quantidade de estudantes masculinos sexualmente ativos que primeiro fizeram sexo anal heterossexual, e não vaginal, era de 44%[33]. A maioria desses jovens poderia muito bem dizer que jamais praticou sexo, já que acham que suas parceiras não perderam a virgindade dessa forma; mas movimentam-se claramente na fronteira sexual onde a religião representa um dos fatores mais importantes para definir o comportamento.

Novamente percebemos uma enorme diferença na abordagem do assunto em relação a pessoas do mesmo sexo ou de gêneros diferentes. Homens que praticam sexo anal passivo com outros homens em nenhuma hipótese deixam de ser incluídos no conceito que se entende como sexo.

Quando nos movimentamos no campo sexual, facilmente nos deparamos com fronteiras que nem sempre são as mais claras. Mas nem por isso tudo deve ser relativizado, ainda que os limites sejam pouco nítidos na maioria das vezes. Não importa quão abominável seja sentar ao lado de alguém no ônibus; até os mais zelosos defensores de tais normas admitirão que existe certa distinção entre isso e a prática do sexo vaginal. Da mesma forma, certos tipos de comportamento que podem até não ter conotação sexual em ambientes religiosos conservadores passam a ser imediatamente percebidos assim caso os parceiros envolvidos sejam solteiros ou de sexos opostos.

---

30 Eron 1993:119-20.

31 Benkov 2001:105-6.

32 Monter 1990:281-82.

33 Black & Way 1998.

3

Sexo não, obrigado

"Ó, homem inútil! Seria melhor para ti se teu pênis ficasse engastado na boca de uma serpente venenosa que inserido na vagina de uma mulher. Seria melhor para ti se teu pênis ficasse preso em uma cova com carvão ardente para que se consumisse em fogo." Foi esse o conselho que Buda deu ao monge Sudinna quando este, por um breve período, voltou aos braços de suas esposas e engravidou uma delas para garantir sua descendência. Buda sabia que tanto serpentes como carvão em brasa podem levar à morte, mas sexo pode conduzir a coisas ainda piores *depois* da morte: "umbral, abismo, inferno"[1]. Dificilmente haverá uma exortação mais expressa à abstenção sexual que essa atribuída a Buda em conversa com o infeliz monge por volta do ano 400 a.C. A condenação maciça do sexo nesse episódio não é, de forma alguma, uma exceção.

Está entre os preconceitos mais difundidos a percepção geral das religiões como instituições antissexuais. Como em tantos outros preconceitos, há nesse também um quê de verdade. No plano geral, fé em excesso implica aversão a sexo, mas — como já vimos — inúmeras religiões estão longe de adotar essa postura. Aqui é preciso fazer uma distinção fundamental entre as grandes religiões nesse particular. De um lado, o judaísmo, o islã e o hinduísmo, em larga medida, não

---

[1] Parajika 4,1.

Mara's temptation of Buddha
Crédito: Coleção particular

condenam o sexo. Muito ao contrário, como veremos mais detidamente no capítulo sobre heterossexualidade. Ao mesmo tempo, costuma-se ignorar como, em sua origem, o budismo e o cristianismo manifestam uma conduta absolutamente negativa em relação ao sexo. O conceito de Buda sobre o sexo heterossexual, pior que um encontro com uma serpente venenosa ou que a prisão em uma cova com carvões em brasa, não se refere apenas à vida monástica, mas implica uma percepção geral do sexo como algo incompatível com uma almejada libertação do sofrimento. E quando tomamos o cristianismo, vemos que tanto Jesus como são Paulo diziam que a abstinência sexual, de longe, era o melhor caminho a trilhar.

Em antigos escritos budistas o casamento é constantemente citado como a fonte de toda a inquietação, *dukkha*[2]. Eis por que Sidarta, o futuro Buda, abandonou esposa e filhos para trilhar o caminho da sabedoria. Abstinência sexual é necessária para finalmente romper o círculo vicioso da reencarnação[3]. O desejo sexual está, assim como qualquer outro, intrinsecamente ligado ao sofrimento e tudo o mais que nos impede de alcançar a libertação. O intercurso sexual heterossexual é, portanto, considerado o pior ato na perspectiva cármica: não apenas conduz a um carma ruim em si, mas os sofrimentos decorrentes afetarão os seres que nascerão daquele ato[4].

Não é apenas ao abandonar sua esposa que Buda mostra como a abstinência sexual é fundamental para a completa salvação. Quando Sidarta estava no meio de seu esforço para alcançar a iluminação, o demônio Mara recorreu ao sexo para mantê-lo preso aos grilhões do sofrimento.

Mara enviou suas três filhas para tentá-lo. Para garantir que usariam os artifícios que mais despertavam a luxúria de Sidarta no passado, os três demônios primeiramente criariam uma miragem de cem maravilhosas virgens, em seguida de cem mulheres que haviam dado à luz uma única vez, em seguida outras cem que haviam dado à luz duas vezes, e finalmente uma centena de mulheres idosas. Sidarta, por sua vez, permaneceu tão plácido diante daquelas mulheres em todas

[2] Wilson 2003:140.
[3] Faure 1998:29.
[4] Faure 1998:33.

Estátua de um monge no Parque Santichaiprakan
Crédito: Valery Shanin/Dreamstime.com

as suas representações que Mara comparou sua tentativa de seduzi-lo sexualmente a "esmagar rochas usando talos de lótus e rasgar ferro com os dentes"[5].

A abstinência sexual de monges e monjas budistas serve para colocá-los em um patamar claramente superior ao de leigos. A regra original era bem simples: o monge que se deita com uma mulher, ou a monja que deita com um homem, não é mais monge nem monja. Apesar das palavras cristalinas de Buda sobre ser preferível evitar o sexo, dentro dos mosteiros budistas persistem grandes diferenças. Na China e no Japão, apenas os monges que habitam os mosteiros devem ser celibatários, mas os que servem nos templos costumam ser casados[6]. Também existem monges casados no Tibete, na Coreia e na Indochina, mas não há exceções correspondentes no caso das monjas[7]. Os monges celibatários, não surpreendentemente, ocupam as posições hierárquicas superiores[8].

Segundo a tradição, Buda permitiu que as mulheres se tornassem monjas depois que assim lhe implorou seu principal discípulo do sexo masculino. Embora a abstinência sexual seja um dos critérios necessários para alcançar a iluminação, originalmente a possibilidade da abstinência era negada às mulheres. Semelhantes condutas sexistas, responsáveis pelo ceticismo inicial de Buda quanto à ordenação de mulheres ascetas, espelham-se na crença de que, nas mulheres, manter-se abstinente por toda a vida é uma determinação geralmente menos forte que entre os homens. A tarefa feminina de se subordinar aos homens normalmente se interpõe no caminho de qualquer determinação que implique uma vida completamente abstinente, devido ao papel de esposas de homens que podem nem sempre almejar a abstinência.

O budismo tem uma atitude ambígua para com mulheres castas que mesmo assim mantêm sua determinação. O conceito da "virgem obstinada" que se nega a casar, algumas vezes preferindo até a morte, é largamente difundido. Mosteiros budistas femininos são por vezes lugares de refúgio para tais mulheres; porém, na prática, o budismo

[5] Samytta Nikaya 4.3.5, cf. Sutta Nipata 4.6.
[6] Parrinder 1996:48-9.
[7] Faure 1998:189.
[8] Wilson 2003:168.

Fra Angelico. A Anunciação (painel central do altar). C. 1430-32. Têmpera e ouro sobre madeira. 194 x 194 cm
Crédito: Museu do Prado, Madri

prioriza os deveres da mulher para com a família antes que para com sua salvação[9]. Mas o fato de que a estrada da virgindade eterna possa estar fechada para as mulheres é encarado como uma desgraça. O bodhisattva transgênero Guan-Yin[10] desempenha um interessante papel nesse contexto. Nos textos da "Terra Imaculada", Guan-Yin é uma salvadora divina que liberta os homens do sofrimento espiritual em seis áreas distintas e os conduz à Terra Imaculada, onde alcançarão a iluminação. Também resgata pessoas das desgraças deste mundo, como prisões, afogamentos, ataques de feras selvagens e assaltantes e coisas do gênero[11]. Em vários contos tradicionais cabe a ela também redimir mulheres da condição sem esperança que o casamento representa[12].

Assim como o budismo, o mandamento original do cristianismo em relação ao sexo não deixa dúvidas: deve-se preferencialmente evitá-lo a toda prova. A imensa ênfase dedicada hoje ao casamento, e, por conseguinte, ao sexo heterossexual pode facilmente nos levar a crer que o cristianismo sempre agiu assim.

Mas não foi o caso. Ao examinar as origens do cristianismo, percebemos que o casamento heterossexual não era mais que uma tábua de salvação.

O que o apóstolo Paulo mais desejava era que "todos fossem como eu", isto é, abstinentes sexuais[13]. Ele era suficientemente esclarecido para saber reconhecer que a proibição absoluta do sexo reduziria drasticamente seu número de seguidores. Assim sendo, transmitia a seguinte mensagem a seus fiéis: "Aos solteiros e às viúvas, digo que lhes é bom se permanecerem assim, como eu. Mas, se não podem guardar a continência, casem-se. É melhor casar do que abrasar-se"[14].

Sexo heterossexual é, em outras palavras, algo que de preferência se deve passar sem. Caso não seja possível se controlar, é melhor então se casar, para que se possa praticar sexo de uma forma que não conduza

9 Faure 1998:136.

10 Originalmente, Guan-yin era o bodhisattva indiano Avalokiteshvara, mas passou a ser representado como uma figura feminina na China à época da dinastia Sung (960-1127) (Reed 1992:164).

11 Reed 1992:164-65.

12 Reed 1992:166.

13 I Coríntios 7:7.

14 I Coríntios 7:8-9.

diretamente à perdição. O casamento não é um objetivo em si, mas um último *recurso*, um arranjo prático "para evitar a fornicação"[15].

Há poucas ou nenhuma indicação de que Jesus era casado ou sexualmente ativo, apesar da recente especulação religiosa, literária e fílmica exatamente sobre isso.

Jesus viveu sem amante, esposa ou filhos e por vezes negava a seu pai, sua mãe e seus irmãos[16]. Logo, de modo algum pode ser tomado como modelo para o sexo, o casamento ou a família. Seus discípulos mais próximos também deixaram para trás o sexo e a família para segui-lo, e fica bem claro que Jesus não considerava o casamento uma das prioridades desta vida. "Se alguém vem a mim e se não me ama mais que a seu pai, sua mãe, sua mulher, seus filhos, seus irmãos, suas irmãs e até a sua própria vida, não pode ser meu discípulo."[17].

Cada vez mais cristãos hoje em dia procuram respostas para sua vida imaginando "o que Jesus teria feito". Se essa pergunta se presta a todos os aspectos da vida, nada vale para o que diz respeito ao sexo. Se a dúvida for "com quem Jesus teria feito", a resposta é bem simples: absolutamente ninguém. Quem quer que pretenda fazer como ele deverá simplesmente abster-se de praticar o sexo.

A gravidez da Virgem, cujo desdobramento todas as comunidades religiosas cristãs relacionam a Jesus, enfatizam ao extremo o ceticismo cristão em relação ao sexo como um todo. Mas essa não era a compreensão cristã original da concepção de Jesus. Nem as epístolas de são Paulo, os mais antigos textos cristãos que conhecemos hoje, nem o Evangelho de Marcos — o mais antigo deles — fazem menção ao fato de Jesus ter sido concebido sem sexo.

Paulo era da opinião de que Jesus foi "estabelecido filho de Deus no poder por sua ressurreição dos mortos", portanto jamais poderia ter nascido filho de Deus. Ele foi feito "Filho de Deus, que, como homem, foi descendente de Davi"[18], e nada na Bíblia sugere que Maria também provinha dessa linhagem; somente José teria como arguir para

---

[15] I Coríntios 7:1.

[16] Marcos 3:31-35; Mateus 12:46-50; Lucas 8:19-21.

[17] Lucas 14:26.

[18] Cf. Romanos 1:3-4.

si essa ascendência[19]. A crença na gravidez da Virgem surge primeiramente nos evangelhos escritos depois de Marcos, provavelmente em parte com o objetivo de enfatizar o *status* de Jesus como filho de Deus, e em parte por conta da extensa visão negativa do sexo adotada pelos primeiros cristãos. O Evangelho de Mateus nos conta que Maria achou que estava "com o filho do Espírito Santo", ainda que a genealogia de Jesus alcance até Davi, por meio de José[20]. No Evangelho de Lucas, Maria recebe a seguinte mensagem do anjo Gabriel: "O Espírito Santo descerá sobre ti, e a força do Altíssimo te envolverá com a sua sombra. Por isso, o ente santo que nascer de ti será chamado Filho de Deus"[21]. Apesar da concordância na Bíblia, a gravidez da Virgem é um dogma central no cristianismo que prevalece em quase todas as igrejas cristãs. Entre os fiéis, claro, há muitos que duvidam. Uma pesquisa de 2007, por exemplo, mostrou que 21% dos protestantes e 28% dos católicos *não creem* na gravidez da Virgem[22].

A opinião de que a abstinência é melhor que o casamento não era defendida apenas por Jesus e Paulo, mas era um preceito corriqueiro entre os primeiros patriarcas cristãos. Santo Agostinho, patriarca emérito da Igreja ocidental, dizia que o estabelecimento de dois sexos distintos seguiu-se ao pecado original. Paulo já argumentava que toda a humanidade sofria por conta do pecado de Adão como primeiro homem[23], mas foi Agostinho quem primeiro sustentou que o pecado original tinha natureza sexual. Não é devido a princípios genéticos que o pecado original nos afeta a todos, mas por conta do desejo sexual inerente ao próprio ato de procriar[24]. Esse desejo, mesmo dentro do casamento, deve ser considerado um pecado, embora seja passível de perdão[25]. Homem e mulher casados devem, portanto, reconhecer que o sexo, mesmo no casamento, é pecaminoso e motivo de vergonha[26].

19 Mateus 1:1-17.
20 Mateus 1:18, 1:1-17.
21 Lucas 1:35.
22 Harris Poll 2007.
23 "Por isso, como por um só homem entrou o pecado no mundo, e pelo pecado a morte, assim a morte passou a todo o gênero humano, porque todos pecaram." (Romanos 5:12).
24 Agostinho Sobre o casamento e o desejo 1.1.
25 Agostinho Sobre o casamento e o desejo 1.27.
26 Agostinho Sobre o casamento e o desejo 1.35.

Logo, na tradição cristã a tentação está intimamente ligada ao sexo, mas é algo que Deus tenta corrigir por meio da abstinência sexual. A hostilidade do cristianismo em relação ao sexo, entretanto, não tem paralelo na hostilidade em relação ao corpo. Muito ao contrário: a abstinência sexual contribui para preservar o corpo e é um dos muitos fatores ligados ao retorno ao estado original, livre de pecado e imortal, que vivíamos no Jardim do Éden. À luz dessa perspectiva, a abstinência sexual também contribui para conceber o corpo material perfeito com que todos os verdadeiros fiéis ressuscitarão no final dos tempos.

Para a tradição cristã original, pessoas que se abstêm do sexo são nitidamente superiores àquelas que o praticam. O fato de Jesus ter ser referido a si próprio como "noivo divino"[27] contribuiu para que se desse ênfase exagerada à virgindade feminina.

As virgens perpétuas tornaram-se noivas de Jesus e até hoje tomam parte em cerimônias análogas ao casamento quando se tornam freiras. Tertuliano, patriarca norte-africano da Igreja, afirmou que "vós sois casadas com o Cristo e para Ele oferecerão a vossa carne"[28]. Essa abordagem vinha ao encontro de antigas crenças comuns na região do Mediterrâneo, onde o controle da sexualidade feminina era mais importante que o da masculina.

De acordo com o cristianismo primitivo, a virgindade não possibilitava apenas a salvação de quem se abstinha do sexo, mas também favorecia toda a comunidade ao redor da virgem[29]. Santo Ambrósio explicou assim as consequências práticas da abstinência feminina: "Uma única virgem pode salvar seus pais, outra seus irmãos"[30]. Tanto pior para aquelas famílias que não possuíam uma menina a quem poderiam conservar virgem. Muitas mulheres preferiam, portanto, viver uma vida inteira de abstinência a se verem forçadas a tanto pela família. Originalmente, essas virgens concordavam em permanecer junto aos seus, mas, com o tempo, surgiram os mosteiros onde poderiam viver em comunidade. Embora houvesse também muitos homens virgens nos arredores, em cidades e povoados do Mediterrâneo oriental,

---

27 Marcos 2:19; Mateus 9:15; Lucas 5:34-35.

28 Tertuliano Sobre o leilão das virgens 26.

29 Evans 2003:59.

30 Ambrósio Sobre a virgindade 2.2.16.

não mereceram nenhuma atenção especial até decidirem trocar a civilização e se aventurar pelo deserto, a partir do século IV. Na visão de mundo vigente no helenismo, uma terra erma e inabitada como aquela impunha um grande desafio, particularmente no âmbito sexual, tornando a abstinência praticada pelos monges do deserto ainda mais impressionante[31]. O eremita asceta, sexualmente tentado por inúmeros seres naturais e sobrenaturais que apareciam no deserto, imediatamente tornou-se o modelo do monge pio e casto.

No gnosticismo cristão, a ênfase na abstinência sexual era ainda maior naquele tipo de cristianismo que se propagou durante a Antiguidade. No Evangelho Agnóstico de Mateus, a Virgem Maria exaspera-se só de pensar em sexo, já que "a Deus se louva em castidade"[32]. Nos Atos de Tomás, todo o sexo é considerado abominável e mesmo o sexo *dentro* do casamento põe em perigo a esperança na salvação[33]. Como os gnósticos repudiavam tudo que pertencia ao mundo material, a quem consideravam maligno, o gnosticismo tinha uma postura ainda mais negativa que o próprio cristianismo em relação ao sexo. O pior aspecto do sexo era o de prorrogar a prisão do homem à matéria. Os cátaros, que por volta do século XVII eram muito numerosos na região onde hoje é o sul da França, compartilhavam essa concepção. A matéria era obra de Satã e a reencarnação assegurava que continuaríamos presos a ela. Entre os cátaros, os fiéis eram divididos em duas categorias: os "perfeitos", ascetas e sexualmente abstinentes, e o restante, que não eram nem uma coisa nem outra. Somente os "perfeitos", os que se abstinham de sexo, tinham a possibilidade nesta vida de escapar desse círculo vicioso[34]. Em sua oposição religiosa ao sexo, os perfeitos cátaros também proibiam a ingestão de qualquer coisa que resultasse do sexo, pois qualquer tipo de procriação levaria ao aprisionamento da alma. Na prática, significava que não comiam carne, leite ou ovos. Frutas e vegetais eram liberados, pois não acreditavam que fossem produzidos pela via do sexo[35].

---

31 Endjsø 2008a:82-83.

32 Pseudo-Mateus 7:3.

33 Atos de Tomás, 12:51.

34 Teague 1989:130; Lamberts 1998:21.

35 Bullough 1976:5,392.

A ênfase na virgindade prosseguiu também dentro das variantes do cristianismo que se perpetuariam. Todo o sistema monástico cristão, que subsiste nas igrejas católica e ortodoxa, baseia-se na ideia de que abstinência sexual é um dos meios de aproximar-se de Deus. Vários tipos de segregação foram empregados com o objetivo de dar ênfase a esse propósito. Por exemplo, na república monástica grega de Athos, na metade oriental da península de Halkidiki, desde o século XI foram banidas tanto mulheres como quaisquer animais domésticos do sexo feminino. Em outras situações, a abstinência sexo-religiosa é motivada por fatores claramente sociais. No Brasil católico, durante o século XVII, um tal número de famílias de posses passou a achar tão insuficiente o número de solteiros com algum nível social disponível que a maioria de suas filhas foi parar em conventos. Na Bahia do século XVII, aliás, 77% das filhas das famílias proeminentes ingressaram em conventos e apenas 14% vieram a contrair matrimônio[36].

Embora a vida monástica seja construída com base em princípios de abstinências, a rejeição dos padres católicos ao sexo nunca foi uma implicação óbvia. Nos primórdios do cristianismo primitivo, quem protestava contra padres casados era ameaçado até de excomunhão[37]. O princípio do celibato pastoral jamais se enraizou nas igrejas orientais, muito embora bispos devam ser celibatários. Caso um padre casado seja ordenado bispo, tradicionalmente sua esposa é mandada a um convento[38]. Assim como muitos dos bispos ortodoxos, também vários dos patriarcas de Constantinopla eram castrados, razão principal pela qual a proibição do sexo era mais facilmente obedecida pelos hierarcas da Igreja ortodoxa[39].

A ideia de padres abstinentes teve, de início, maior aceitação no ocidente. Uma das primeiras tentativas formais de impor o celibato aos padres ocorreu por iniciativa de um bispo espanhol no ano 325, durante primeiro concílio de Niceia, mas foi imediatamente derrotada devido à oposição do oriente[40]. É interessante notar que o conceito de

---

36 Wiesner-Hanks 2000:161.

37 Parrinder 1996:220.

38 Bullough 1976:320.

39 Bullough 1976:327

40 Evans 2003:91.

padres abstinentes nem sempre implicava que fossem solteiros, mas que "guardassem distância de suas esposas"[41]. Somente no primeiro concílio de Latrão, em 1123, alcançou-se uma decisão final com respeito ao celibato de padres católicos, e, mesmo assim, foi algo muito mais relacionado à salvaguarda das propriedades da Igreja, tendo como alvo padres que a utilizavam em prol do bem-estar de seus herdeiros[42]. Na prática, o decreto católico sobre o celibato frequentemente significava que os padres deviam se abster do casamento, não do sexo. Em muitos países católicos, até meados do século XX era amplamente aceito o fato de padres viverem junto com suas concubinas, muito embora autoridades da Igreja central de quando em vez reagissem a isso, acenando com o exílio, a pena de morte ou a escravidão nas galés[43]. Tampouco as prostitutas eram desconhecidas dos padres, situação que a Igreja tacitamente aceitava. Quando hierarcas da Igreja se reuniram para o concílio de Constança, em 1414, hordas de prostitutas acorreram para aquela cidadela; pelo menos setecentas delas, segundo fontes da época[44].

Mesmo muitos papas são famosos não apenas por sua sexualidade ativa, mas também por ter filhos. No século XV, Inocêncio VII foi o primeiro papa a reconhecer publicamente seus filhos, concebidos e nascidos em observância estrita a todas as regras da Igreja. O sucessor de Inocêncio, o papa Alexandre XI, da família Bórgia, ordenou cardeal o filho César, e também patrocinou no Vaticano um casamento épico para sua filha Lucrécia[45].

Muito embora formalmente exija o celibato de seus padres, a Igreja católica atual reconhece que um número nada desprezível deles são casados de fato.

Isso inclui muitos dos padres de igrejas ortodoxas orientais em países como Ucrânia e Líbano. Além disso, vários ex-pastores anglicanos e luteranos que se converteram obtiveram a permissão de conservar seu casamento[46]. Também há uma significativa resistência ao celibato

41 Concílio de Cartago (419 A.D.), Cânone 4, cf. Bulllough 1976:320
42 Bullough 1976:320.
43 Wiesner-Hanks 2000:161.
44 Bullough & Bullough 1987:129
45 Bullough 1976:430-31.
46 Fox 1995:182.

Shakers dançam em um encontro em Nova Iorque. Gravura de artista desconhecido.
Crédito: Library of Congress, Washington

dentro da Igreja católica. Uma pesquisa de 1999 mostrou, por exemplo, que apenas 27% dos católicos dos EUA achavam que o celibato pastoral era importante para sua própria crença[47].

Uma nova versão da exigência cristã de abstinência sexual surgiu como consequência da distinção que católicos conservadores fazem do que chamam de "inclinação homossexual" ou "prática homossexual". Dentro do cristianismo, há uma crescente convicção de que muitas pessoas nascem homossexuais, isto é, são *criadas* assim por Deus. Uma vez que muitos cristãos conservadores que creem nisso ao mesmo tempo dizem que um relacionamento entre pessoas do mesmo sexo não está de acordo com os preceitos cristãos, diz-se, então, que quem "nasce homossexual" precisa se manter em abstinência completa. Como essas pessoas são homossexuais natos, e, portanto, não são atraídas sexualmente pelo sexo oposto, um casamento heterossexual que os envolvesse implicaria obrigatoriamente a decepção do parceiro. A única solução possível, de acordo com essa particular linha de raciocínio cristã, é a abstinência total, algo que tem consequências diretas. O líder do partido holandês Christen Unie (União Cristã) declarou, em 2010, que o único candidato abertamente *gay* às eleições parlamentares não teria sido indicado se estivesse em um relacionamento. O candidato, Jonathan van der Greer, declarou que abraçara a abstinência sexual pelo resto de sua vida[48].

Na Noruega, testemunhamos algumas dessas reações entre pessoas de destaque no Kristelig Folkeparti (Partido Popular Cristão), que assumiram sua homossexualidade publicamente. Quando o líder do partido, Anders Gåsland, declarou sua homossexualidade, em 1992, a ala dita moderada do partido exigiu que se afastasse imediatamente da liderança caso estivesse namorando um rapaz. Ole Henrik Grønn, destacado político da cidade de Sarpsborg, declarou-se homossexual em 2008, e, da mesma forma, ouviu da líder local do mesmo partido, Inger Marit Sverresen, que deveria abandonar a direção partidária caso desejasse morar ou casar-se com outro homem.

[47] Cavendish 2003:223.
[48] Noreng 2008.

De tempos em tempos surgem novos movimentos cristãos para os quais a abstinência sexual é regra absoluta. Os tão chamados "shakers", membros de um movimento estabelecido na Inglaterra do século XVIII e muito difundido nos EUA do século XIX, consideravam a abstinência sexual um pré-requisito para a salvação eterna. Como o sexo era a raiz de todo o mal — religioso, econômico, social e político —, somente por meio da abstinência seria possível retornar à condição original, perfeita, que o ser humano possuía antes de ter cedido à tentação[49]. Segundo Ann Lee, matriarca do movimento, a abstinência sexual era também necessária para reestabelecer a igualdade original ente homens e mulheres, que teria existido no Jardim do Éden[50]. Por razões óbvias, os shakers não deixaram descendentes, o que significa que o movimento dependia da conversão constante de novos membros. Como esse número decrescia constantemente, restam hoje não mais que alguns poucos shakers no mundo.

Embora a abstinência fosse algo em geral rejeitado pelo judaísmo, como veremos mais amiúde em seguida, durante o helenismo judaico houve certa inclinação a essa ideia, que logo recrudesceria com o judaísmo rabínico.

Segundo o historiador judeu Flávio Josefo, no primeiro século depois de Cristo os essênios eram um grupo de homens ascetas que viviam solteiros e abstinentes[51]. Comumente identificados como o grupo que escreveu os pergaminhos do Mar Morto, estavam plenamente convencidos de que viviam no fim dos tempos. Toda a atenção e energia eram devotadas aos preparativos da iminente batalha final que travariam contra o mal.

O filósofo judeu Fílon de Alexandria referiu-se aos chamados *therapeutai*, um grupo de homens e mulheres judeus que também eram abstinentes sexuais[52]. Novamente a abstinência relaciona-se à intenção de dar a Deus atenção absoluta, mas sem a convicção dos essênios, de que viviam o fim dos dias. Embora pairem dúvidas acerca de se esses *therapeutai* sequer existiram, fica claro ao menos que Fílon tinha a

---

49 Foster 1984:25,46.

50 Foster 1984:25,32 c. 39.

51 Josefo A guerra judaica 2.8.2.

52 Fílon De vita contemplativa.

abstinência como um ideal religioso. Porém, depois dessas experiências ascetas na Antiguidade, os judeus abandonaram a ideia de que a eterna abstinência sexual seria algo a se perseguir.

Como vimos, Hipólito foi punido pelos deuses ao tentar se manter virgem. Mas havia exceções mesmo entre as antigas religiões, que demandavam de seus fiéis uma vida sexualmente ativa. Determinado número de sacerdotisas gregas deveria se manter abstinente por toda a vida —, como as do templo de Ártemis Hymnia, na Arcádia, e de Hércules, em Téspias —, ou pelo menos enquanto servissem aos deuses — caso do templo de Possêidon, na Caláuria[53]. Diversos mandamentos e proibições se aplicavam aos sacerdotes e sacerdotisas. É possível inferir que incluíam a abstinência sexual na perspectiva em que esses especialistas religiosos obedeciam a regras que não se aplicavam ao restante da população. Quando a abstinência sexual era exigida de pessoas em certas posições religiosas, a sanção por violar essa regra era particularmente severa. As vestais, sacerdotisas romanas encarregadas da chama sagrada da deusa Vesta, em Roma, precisavam se manter virgens durante seus trinta anos de devoção, mas podiam se casar depois desse período, já como mulheres de meia-idade. Caso praticassem sexo enquanto sacerdotisas, destinavam-lhes uma câmara com uma pequena quantidade de comida e bebida, na qual eram encarceradas para morrer de fome, sede ou asfixia[54].

O islã, por sua vez, continuou a aceitar a ideia de que Jesus era o resultado do parto de uma virgem[55], mas não considerava exemplar o ideal de abstinência sexual permanente. Dentro de certos círculos islamitas, entretanto, o celibato foi incentivado, assim como em determinadas divisões do movimento místico sufi, para o qual toda forma de contenção é válida na busca de Deus. Mas aqui também encontra-se uma compreensão mais tradicional do islã acerca da abstinência sexual: não é algo pelo que se deva lutar com todas as forças[56].

No hinduísmo, a abstinência total gradualmente passou a ser vista de modo positivo. Segundo o *Código de Manu*, escrito em algum

53 Evans 2003:3.
54 Plutarco Em uma Pompílio 10.1-7.
55 Alcorão 19.19-24.
56 Hidayatullah 2003:273.

momento entre 200 a.C e 200 d.C., um brâmane que tenha se conservado em total abstinência sexual asseguraria seu lugar no paraíso mesmo sem ter deixado descendentes[57].

A expressão *brahmacharya*, que na verdade se refere à abstinência de modo geral, costuma ser utilizada tanto no hinduísmo como no budismo precisamente para se referir aos aspectos positivos da abstinência sexual[58]. Para o homem, evitar o sexo é percebido como uma maneira para conseguir transcender toda sorte de limitações humanas, tanto físicas quanto espirituais. Uma vida de total celibato está associada, em particular, com o grande número de homens ascetas presentes em vários locais sagrados. Não há, na prática, mulheres entre tais ascetas, pois não existe uma tradição feminina semelhante, de considerar a abstinência permanente uma virtude. A função mais importante para uma mulher é casar-se[59].

Seria a religião, em essência, contra todo e qualquer tipo de sexo, como costumam sugerir abordagens mais simplistas sobre o tema? Sim e não. Enquanto o cristianismo e o budismo em sua origem realçavam o ideal de total abstinência sexual como algo que elevaria o ser humano a um patamar superior, o hinduísmo, o judaísmo, o islã e diversas outras religiões sugeriam o oposto. A condenação irrestrita do sexo pelo cristianismo e pelo budismo continuou a caracterizar esses credos, condenação que nos dias atuais vem perdendo cada vez mais a força que teve no passado. Mas essa oposição ampla ao sexo é, ainda assim, a principal razão para que a diversos teólogos e iniciados em ambas as religiões não seja permitida a prática sexual.

Qualquer padre, monge ou freira que viva em abstinência sexual se presta a um lembrete permanente de uma convicção fundamental, comum ao cristianismo e ao budismo: a de que a abstinência é superior ao sexo.

---

57 Código de Manu 5.159.
58 Khandewal 2001:157-58.
59 Khandewal 2001:158.

4

Sexo solitário

No final do século XIX, John Harvey Kellogg, adventista do sétimo dia e inventor dos flocos de milho, estava muito preocupado com a maneira como o desejo sexual conduzia às tentações bíblicas. Estava particularmente preocupado com o "pecado secreto" da masturbação, que não apenas era uma perigosa porta de entrada para outras práticas luxuriosas, mas algo que poderia ocasionar diversas doenças sexuais, bem como epilepsia e loucura. Essa era a convicção vigente sobre as consequências da masturbação até meados do século XX.

É difícil impedir que alguém toque o próprio corpo, mas Kellogg era um homem muito criativo. Concentrou especialmente em coibir essa prática de sexo entre crianças e jovens. Não apenas seus flocos de milho eram preparados com nutrientes capazes de conter o desejo sexual entre os jovens, mas uma série de medidas que ele recomendava se provaram bem eficientes. Colocar pequenas gaiolas sobre os órgãos sexuais era um método aprovado, mas, para os garotos, a circuncisão era particularmente recomendada: "A operação deve ser conduzida por um médico, sem anestesia, pois as dores que se seguirão terão um efeito pedagógico diante do pecado, especialmente se o fito for a punição". Coibir a masturbação era, em geral, a causa principal da circuncisão nos EUA no século XIX. Para garotas que se masturbavam, a experiência de Kellogg recomendava esfregar ácido carbólico (alcatrão) no clitóris, "uma maneira eficiente para aplacar a excitação anormal"[1].

A recomendação piedosa de Kellogg espelha tanto as concepções religiosas como medicinais de seu tempo, e é difícil dissociar uma da outra. No âmbito da crença adventista do sétimo dia havia uma conexão nítida entre elas. A ideia de que certos tipos de alimento suprimem a pulsão sexual, e, consequentemente, a incidência da masturbação, era algo que provinha diretamente da fé de Kellogg. E a crença de que a masturbação em si é um ato pecaminoso e moralmente vexatório também era uma concepção dos adventistas do sétimo dia.

No judaísmo e no cristianismo, a proibição de praticar o sexo solitário segue uma longa tradição, que, apesar disso, não tem fundamento na Bíblia. A primeira história bíblica sobre a masturbação, ligada à pessoa de Onã, não trata exatamente do onanismo. Onã é morto por Deus por ter interrompido o coito com sua esposa, não por se masturbar[2]. Na verdade, não existe veto à masturbação como tal em toda a Bíblia, muito embora a Torá afirme que toda ejaculação contém impurezas[3]. O relato sobre Onã acabou, mesmo assim, respaldando a proibição à masturbação — uma conduta reforçada pelo fato de que qualquer outra forma de sexo que não o intercurso sexual conjugal heterossexual era vedada pelo cristianismo, e parcialmente proibida pelo judaísmo.

Dentro do judaísmo, a condenação à masturbação masculina não dizia respeito apenas a Onã "desperdiçar seu sêmen no solo", mas também ia ao encontro da crítica do profeta Isaías ao sacrifício de crianças[4]. A masturbação masculina foi proibida não apenas por não se prestar à procriação, mas por, pelo menos em teoria, *impedir* a procriação. Levado às últimas consequências, o desperdício de sêmen equivaleria a tirar a vida de futuras crianças. Em hebraico clássico, a expressão para masturbação é *hashchatat zara*, que significa "destruição consciente da semente". A tradição rabínica interpretava a enigmática referência de

---

1 Gardella 1985:44; Bullough & Bullough1977:70; J.H.Kellogg Plain facts for old and young. Embracing the natural history of hygiene of organic life. Burlington: I. F. Segner & Co. 1892: 295-6.

2 Gênesis 38:9-10

3 Unterman 1996:134; Levítico 15.16-18.

4 Gênesis 38:9; Isaías 57:5; Nooman 196:50.

Isaías — "Vossas mãos estão cheias de sangue" — como uma metáfora para o quão condenável era a masturbação. Seguindo o mesmo raciocínio, no entanto, a masturbação feminina não merecia condenação e era considerada irrelevante por não ter consequências práticas para a procriação[5]. Uma virgem que se masturbasse de forma a romper seu hímen estaria sujeita a uma condenação enérgica, não por ter se masturbado, mas porque o ato poderia ser interpretado como intercurso sexual fora do casamento com um homem. O judaísmo liberal de hoje tem uma relação bem mais tranquila com a masturbação, e alguns rabinos individualmente já vieram a público defender essa forma de sexo[6].

A masturbação, na tradição cristã, foi, em larga medida, condenada simplesmente por ser um ato sexual fora dos limites matrimoniais. Porém, só com o surgimento dos mosteiros é que a condenação à masturbação passou a desempenhar um papel mais destacado no discurso religioso. Com a maioria das pessoas permanecendo sexualmente ativa no casamento, tornou-se mais relevante evitar que monges e freiras sabotassem sua abstinência sexual com as próprias mãos[7]. Alguns, contudo, eram mais negativistas que outros em relação ao tema. Tomás de Aquino, por exemplo, classificou a masturbação como sexo "desnaturado", pois, da mesma maneira que o sexo anal, oral, toda e qualquer prática homossexual e o bestialismo, simplesmente não permitia a procriação. Embora ele mesmo enfatize que a masturbação seria superior a essas demais formas de "sexo desnaturado", porém, pior que os atos sexuais "naturais", como a relação sexual conjugal, o adultério, o estupro e o incesto[8].

Muitos cristãos conservadores prosseguem nessa condenação, embora parte deles, como já vimos, tenha uma visão positiva da masturbação *mútua* entre casais heterossexuais solteiros. A Igreja católica partiu para um ataque expresso à compreensão moderna da masturbação como "fenômeno normal do desenvolvimento sexual, especialmente entre os jovens": "Ainda que não seja possível provar que as Escrituras condenam esse pecado pelo nome, a tradição cristã compreende com

5 Gold 1992:195; cf. Isaías 1.15.
6 Brundage 1987:108-9.
7 Gittelsonhn 1989:111.
8 Tomás de Aquino Summa Theologica 2.2.154.1, 2.2.154.11.

Marcellus Laroon. Gravura mostrando uma mulher se confessando enquanto o monge sorri e está com a mão direita entre as pernas. Gravura

Crédito: The British Museum, Londres

acerto que deva ser condenado, segundo o Novo Testamento", ao mencionar termos como "impureza" e "lascívia", bem como outros vícios contrários à castidade e à continência[9].

O cristianismo liberal costuma aceitar a masturbação como algo que nem é especialmente perigoso nem deve ser desaconselhado. Mesmo entre cristãos evangélicos, que na maioria empreendem um grande esforço político para tentar coibir a homossexualidade e até a relação heterossexual fora do casamento, existe uma visão mais positiva da masturbação. James Dobson, fundador do *lobby* fundamentalista cristão Focus on the Family, diz, por exemplo, que "a masturbação não é algo com que devemos nos preocupar tanto". Às vezes, "é melhor aliviar-se [...] que perder o foco sob tantas pressões cotidianas", segundo ele[10]. Contudo, há poucos cristãos praticantes que apoiam a masturbação como fenômeno. Em 1994, Jocelyn Elders, então ministra da Saúde (Surgeon General) dos EUA, especulou publicamente se seria uma boa ideia incentivar a masturbação para diminuir a incidência de práticas sexuais de risco, mas foi imediatamente demitida pelo presidente Bill Clinton após reações negativas de cristãos. Nenhum cristão liberal foi a público defendê-la[11].

A masturbação costuma ser abordada no contexto do sexo extraconjugal também pelo islã[12]. O Alcorão preconiza, por exemplo, como o homem deve resguardar seu órgão sexual contra tudo que esteja fora do contexto do sexo conjugal[13]. Segundo os *hadiths*, relatos testemunhais dos feitos e asserções do profeta coligidos durante os primeiros séculos após sua morte, Maomé acreditava que a ingestão de alimentos tinha efeito sobre as urgências sexuais. Assim, disse para "vós, os jovens": "Aquele que esteja inapto para casar deve jejuar, pois o jejum enfraquecerá seu apetite sexual"[14].

---

9 Congregação para a Doutrina da Fé "Persona humana. Declaration on certain questions concerning sexual ethics", 24 de dezembro de 1975, §9.

10 James Dobson Preparing for adolescence. Straight talk to teens and parents. Ventura: Regal 1979:83.

11 Bennett & rosário 1995:2.

12 Alcorão 23.5-7.

13 Alcorão 70.29-31.

14 Imã Bukhari Sahih Bukhari 7.62.4.

Figuras que adornam o exterior do Templo Lakshmana, Khajuraho, Índia
Crédito: Wolfgang Kaehler/Corbis/Latinstock

Hoje em dia, todavia, há algumas discordâncias entre muçulmanos em relação à masturbação.

Enquanto os xiitas em geral a condenam, as demais variantes do islã não concordam até que ponto a masturbação deveria ser proibida ou simplesmente irrelevante. Alguns eruditos sunitas acham que a masturbação é permitida para solteiros quando se está sob risco de cometer o pecado da fornicação, ou ainda quando não há outra maneira de se aliviar de uma tensão sexual extrema. Outros reforçam que a masturbação pode ser tolerada caso não seja possível jejuar ou casar-se[15].

O ceticismo generalizado do budismo em torno do sexo e do desejo faz que a masturbação seja, em princípio, algo pouco recomendável. Embora o sexo solitário evidentemente não se preste a fins reprodutivos, os onanistas são vistos sob a ótica do desejo, sempre tão problemática para o budismo. Mas, como o budismo em geral não se empenha em regular a sexualidade das pessoas que não tenham decidido se manter abstinentes, é nos diferentes mosteiros que se encontram mais claras proibições à masturbação. Elas estão expressas no texto *Vinaya,* do primeiro século antes de Cristo, em referências a monges dados a acrobacias e capazes de praticar sexo anal e oral sozinhos. Buda considerava isso, assim como qualquer outra forma de sexo solitário, uma ofensa ao código monástico[16].

Como tradicionalmente as mulheres eram vistas como tendo desejos sexuais mais ardentes que os homens, a masturbação é um problema e tanto para as freiras. Eis por que, nesse caso, não basta uma proibição explícita para que evitem uma série de legumes como pepino, alho-porro e nabo como consolos; mas é preciso também garantir que, ao lavar suas partes íntimas, as monjas não o façam de um modo que lhes provoque prazer. Nem devem utilizar absorventes muito rentes ao corpo quando estiverem menstruadas, nem tampouco nadar contra a corrente[17].

Das religiões mundiais, o hinduísmo é nitidamente a que menos restrições impõe à masturbação. Há exemplos de masturbação masculina

15 Xeque Mustafa Az-Zarqa, 'Fatwa on masturbation'. http://www.islamonline.net/servlet/Satellite?pagename=IslamOnline-English Ask_Scholar/FatwaE/FatwaE&cid=1119503545922.

16 Faure 1998:84.

17 Faure 1998:88; Powers 2008:206.

e feminina em contextos religiosos em representações artísticas nos templos de Khajuraho em Madhya Pradesh, Konark e Orissa em Bhaktapur, e em Katmandu e Patan, no Nepal, entre outros. Mas a concepção tradicional e contemporânea de que os homens ficarão mais fortes se não desperdiçarem sua semente implica um incentivo, ainda que indireto, à moderação[18]. Há também restrições à masturbação de pessoas que devem se manter sexualmente abstinentes, o que significa que é incluída na categoria de atos considerados de natureza sexual[19]. Alguns ascetas hindus recorrem a extremos para evitar a excitação sexual e a ereção: podem até usar um sólido anel de ferro em torno do pênis[20].

Existem quatro doutrinas religiosas principais que concernem à masturbação: a completa aceitação ou o consentimento eventual, independente de haver sexo entre parceiros; a permissão apenas para pessoas sexualmente ativas; a proibição mesmo que outros tipos de sexo sejam permitidos; e a proibição total, do mesmo modo que qualquer outra forma de sexo.

Em situações em que não há proibição contra a masturbação, essa forma de sexo é normalmente considerada limítrofe, por ser uma atividade solitária, enquanto uma relação sexual só pode ocorrer entre duas pessoas. Bem menos frequente, a permissibilidade da masturbação implica uma atitude geral bem mais tolerante em relação à maioria das formas de sexo.

Onde a masturbação é proibida apenas para aqueles que não devem praticar sexo, percebemos que não existe uma distinção fundamental entre o ato solitário e outras formas de sexo. É o ato sexual em si, a manipulação consciente dos órgãos sexuais resultando em excitação que consiste ponto central, não se for feito sozinho ou na companhia de outras pessoas.

Nas doutrinas em que *qualquer* forma de sexo é condenada, não faz sentido examinar de perto como isso afetaria a masturbação. Onde a masturbação é proibida enquanto outras formas de sexo são toleradas, porém, a realidade é bem diferente. Neste caso, a masturbação ou se

---

18 Jaffrelot 1996:35-6.
19 Olivelle 2008:163.
20 Demaitre1937:39.

enquadra em uma categoria sexo-religiosa específica, ou ocupa uma posição central em uma categoria mais ampla e com base na qual é aceita. A tentativa de Kellogg de deter a masturbação entre os adventistas é um dos melhores exemplos de como o sexo solitário pode ter um papel fundamental em uma concepção de mundo religiosa. Mais frequentemente, percebemos a masturbação sendo condenada por não cumprir vários requisitos essenciais para o que se convencionou ser admissível no sexo: é razoável que a masturbação seja condenada quando o sexo só for aceito se praticado dentro do casamento ou com fins reprodutivos.

A masturbação representa um desafio peculiar para os mecanismos de controle sexual pelo fato de envolver somente uma pessoa. Diferente de outras formas de sexualidade, não pode ser regulada por leis que disciplinam casamentos ou encontros entre indivíduos. Diante da dificuldade tanto de comprová-la como de regulá-la, a masturbação nunca foi um grande alvo da perseguição religiosa. Embora tenham sido empregados esforços com esse propósito, foram concentrados em comunidades restritas, como mosteiros, ou direcionados especificamente para um público, caso dos jovens, de resto bem mais suscetíveis à supervisão de terceiros.

À masturbação falta o aspecto social, tão crucial para as outras formas de sexualidade, o que a deixa em uma condição *sui generis*. O controle da masturbação, portanto, tem consequências bem diferentes para as demais formas de sexo. O controle do sexo normalmente inclui, em larga medida, as interações e a identidade social do indivíduo. Mas o controle da masturbação pela religião, a não ser que o onanista seja flagrado no ato, só afeta a vida privada e a autoimagem de quem é influenciado pelas atitudes religiosas da sociedade onde está inserido. Para que uma religião obtenha êxito em controlar a pulsão sexual solitária de um indivíduo, é preciso um extraordinário nível de influência sobre todo seu ser.

Visto assim, o controle da sexualidade solitária pode representar um passo fundamental no esforço religioso de obter a salvação para um fiel.

A masturbação é um ato globalmente difundido, e isso é fato. As estatísticas mostram que as mulheres se masturbam menos que os homens, muito embora essa diferença possa ser explicada, em parte, pelo fato de que as mulheres costumam ser mais discretas em relação a sua sexualidade ao responder a pesquisas de opinião[21]. Uma pesquisa de 2009, no Irã, dá conta de que 26% das mulheres e 76% dos homens afirmam se masturbar[22]. Um levantamento de 1994 nos EUA diz que cerca de 42% das mulheres e 53% dos homens se masturbaram ao longo do ano anterior, e 7,6% e 26,7%, respectivamente, masturbam-se semanalmente[23]. Números de 2002 mostram a mesma proporção entre mulheres norte-americanas[24]. Não existem diferenças significativas se retrocedermos um pouco no tempo. Em suas pesquisas sobre a sexualidade masculina e feminina na década de 1950, Alfred Kinsey descobriu que 92% dos homens e 62% das mulheres se masturbavam até atingir o orgasmo[25]. O credo religioso é algo que influencia a prática onanista. Os números de 1994 nos EUA mostraram que os leigos se masturbam significativamente mais que os cristãos.

Enquanto 37,5% de leigos e 13,3% de leigas disseram se masturbar semanalmente, entre cristãos os que se masturbavam eram pouco mais de 20% entre os homens e cerca de 6% entre as mulheres. Protestantes moderados se masturbavam um pouco mais que católicos, enquanto protestantes fundamentalistas eram os últimos do levantamento[26]. Mesmo com tantos cristãos doutrinados a evitar o sexo solitário e ainda assim o praticando, os índices parecem demonstrar que a atitude negativa que tem relação com a masturbação contribui para que a pratiquem em menor grau.

Assim, apesar do esforço um tanto vão, tentativas de coibir a masturbação são um elemento significativo no projeto de controle do sexo pela religião. A interdição do sexo solitário também serve para corroborar a crença, tão cara a tantas religiões, de que impor limites claros ao comportamento sexual pode aproximar as pessoas do divino.

---

21 Alexander & Fisher 2003.

22 UK Gay News 2009.

23 Laumann, Gagnon, Michael & Michaels 1994: fig. 3.1.

24 Laumann & Mahay 2002: fig. 5.

25 Kinsey, Pomeroy & Martin 1948:499; Kinsey, Pomeroy, Martin & Gebhard 1953:142.

26 Laumann, Gagnon, Michael and Michaels, 1994: fig. 3.1. Os porcentuais para a masturbação semanal entre homens são de 37,6 entre leigos, 28,2 entre protestantes moderados, 24,9 entre católicos e 19,5 entre protestantes fundamentalistas. Os números para mulheres são 13,8 entre leigas, 7,4 entre protestantes moderadas, 6,6 entre católicas e 5,5 entre protestantes fundamentalistas.

5

Bênçãos e maldições da heterossexualidade

A heterossexualidade jamais foi algo descomplicado, mas as complexidades dessa forma de sexo tornam-se mais evidentes quando a religião se imiscui em questões nas quais, na opinião de muitos, não deveria estar presente. As reações a um Jesus ativamente heterossexual são um bom exemplo. O filme *A última tentação de Cristo*, de Martin Scorsese, cujo enredo é versão hollywoodiana bem discreta da vida sexualmente ativa de um Jesus casado, suscitou não apenas protestos de católicos conservadores na França. Em cidades como Paris, Lyon, Nice e Grenoble, ativistas cristãos atacaram cinemas com bombas de gás lacrimogêneo e *sprays* de pimenta, e espectadores foram agredidos. O cinema Le Saint-Michel, no Quartier Latin, de Paris, foi atacado com bombas incendiárias em 22 de outubro e quatorze pessoas ficaram feridas, quatro delas com gravidade[1].

É difícil encontrar um cinema em algum lugar do mundo que não tenha tido um ou outro filme com cenas discretas de sexo heterossexual em cartaz, mas essas exibições são, em larga medida, pacíficas. Mas, conforme o contexto, é possível atrair a atenção de pessoas que normalmente se dizem defensoras do sexo conjugal heterossexual e se tornam opositores ferrenhos desses filmes. O simples fato de que pessoas optam por assistir a uma produção que mostra Jesus como um homem

[1] Greenhouse 1988; *Le Monde* 1988; Chebel d'Appollonia 1998:390.

casado e sexualmente ativo é motivo bastante para justificar tais atos de violência, segundo alguns cristãos[2].

O panorama religioso heterossexual pode, em outras palavras, facilmente se confundir com um intricado campo minado.

O debate atual sobre religião e homossexualidade costuma dar a impressão de que a relação entre religião e heterossexualidade, em linhas gerais, não seria problemática. Nada pode ser mais distante da realidade. Não é apenas a hostilidade reinante em certas tradições religiosas que torna a heterossexualidade complicada.

Diversas religiões constantemente tentam impor ao conjunto da sociedade suas concepções do que seria a forma correta de sexualidade. Alguém que deseje praticar sexo heterossexual de um modo diferente do que esta ou aquela interpretação religiosa diz ser o *correto* facilmente encontrará problemas. Não são apenas os fiéis que são confrontados com um sem-número de proibições e mandamentos a regular suas inclinações heterossexuais: diversos círculos religiosos sempre tentaram obrigar todo o conjunto da sociedade, independente do credo de cada um, a obedecer seus preceitos sobre o que seria a forma correta de sexo heterossexual. O problema não fica menos complexo pelo fato de que varia bastante, dentro de cada um desses círculos, a real expectativa da obediência a essas imposições.

Existem muitos paralelos entre as diferentes religiões, mas não há doutrinas absolutas. Certos preceitos religiosos sempre colidirão com outros.

Não é possível viver em obediência às regras sexuais consideradas corretas em cada religião. Os heterossexuais, pelo menos aqueles com maiores tendências ecumênicas, têm uma boa razão para pôr sua fé na berlinda.

A virgindade limitada

Em maio de 2008 foi realizado um magnífico baile no Hotel Broadmoor, em Colorado Springs, durante o qual homens de meia-idade dançavam

[2] O filme foi formalmente acusado de blasfêmia, mas absolvido (Bald 1998:148). Nikos Kazantzakis, que em 1953 escreveu o livro no qual o filme foi baseado, foi excomungado pela Igreja ortodoxa grega no ano seguinte, e a Igreja católica incluiu o livro em seu índex de obras proibidas (Bald 1998:147).

com moças muito jovens. Esse baile primaveril, com equivalentes em vários outros locais dos EUA, é o mais sexualmente ingênuo possível. Todas as moças são virgens e os homens são seus pais, padrastos ou possíveis futuros sogros. Depois de um jantar formal, no qual a maioria dos homens conversa entre si e as mulheres se concentram na refeição, os primeiros leem um texto durante a sobremesa prometendo "diante de Deus proteger as vergonhas de minha filha com Sua autoridade e permissão". Mais tarde, casal atrás de casal deposita flores aos pés de uma cruz gigante lindamente decorada com quilômetros de tule. Muitas das garotas fazem promessas silenciosas — uma delas, Katie Swindler, dezesseis anos, declara: "Prometo a Deus, a mim mesma e a minha família que me conservarei pura nos pensamentos e ações até casar". O evento que testemunhamos é chamado de *baile da pureza*, organizado por cristãos evangélicos para estimular garotas a permanecer virgens até o casamento[3].

Tais bailes de virgens evangélicas não são organizados para manter as mulheres afastadas do sexo para todo o sempre. A ideia é que permaneçam "puras" enquanto não se casam. Os bailes da pureza são uma faceta de um fenômeno muito mais abrangente: a utilização, por cristãos conservadores, de espetáculos de rock, cursos de orientação sexual, *lobbies*, propaganda política e muitos outros recursos para convencer as pessoas a se abster do sexo antes do casamento.

Os números mostram que cerca de 12% dos jovens norte-americanos em 1995 haviam feito votos de castidade semelhantes àqueles feitos nos bailes de pureza[4]. Uma pesquisa de 2005 revela que não passam de promessas vazias: 88% das pessoas que fizeram votos de castidade públicos ou por escrito praticarão sexo pré-conjugal[5]. Esses bailes, votos formais de castidade e música *pop* exaltando a virgindade, podem ser uma tendência recente, mas refletem um ideal religioso que remonta às eras mais remotas. A maioria das normas para abstinência sexual de inspiração religiosa apresenta uma limitação temporal, não são mandamentos perpétuos como os que vimos no capítulo anterior. O objetivo é simplesmente evitar o sexo antes do casamento.

---

3 Banerjee 2008.

4 Brückner & Bearman 2005:271.

5 Brückner & Bearman 2005:275.

O pressuposto cristão sempre foi o de evitar o sexo fora do casamento, pura e simplesmente. Seria preferível não fazer sexo nenhum, mas, como apontou Paulo, o casamento é uma necessidade para aqueles que não conseguem se manter em abstinência sexual. Sexo antes do casamento não é uma escolha possível para um cristão, afirmou ele, e os fornicadores certamente "não herdarão o reino de Deus"[6].

A exortação explícita de Paulo à abstinência sexual antes do casamento era algo inaudito para a maioria das pessoas na antiguidade. O usual eram expectativas diferentes para homens e mulheres: enquanto uma mulher que almejasse o casamento devia se manter virgem até sua consumação, para os homens, no plano geral, era permitido fazer o que bem entendessem. Esse padrão não ficou restrito ao passado; ainda é comum entre as religiões nos dias de hoje. A divisão do sexo pré-conjugal entre gêneros convive com o casamento de mulheres em idade precoce, não raro recém-egressas da puberdade, algo que naturalmente reduz as chances do sexo pré-conjugal. A visão de que as mulheres devem se casar muito cedo porque sua virgindade é mais importante que a masculina representa um controle efetivo e rígido da sexualidade feminina. Embora nos primórdios o cristianismo preconizasse a total abstinência antes do casamento para ambos os sexos, logo se viu que, na prática, os cristãos viveram de acordo com a compreensão enraizada de que a virgindade feminina era a mais importante. Esse padrão se perpetuou. Os muitos bailes de virgens de hoje espelham essa mesma segmentação de gêneros, uma vez que não há um baile correspondente para os garotos.

É mais corriqueira a punição de mulheres, mas não tanto a de homens, pelas diversas religiões. As marcantes diferenças físicas entre ambos os sexos são as razões declaradas pelas quais homens e mulheres são tratados de modo tão diferente pelos credos mais distintos. Tomar o hímen como prova de virgindade deixa claro que o foco principal é a virgindade feminina, não a masculina. E, caso uma gravidez resulte do sexo pré-conjugal, é a mulher quem carrega a prova viva de seu ato. Mesmo naquelas condições em que as normas religiosas são, em princípio, equânimes para homens e mulheres, a perda do hímen ou a chance

---

[6] I Coríntios 6:9-10.

de gravidez deixam patente que mulheres solteiras sãos mantidas sob um controle mais estrito que seus irmãos solteiros. No islã, aliás, a exigência de uma prova de virgindade significa que as mulheres podem ser punidas muito mais facilmente que os homens.

O fato de que nem sempre é tão fácil determinar quem é o pai da criança parece ter contribuído para que as religiões se ocupem particularmente de evitar que as mulheres tenham mais de um parceiro sexual, pelo menos em um mesmo intervalo de tempo. O fato de a maioria das religiões dar aos homens uma condição superior ao das mulheres não deixa dúvidas de que, em última instância, tanto o controle da sexualidade feminina como o poder parental são assegurados aos homens.

O clichê de que o sexo sempre envolve um parceiro ativo e um passivo, como vemos em tantas culturas, também parece ter influenciado a visão da maioria das pessoas sobre como um bom cristão, muçulmano ou hindu deve se portar sexualmente. Enquanto as conquistas do homem "ativo" fazem-no galgar posições sociais, as mulheres são dotadas de uma sexualidade "passiva" e precisam ser protegidas dessas conquistas. O mesmo jovem mancebo que de bom grado fará sexo com a irmã do vizinho ainda solteira não medirá esforços para evitar que outros homens façam o mesmo com sua irmã que ainda não se casou. Em um panorama sexual desse tipo, normalmente é complicado discernir entre o que as pessoas acham das regras religiosas e o que na verdade é governado por outros aspectos menos religiosos, como honra e vergonha. Os limites normalmente são fluidos. Enquanto o homem com muitas parceiras sexuais não costuma representar um problema moral de maior monta para muitas religiões, a mulher que se deita com outros além de seu marido é um estorvo para muitas das mesmas doutrinas.

Na bíblia judaica, isto é, o Velho Testamento, não existe uma proibição geral do sexo antes do casamento.

O gênero e o estado civil, portanto, são fatores decisivos para a aceitação, em maior ou menor escala, do sexo pré-conjugal. A um homem é vedado apenas fazer sexo com mulheres que sejam casadas ou prometidas a outros homens: sexo com mulheres solteiras é permitido[7]. Se o homem é ou não casado é um dado irrelevante. Até a proibição

[7] Cf. Deuteronômio 22:22-24.

ao estupro é limitada às casadas ou noivas, pois, nesse caso, o agressor terá "violado a mulher de outro homem"[8]. Caso um homem seja flagrado em pleno ato com uma virgem que não esteja prometida, deverá dar ao pai dela cinquenta siclos de prata e desposá-la[9]. Tirar a virgindade de uma mulher, na prática, era sinônimo de arruinar irremediavelmente suas chances de se casar, depreciando também seu valor de mercado. Como uma mulher solteira ainda pertence ao pai, é ele quem deve ser compensado, portanto.

A exemplo de uma mulher casada, uma noiva pode até ser condenada à morte se praticar sexo com alguém que não seu futuro marido. Mesmo uma noiva ainda virgem que tenha sido violada dentro das muralhas da cidade deveria, em princípio, ser condenada à lapidação em companhia de seu agressor[10]. Mulheres que não sejam casadas ou comprometidas, assim como homens nas mesmas situações, em princípio não serão punidas por fazer sexo. Mas caso uma mulher deseje se casar, impõe a si um enorme risco se fizer sexo antes do casamento. Se um noivo afirmar que não encontrou "sinal visível de que ela era virgem" quando consumaram o ato, os pais da mulher teriam que "produzir um prova de que ela era virgem e levá-la até os portões da cidade". A mulher estaria em uma situação muito delicada, caso essa prova não fosse providenciada. "Caso a acusação se prove verdadeira e não haja sinal da virgindade da mulher, ela será arrancada da casa dos pais e os homens da cidade a apedrejarão até a morte, pois ela consumou um ato vergonhoso em Israel ao fornicar na casa paterna. E assim se purgará o mal na tua casa"[11]. Na prática, significa que uma mulher sexualmente ativa antes do casamento jamais poderia se casar, a menos que conseguisse um noivo para quem fosse melhor ter uma noiva deflorada, mas viva, e não morta. Prostitutas e outras mulheres solteiras que já haviam perdido a virgindade e não planejavam se casar não eram tão necessárias, e, por isso, desfrutavam de um grau bem maior de liberdade sexual.

As regras judaicas para a relação sexual antes do casamento se modificaram desde a época do Velho Testamento. Com respeito ao

---

8 Cf. Deuteronômio 22:24.

9 Cf. Deuteronômio 22:13-28; Êxodo 22:16-17.

10 Cf. Deuteronômio 22:23-27.

11 Cf. Deuteronômio 22:13-21.

concubinato, um grande número de rabinos na Idade Média entendia que um "relacionamento (sexual) estável e fiel com uma mulher fora dos limites do casamento" estava de acordo com a lei — o mais importante era não ser promíscuo. Uma premissa fundamental e autoevidente era que a mulher, nesse caso, devia ser solteira e o estado civil do homem era, como antes, irrelevante. Apesar disso, não havia nada que garantisse o reconhecimento unânime de tal relação extraconjugal em todas as comunidades judaicas da Idade Média[12], e o costume da proibição do sexo para mulheres inuptas era mantido. Além disso, a exemplo do cristianismo, havia uma crescente tendência a considerar em conflito com a lei mosaica também o sexo pré-conjugal de homens.

É enorme a quantidade de variações sobre esse tema entre os judeus de hoje, quer vivam em um bairro ultraortodoxo de Jerusalém ou em um povoado secular nos arredores de Copenhague ou Chicago. Pesquisas revelam que 60% dos judeus nos EUA não veem problemas no sexo de em um casal heterossexual antes do casamento se "realmente se amarem"[13]. Mesmo entre judeus ortodoxos, as convenções que regulam o sexo pré-conjugal vêm se tornando marcadamente mais liberais ao longo das últimas décadas.

Entre os judeus ultraortodoxos conservaram-se, em larga medida, as restrições tradicionais, e em Jerusalém jovens solteiras correm o risco de sofrer agressões físicas desses religiosos apenas por caminhar de mãos dadas com homens nas ruas.

A postura do cristianismo fundamentalista em relação ao sexo heterossexual pré-conjugal também varia bastante. Enquanto as autoridades eclesiásticas são mais rigorosas por princípio, os fiéis não costumam segui-los. Aqui também o gênero desempenha um papel fundamental, e em diversos países cristãos é tacitamente aceito que homens solteiros debutem sexualmente com prostitutas, e não no casamento. Até no Estado do papa, o Vaticano, a prostituição é regulada e tributada[14]. Sob a Reforma protestante, as prostitutas foram temporariamente banidas de uma série de cidades, protestantes e católicas, da Europa Central[15],

---

[12] Broyde 2005:96-98, 88.

[13] Broyde 2005:97.

[14] Dorrf 2005:217.

[15] Dharmaguptaka Vinaya 55, cf. Wiesner-Hanks 2000:46.

mas a prostituição não foi erradicada por conta disso. Continuou existindo, oscilando entre a perseguição e a aceitação tácita. Como a heterossexualidade feminina era considerada muito mais problemática que a masculina, as prostitutas é que eram perseguidas e discriminadas, não seus clientes. Havia períodos em que eram presas, seviciadas, e caso reincidentes, executadas[16]. Seus clientes raramente eram submetidos a alguma sanção mais séria. Durante os séculos XIX e XX, ativistas cristãos lideraram campanhas maciças contra a prostituição, que consideravam uma espécie de legalização do pecado. Independentemente do grau de perseguição, as prostitutas raramente se viam longe de clientes cristãos que as procuravam[17].

A instituição da escravidão na América fez surgir uma atitude muito peculiar em relação ao sexo pré-conjugal. Em muitos países os escravos não tinham o direito a se casar. Nenhuma cerimônia que realizassem para formalizar uma união tinha consequências jurídicas, algo que também minimizava quaisquer eventuais dilemas éticos que os escravagistas tivessem quando quisessem vender, e, portanto, separar, escravos que viviam conjugalmente. Ao reconhecer o casamento entre homens livres, as autoridades cristãs impossibilitaram para um grande contingente de pessoas praticar o sexo no âmbito do casamento. Os escravos, em boa parte cristãos, não tinham alternativa senão o sexo extraconjugal. As autoridades legais em muitos estados (dos EUA) arcavam forçosamente com a consequência lógica disso, determinando que os escravos não poderiam ser punidos por fornicação ou adultério. E não eram apenas as autoridades laicas que não viam problemas nisso: as Igrejas dos estados sulistas pouco ou nada fizeram para dar aos escravos o direito de se casar[18].

Existe também uma tendência geral de, mediante o afrouxamento das sanções, as pessoas tomarem certas liberdades em relação à moral religiosa, mesmo conservando sua fé cristã. Há bons exemplos disso na Europa Oriental no período das guerras napoleônicas, quando as normas de controle da sexualidade tornaram-se menos severas em uma série de países[19]. A proteção legal foi estendida a filhos ilegítimos e

---

16 Bullough & Bullough 1987:143; Wiesner-Hanks 2000:86.

17 Wiesner-Hanks 2000:87.

18 Eder, Hall& Hekma 1999:12.

19 Wiesner-Hanks 2000:234.

suas mães, algo que indiretamente significou um grau mais elevado de tolerância ao sexo extraconjugal[20]. Particularmente, entre as classes sociais mais baixas a abolição das leis mais rígidas de controle sexual, que refletiam moral cristã, levou a mudanças nos hábitos sociais. Uma jovem católica da Baviera do início do século XIX respondeu assim ao lhe perguntarem por que continuava a ter filhos se não era casada: "É perfeitamente possível ter filhos (ilegítimos) [...] O próprio rei os tem sem problemas"[21]. Quando Deus não diz mais que o sexo extraconjugal será punido por intermédio das autoridades, por que se preocupar? Clérigos passaram a reclamar que as virgens quase não mais existiam. É possível perceber uma mudança semelhante na Irlanda no fim do século XX: a liberalização das leis levando a uma revolução nos costumes. Mesmo assim, subsiste um amplo espectro de diferenças de atitudes dependendo do grau de ativismo religioso. Em 1974, 71% da população da Irlanda achava que fazer sexo pré-conjugal *sempre* era errado, mas, em 1994, esse número caiu para 32%.

Muito embora a maioria dos irlandeses seja cristã, há diferenças bem claras em relação ao grau de envolvimento com a religião. O percentual dos que condenaram o sexo pré-conjugal foi de 43% entre aqueles que frequentavam a igreja semanalmente, mas caiu para apenas 5% entre os que iam apenas uma vez ao mês[22].

Em outros países cristãos, as leis contrárias ao sexo pré-conjugal desapareceram tão logo ocorreram mudanças nos costumes. O chamado "parágrafo do concubinato" no código penal norueguês não foi abolido até o ano de 1972. Essa lei assegurava: "Aquele que, a despeito da advertência formal das autoridades, insistir no processo de levar vida pública e lasciva em comum com pessoa do sexo oposto, provocando indignação social, será apenado com reclusão de até três meses"[23]. A coabitação de homossexuais era simplesmente ilegal.

[20] Phayer 1977:25.

[21] Phayer 1977:24.

[22] Phayer 1977:25. Ao mesmo tempo, havia a tendência, entre as classes mais altas da Alemanha, de poucos ou nenhum nascimento. As classes médias preencheram o vácuo legal com novas regras que preservaram a tradicional moralidade tradicional religiosa. (Phayer 1977:25, 34-42).

[23] Fahey 1999:62.

Embora não houvesse referência cristã na letra da lei, fica muito claro que os princípios morais cristãos eram o que a fundamentava. O parágrafo do concubinato foi durante muito tempo letra morta, mas quando pela primeira vez se tentou eliminá-lo, em 1954, o parlamento norueguês votou contra. Uma pesquisa realizada antes da votação mostrou que três em cada cinco noruegueses defendiam a manutenção da proibição[24]. A grande mudança de costumes ocorreria nas décadas seguintes. Mas, embora a lei tenha sido abolida por larga maioria em 1972, ainda encontrou a oposição de deputados do Partido Popular Cristão.

A Igreja norueguesa jamais reconheceu a coabitação como tal, mas gradualmente foi suavizando sua retórica e tirando o assunto do foco. Mesmo assim, em pleno ano de 1985, um concílio de bispos declarou que "estabelecer uma vida em comum sem ter o casamento como pano de fundo é uma violação ao ordenamento divino"[25]. Para muitas organizações e autoridades cristãs, a coabitação ainda é vista como pecado, que representa uma institucionalização informal do sexo extraconjugal. Além disso, aspirantes à vida pastoral vivendo em coabitação terão problemas em se consagrar pastores pela Igreja da Noruega. O primeiro pastor heterossexual nessa condição foi ordenado pelo bispo Torr B. Jørgensen em Sør-Hålogaland diante de inúmeros protestos dos demais bispos. O próprio Jørgensen declarou que esperava que o pastor viesse a se casar com sua companheira[26]. Na visão da Igreja Luterana Estatal da Dinamarca, pastores que vivam em coabitação não são considerados um problema.

Um enorme contingente de cristãos ainda defende que o sexo pré-conjugal não está de acordo com os ensinamentos bíblicos. Somente uma pequena minoria ainda pretende, hoje em dia, que o Estado proíba o sexo pré-conjugal, mas muitos tentam usar o aparato legal para reduzir essa possibilidade de outras maneiras. Condenando as disciplinas de educação sexual nas escolas, por exemplo.

Especialmente nos EUA tem havido uma ênfase nos programas de "abstinence only", que preconizam a total abstinência sexual em vez de oferecer uma orientação sexual mais abrangente. Somente em 2006,

---

[24] Código Penal Norueguês de 1902 § 379.

[25] NOU 1999:25 *Concubinato e sociedade* 8.1.

[26] NOU 1999:25 *Concubinato e sociedade* 8.2.1.

as autoridades conservadoras cristãs em Washington alocaram cerca de 200 milhões de dólares para esses programas, e os governos estaduais asseguraram o repasse de quase o mesmo montante[27]. Ainda que as estatísticas sugiram que tais métodos possam talvez mudar as *atitudes* de alguns jovens, não se logra êxito em mudar o *comportamento* em relação ao assunto na mesma proporção. Como resultado, na prática, o que existe não são jovens fazendo menos sexo, mas o contrário; esse número até aumenta. Ao mesmo tempo, estarão menos propensos a usar contraceptivos, mais suscetíveis a uma gravidez indesejada ou a contrair doenças sexualmente transmissíveis[28].

Jovens cristãos que tomam para si as restrições religiosas ao sexo pré-conjugal procuram, em grande medida, obedecê-las. Mas, como vimos, fazem-no recorrendo a soluções criativas como masturbação mútua, sexo anal e oral, que não são tecnicamente definidos como sexo. Esses jovens, na verdade, praticam mais sexo heterossexual anal e oral que outros[29]. Essas outras formas de manifestação sexual não deixam de ser problemáticas para muitos que as praticam, pois se tratam de atividades fronteiriças que podem levar à relação sexual vaginal[30]. Mas essas fronteiras podem se tornar ainda mais confusas no que diz respeito ao sexo pré-conjugal: certos cristãos noruegueses acreditam que "penetração sem ejaculação" é permitido[31], ao passo que para outros, "a maneira mais comum de violar as normas é fazendo sexo com muitos parceiros"[32].

Para a maioria dos cristãos, ter experiência heterossexual pré-conjugal não é mais visto como algo pecaminoso, mas simplesmente a regra geral. O surgimento de um contingente de bebês nascidos sem o correspondente casamento dá uma boa indicação de como os costumes estão se modificando.

Em 2005, a proporção de adultos que achavam importante incentivar os jovens a se abster do sexo pré-conjugal era de apenas 1% na Bulgária, na Grécia, na Sérvia e Montenegro, países majoritariamente

27 Klein 2006:6.
28 Klein 2006:17; Rosenbaum 2009.
29 Klein 2006:17.
30 Røthing 1998:113.
31 Røthing 1998:186 cf. 175.
32 Røthing 1998:208-9.

ortodoxos; 4% na Irlanda, 2% na Itália e 6% na Polônia, países predominantemente católicos; e 2% na Islândia e na Suécia, ambas de maioria luterana. Nos EUA, com sua população cristã mista e mais conservadora, 14% dos entrevistados acreditavam que abstinência pré-conjugal era uma mensagem importante a ser transmitida para as novas gerações[33].

Um bom indicativo dessa mudança é o número de crianças nascidas fora do casamento. Na Noruega de 1950, apenas 3% das crianças nasciam de pais não casados, uma quantidade que aumentou para 50% em 2003. A proporção de primogênitos nascidos fora do casamento em 2003 era de 64%[34], o que dá uma indicação ainda melhor de quão irrelevante o casamento passou a ser em relação à questão da atividade sexual. Evidentemente, nem todas essas crianças são filhos de pais cristãos, mas, quando vemos que 87% dos noruegueses se dizem membros de alguma comunidade religiosa, é possível inferir que a imensa maioria dos cristãos noruegueses não considera mais a proibição ao sexo pré-conjugal um tema central em sua religião[35].

As estatísticas de países majoritariamente cristãos mostram que a proporção de filhos "ilegítimos" aumentou, especialmente depois de 1980. Entre os países-membros da Comunidade Europeia atualmente (exceto Romênia e Bulgária), a proporção de cerca de 5% em 1970[36] mais que sextuplicou, passando a 31,4% em 2004. Na Europa, os números mais discretos são encontrados em certos países ortodoxos, como Grécia e Chipre (4,9% e 3,3% respectivamente), enquanto outros países ortodoxos como Bulgária, Geórgia e Romênia têm 48,7%, 44,6% e 29,4% respectivamente[37]. Nos EUA, essa proporção subiu de 3,8% em 1949 para 11% em 1970 e 33% em 1999[38], enquanto no Chile o crescimento foi de 30% para 63% entre 1990 e 2007[39]. Em

---

33 Durex 2005:13.

34 Bureau Central de Estatísticas da Noruega 2006.

35 Os números do Bureau Central de Estatísticas da Noruega de 2007 indicam que, até 31 de dezembro de 2006, 82,7% dos noruegueses eram membros da Igreja estatal e 4,5% pertenciam a outras comunidades religiosas.

36 *Eurostat* 2005:67.

37 Kyi 2005:5 Os números da Geórgia datam de 2003.

38 *Gallup* 1997.

39 Thomson 2008.

1997, na Colômbia, na Guatemala e no México, 87%, 67% e 57%, respectivamente, não consideravam imoral ter filhos fora do casamento, enquanto os porcentuais na Alemanha e na Islândia eram de 90% e 95%, respectivamente[40]. O número de casamentos, por sua vez, diminuiu. Nos 25 países-membros da Comunidade Europeia, foram oito casamentos em cada mil habitantes em 1964, mas a proporção caiu para 4,8 em fins de 2004. Mesmo com o enorme aumento de cristãos tendo seus filhos longe das amarras do casamento, é forçoso reconhecer que suas ações e atitudes nem sempre estão de acordo com essa conduta. Nos EUA, 97% daqueles que já praticaram sexo o fizeram pela primeira vez antes de casados; mesmo entre as mulheres nascidas entre as décadas de 1940 e 1950, essa quantidade é de 88%[41]. Ao mesmo tempo, em 1997, 47% da população disseram que dar à luz uma criança antes do casamento seria condenável[42].

Do mesmo modo que o cristianismo — mas opondo-se ao judaísmo —, o islã parte do princípio de que o sexo antes do casamento, em linhas gerais, é proibido[43]. No entanto, não existe uma correspondência absoluta entre o Alcorão e a tradição no que concerne às sanções ao sexo pré-conjugal. O Alcorão sustenta que "aquelas de vossas mulheres que cometerem obscenidade (adultério), então fazei testemunhar contra elas quatro de vós [...] retende-as nas casas, até que a morte lhe leve a alma, ou que Allah lhes trace um caminho"[44]. Não apenas as mulheres, entretanto, deveriam ser punidas, já que o Alcorão também afirma: "E àqueles dois, dentre vós, que a cometerem (obscenidade), então, molestai-os. E, se ambos se voltarem arrependidos e se emendarem, dai-lhes de ombros", mas não deixa claro como os homens devem ser punidos[45]. Um dos mandamentos raramente obedecidos do Alcorão é o de que aqueles que praticarem sexo antes do casamento se casem somente com outros "fornicadores ou idólatras"[46].

---

40 Gallup 1997.
41 Finer 2007:73
42 Gallup 1997.
43 Alcorão 24.2.
44 Alcorão 4.15
45 Alcorão 4.16.
46 Alcorão 24.3.

Ao recorrermos aos *hadiths*, encontramos as linhas gerais de como pessoas solteiras e libertos deveriam ser açoitados por praticar o sexo — geralmente com cem chicotadas. Além disso, aqueles considerados culpados deveriam ser proscritos, punição que, em geral, durava um ano[47]. Escravos solteiros que continuassem a praticar o sexo após terem sido punidos três ou quatro vezes (quem ouviu da boca do profeta a punição não consegue lembrar a quantidade correta) deveriam ser vendidos "nem que seja em troca de apenas uma corda"[48].

Na prática, o islã sempre mostrou maior grau de tolerância em relação à sexualidade humana antes e fora do casamento[49]. Isso se reflete, entre outros aspectos, na postura islâmica diante da prostituição. A única coisa que o Alcorão diz da prostituição é que ninguém deve compelir suas jovens escravas a se prostituir se desejar se manter casto[50]. Embora Maomé tenha dito que "Não há prostituição no islã"[51], o comércio do sexo sempre foi tolerado em terras muçulmanas[52], de preferência controlado e tributado por autoridades também muçulmanas. A existência de prostitutas abriu o caminho para uma institucionalização da sexualidade masculina fora dos confins do casamento, e, ao mesmo tempo, as prostitutas representam um forte contraste às demais mulheres, terminantemente proibidas de praticar sexo antes do casamento. Devido às restrições severas impostas à sexualidade de solteiras que não sejam prostitutas, a prostituição costuma significar a primeira experiência heterossexual para muitos muçulmanos em países conservadores, da mesma forma que foi no passado em muitos dos principais países cristãos[53]. No entanto, houve intervalos históricos em que emergiu uma forte oposição à prostituição, e assim como nos países cristãos, essa oposição era voltada muito mais a quem vendia o sexo que aos eventuais clientes[54]. Após

---

47 Imã Malik *Muwatta* 41.1.6, 41.2.12-12-13, 41.3.14; Muslim Ibn al-Hajjaj *Sahih Muslim* 17.4191-91-93, 17.4209, cf. Imã Malik *Muwatta* 41.2.13, 41.3.15, 41.3.16.

48 Imã Malik *Muwatta* 41.3.14; Muslim Ibn al-Hajjaj *Sahih Muslim* 17.4219, 17.4221, 17.4223, cf. Muslim Ibn al-Hajjaj *Sahih Muslim* 17.4222.

49 Bouhdiba [1975]:105.

50 Alcorão 24.33.

51 Abu Dawud Sunan *Abi Daud* 12.2257.

52 Bouhdiba [1975]:189-92.

53 Bouhdiba [1975]:194.

54 Bouhdiba [1975]:192-3.

a revolução islâmica no Irã, por exemplo, muitas prostitutas foram condenadas em julgamentos sumários[55].

Em alguns países muçulmanos como Afeganistão, Emirados Árabes, Arábia Saudita e Sudão, persiste a tradicional proibição do sexo pré-conjugal. O fato de outros países muçulmanos o aceitarem não significa que as autoridades considerem o sexo pré-conjugal um tema simples do ponto de vista daquela religião. A inexistência de uma proibição significa simplesmente que, para o Estado, essa questão é da esfera privada. Há quem diga, no entanto, que o islã não proíbe o sexo antes do casamento. A feminista muçulmana norte-americana Asra Q. Nomani diz que as mulheres muçulmanas (e, por conseguinte, também os homens) têm o direito de decidir se querem fazer sexo antes de se casar[56]. Poucos muçulmanos afirmariam isso com tanta clareza. A muçulmana e militante do partido trabalhista da Noruega Saera Khan, por sua vez, diz que "o islã proíbe isso", enquanto enfatiza que "todas as mulheres têm o direito de decidir sobre o próprio corpo"[57]. Ela nitidamente tenta achar o equilíbrio correto entre a liberdade religiosa e os demais direitos humanos. Ela própria revela o que pensa: o islã proíbe o sexo antes do casamento, e assim evita contrariar seus irmãos de fé mais conservadores. Mas, ao mesmo tempo, acha que cada um deve ser responsável pelo que faz. Como ela mesma sabe, a cada proibição existente na lei corresponde a um conflito com o respeito pela vida privada do indivíduo e pelos direitos humanos. Por outro lado, existem muçulmanos conservadores que querem utilizar a legislação para limitar indiretamente o sexo pré-conjugal, por exemplo, limitando o acesso a meios contraceptivos[58] ou a educação sexual nas escolas[59]. Causou furor no Egito, em 2009, um discreto aparelho chinês que era introduzido na vagina e liberava uma quantidade de um líquido semelhante ao sangue, e, assim, induzia o parceiro a acreditar na virgindade da mulher. Muçulmanos conservadores exigiram a imediata interrupção das vendas. "Não se preocupe mais em perder

55 Seliktar 2000:135.36

56 Thorenfeldt 2006.

57 Meland 2006.

58 Esposito 2002:147

59 Halsteid & Reiss 2003:101.

sua virgindade" não era exatamente a mensagem que a irmandade muçulmana queria transmitir a seus fiéis[60].

Quando perguntamos aos muçulmanos se o sexo pré-conjugal é permitido por lei, as respostas podem divergir caso a pergunta seja formulada em um contexto desvinculado da religião. Uma pesquisa realizada com estudantes universitárias na Tunísia, em 2002, mostrou que 45% delas achavam ótimo fazer sexo antes do casamento, desde que estivessem bem claras as eventuais implicações sociais e médicas[61]. Na Turquia, em 2005, somente 9% disseram que era importante dizer aos jovens para se abster do sexo pré-conjugal, enquanto para 79% seria mais importante orientá-los a praticar sexo seguro[62]. É interessante notar que os muçulmanos, em regiões da Europa Ocidental, se mostram mais conservadores. Números de 2008 mostram que entre os muçulmanos de Berlim, Paris e Londres, respectivamente 38%, 30% e 11% achavam "moralmente aceitável" fazer sexo antes do casamento[63]. Assim como fiéis de outras religiões, muçulmanos também estão transformando seu credo ao fazer algo diferente do que a religião tradicionalmente preconiza. Embora seja algo raramente discutido em público, profissionais da saúde na Tunísia estão convictos de que a faixa etária da primeira experiência sexual está caindo no país, enquanto a média de casamentos aumentou 26%[64].

Estima-se que 70% das mulheres no Marrocos fazem sexo antes do casamento[65]. Mas, novamente, aqui há uma grande diferença de gêneros entre os muçulmanos hoje em dia — é a sexualidade feminina que primeiro se tenta limitar. Uma pesquisa realizada pela internet na Noruega em 2005 mostrou que 37% dos jovens muçulmanos solteiros de ambos os sexos já havia tido sua primeira relação, ao passo que esse número era de apenas 17% entre as mulheres. Diante de uma lista de hipóteses, 48% dos mesmos jovens declararam que seus pais reagiriam

---

60 Fleishman & Hassan 2009; "Buy for ladies: Virginity hymen" em *Gigmo.com*, http://www.gigimo.com/main/browse/For,Ladies_Virginity,Hymen,79.php?cat=79.

61 Foster 2012:102.

62 Durex 2005:13.

63 Rheault & Mogahed 2008.

64 Foster 2002:99.

65 Pelham 2000.

mais fortemente ao fato de não serem mais virgens que a qualquer outra das alternativas[66].

Em algumas regiões muçulmanas tradicionais, a exemplo de muitas outras sociedades religiosas conservadoras, as mulheres casam-se muito cedo, uma prática destinada a manter a virgindade até o casamento. No interior do Iêmen, em 2008, por exemplo, a média de idade das noivas era inferior a 13 anos, e 57% das garotas no Afeganistão casam-se antes da idade legal de 16 anos, segundo dados de 2007[67].

Enquanto jovens solteiros geralmente podem fazer o que bem entendem, até com ocidentais não muçulmanas, as solteiras enfrentam sanções rigorosas. A mesma família pode incentivar seus filhos a ser sexualmente ativos — até com prostitutas —, enquanto suas filhas são diligentemente observadas para que conservem a virgindade[68]. Enquanto se exige a virgindade de mulheres solteiras, a masculina pode ser interpretada como uma falta de masculinidade[69]. As exigências feitas à sexualidade de cada gênero são tão diferentes que é praticamente impossível encontrar alguma equivalência entre elas. O simples fato de uma jovem sair "sozinha ou com amigas à noite" pode ser o suficiente para "arruinar sua reputação", algo que será "lembrado por gerações a fio", de acordo com um grupo de mulheres norueguesas-paquistanesas entre 50 e 60 anos de idade. Nesse caso, "a morte é melhor que a desonra". Os feitos heterossexuais de garotos, ao contrário, não são levados em conta, e jovens noruegueses-paquistaneses podem fazer o que lhes der na cabeça. Mesmo um jovem que já tenha passagem pela prisão é preferível a garotas de "reputação arruinada", já que um garoto sempre pode "começar a frequentar uma mesquita" e "as pessoas ficarão felizes ao vê-lo recomeçar a vida"[70].

São mulheres, não homens, que são assassinadas no seio da própria família, nos chamados "assassinatos de honra" relacionados a algum comportamento sexual inaceitável. Entre os palestinos, por exemplo, cerca de quarenta mulheres por ano perdem a vida na mão de familiares

66 Vivekananthan 2005.
67 Worth 2008; Unifem 2007:3.
68 Khalaf 2006:187.
69 Khalaf 2006:290.
70 Iqbal & Lund 2010.

por essas razões. Esse tipo de assassinato foi a razão de dois terços das mortes na Palestina em 1999. No Iêmen, foram cerca de quatrocentos crimes do gênero em 1997, sendo mulheres a maioria das vítimas[71]. É importante registrar que um boato apenas é o bastante para desencadear um "assassinato de honra", e a família nem sempre está particularmente interessada em provar que o sexo pré-conjugal ocorreu ou não. Na Jordânia, por exemplo, provou-se que a maioria das mulheres assassinadas pelos próprios familiares eram ainda virgem[72]. Até mulheres estupradas correm o risco de ser mortas por parentes para restaurar a honra de suas famílias. Se algum homem for morto em consequência de um "assassinato de honra", os responsáveis terão sido, como regra, a família da mulher. Quem perpetra um assassinato de honra costuma ser visto como herói. Assim como é a mulher "pervertida" quem "destrói" a honra da família, cabe ao assassino "recuperá-la"[73]. Seria um erro crasso, porém, associar os "assassinatos de honra" como tais somente ao islã — muitas mulheres cristãs no Oriente Médio são mortas por suas famílias pelas mesmas razões. No Brasil, até 1991, a "defesa da honra" embasava a defesa de um marido que houvesse assassinado a esposa — como milhares de homens de fato fizeram. Entre 1980 e 1981, somente no estado de São Paulo, 722 homens acusados de assassinar suas esposas alegaram defender a própria honra ao suspeitar que as mulheres cometiam adultério[74]. O que todos esses ditos "crimes de honra" têm em comum é o fato de constituírem uma defesa religiosa do direito fundamental de regular a sexualidade feminina. Na Jordânia, em 2003, conservadores e islamitas uniram-se para formar uma maioria esmagadora no parlamento a fim de impedir a aprovação de uma lei que tornaria apenas simbólica a punição dos "assassinatos de honra", argumentando que a nova lei iria "promover o vício e destruir os valores sociais"[75].

Também encontramos no hinduísmo os mesmos ideais de tantas outras religiões no tocante ao sexo heterossexual pré-conjugal, ao mesmo

---

[71] Pelham 2000.

[72] Hazaimeh 2009.

[73] Brooks 1995:49.

[74] Brooke 1991.

[75] *BBC* 2003.

tempo que são as mulheres que primeira e preferencialmente enfrentam as sanções caso o tenham praticado. Os épicos hindus abordam a castidade pré-conjugal quase como uma obrigação, especialmente para as jovens mulheres[76]. Segundo os tradicionais ensinamentos hindus sobre as fases da vida, o primeiro estágio da idade adulta envolve a abstinência sexual[77]. Os movimentos nacionalistas hindus não apenas enfatizam a importância da castidade das mulheres solteiras, mas também exigem compromisso de abstinência de grupos especialmente constituídos entre seus jovens integrantes. A importância dada à abstinência sexual masculina hoje em dia também é motivada pela crença de que não incorrer no desperdício de esperma fortalece o homem tanto física como espiritualmente[78].

O hinduísmo também se deixou influenciar pela abertura global que levou a um grau cada vez maior de liberdade sexual. O apego ou não ao sexo pré-conjugal costuma ser o principal ponto de conflito entre grupos religiosos em que jovens veem a possibilidade de se ver independentes das restrições tradicionais.

Essa visão não é menos importante entre grupos de imigrantes, nos quais costuma haver pouca correspondências entre o que é aceito por uma minoria e pela população geral. Como demonstra uma pesquisa entre imigrantes indianos no sul da Flórida, existe uma grande diferença no que diz respeito ao namoro (*dating*) e ao sexo pré-conjugal entre a primeira e a segunda geração de imigrantes[79]. Trinta por cento dos entrevistados pertencentes à segunda geração afirmaram que gostariam de fazer sexo antes do casamento[80], algo inconcebível para seus pais, que ao mesmo tempo temiam ser rígidos ao extremo — caso se distanciassem demais dos filhos, poderiam perder totalmente o controle sobre eles[81]. Algumas das mudanças de comportamento que ocorrem, entretanto, não perdem de vista a tradição: quando a Suprema Corte da Índia derrubou todas as restrições ao sexo e à coabitação entre

76 Parrinder 1996:23.
77 Olivelle 2008:159.
78 Jaffrelot 1996:35-6.
79 Mishra 2000:182.
80 Mishra 2000:182.
81 Mishra 2000:182.

adultos solteiros, em 2010, fez isso referindo-se à crença hindu de que Krishna vivera em conúbio com Raha[82].

Uma prática ainda mais comum no hinduísmo é o costume largamente difundido de se abster do sexo na senectude. Não existe a expectativa de que viúvas voltem a se casar, e, portanto, sejam sexualmente ativas. Mesmo assim, tem sido comum o casamento de mulheres das castas inferiores[83], e em um acerto conhecido por *darewa* ou *karewa*, existe a possibilidade de exceções: à mulher é consentido desposar o irmão de seu finado marido[84], mas isso está longe de ser o ideal. De acordo com o hinduísmo conservador, as viúvas, *mas pias*, cometem o *sati*, isto é, deitam-se na pira funeral do marido — ou são forçadas a arder nas chamas com ele, no mais das vezes. Trata-se um fenômeno bem raro hoje em dia, tanto por ser terminantemente proibido por lei. Quando Roop Kanwar, uma viúva de apenas dezoito anos, voluntaria ou involuntariamente foi queimada junto com seu marido morto na cidade de Deorala, no Rajastão, em 1987, sucederam-se grandes protestos não apenas entre as autoridades e os hindus mais liberais, mas também uma grande excitação tomou conta dos mais tradicionalistas. Entre 200 mil e 300 mil devotos hindus acorreram à cidade para as celebrações religiosas que se seguiram ao *sati*[85].

No plano ideal, um homem hindu deveria começar e terminar sua vida abstinente. Segundo a doutrina tradicional hindu sobre as fases da vida, ou *ashrama*, o período como marido e provedor é seguido por outro, de gradual afastamento do mundo, durante o qual existem opiniões distintas sobre a prática ou não do sexo. Finalmente, sobrevém um estágio de completa renúncia ao mundo, no qual o homem deve abandonar seu lar e sua família, e o celibato é uma etapa característica desses tempos[86]. A abstinência é voluntária e seu objetivo é assegurar uma existência melhor depois da morte. A abstinência sexual no fim da vida era considerada necessária para a redenção final por muitas tradições hindus, mas ninguém é punido por não trilhar esse caminho

---

82 *Times of India* 2010.

83 Reynolds & Tanner 1995:153

84 Virdi 1972:33-4.

85 Haley 1994:6-10.

86 Olivelle 2008:159.

ou se morrer antes de atingir esse estágio na vida[87]. Visto assim, o homem tem mais a ganhar com a abstinência que sua viúva, cuja única alternativa à abstinência é a imediata danação e um carma terrível[88]. Embora não sejam tão comuns quanto os homens, existem também ascetas mulheres, abstinentes sexuais, que abandonaram a vida comum perseguindo um modelo idealizado das fases da vida[89].

Embora tenha uma visão preponderantemente negativa sobre o sexo heterossexual, é preferível, segundo o budismo, praticá-lo nas fronteiras do casamento que fora dele. Buda admitia o casamento para leigos que não estivessem lutando pela redenção em suas na vida presente[90]. Na prática, as sanções para o sexo pré-conjugal feminino são novamente mais rígidas que para o masculino, embora em algumas regiões budistas a abstinência desempenhe um papel importante para os jovens solteiros: no budismo do sudeste asiático, por exemplo, jovens devem passar um período — cerca de um ano — com os monges antes de se casar.

A maioria não se demora mais que algumas semanas, período que serve para acentuar a importância da abstinência sexual. A quantidade de homens tailandeses que ingressa nos mosteiros tem caído, mas ainda é significativa[91].

Um apelo por uma contenção da sexualidade é muito diferente de outro pela abstinência absoluta, que normalmente é associado a uma condenação total do sexo ou à ideia de que a virgindade significa uma aproximação de Deus. Quando o limite da sexualidade é o casamento, há dois possíveis significados. O primeiro é que o sexo, se necessário, pode ser tolerado dentro desse contexto, como é o caso do budismo e do cristianismo em suas origens. O segundo sugere que o sexo conjugal tem um valor positivo em si, como é o caso do hinduísmo, do judaísmo e do islã.

O casamento torna-se, assim, o fator que, do ponto de vista religioso, determina em que extensão as mesmas condutas sexuais podem ser condenáveis, aceitáveis (se necessárias) ou abençoadas.

87 Olivelle 2008:161.
88 cf. *Código de Manu* 5.159-61.
89 Khandewal 2001:158, cf. Virdi 1972:220.
90 Suwanbubbha 2003:147.
91 Tiyavanich 2007:16.

A demanda pela virgindade implica, além disso, delimitá-la no contexto do sexo heterossexual, mais claro e fácil de controlar, independentemente de o casamento em si ser uma união religiosa ou não. Quando o sexo é permitido livremente antes do casamento, torna-se mais difícil controlar tanto a quantidade como o *status* dos parceiros que fazê-lo dentro do casamento — mesmo quando apenas as mulheres são, na prática, as únicas condenadas pelo sexo pré-conjugal. Mas o casamento abre a possibilidade para um grau ainda maior de controle religioso sexual, o que nos leva a examinar detidamente, logo adiante, como as diversas religiões tentam controlar o sexo heterossexual dentro desse contexto.

As complicações do casamento

"Junto com todas as igrejas cristãs, para todo o sempre queremos afirmar que o casamento é um sacramento divino unindo um homem e uma mulher"[92], proclama o Centro Cristão de Oslo, uma pequena, mas extremamente ativa, congregação independente. O casamento foi "instituído por Deus no tempo da inocência do homem", como expresso no *Book of Common Prayer*, de 1662[93]. Sendo assim, o casamento é uma instituição sagrada que permaneceu imutável em essência desde o princípio das eras, como se costuma argumentar. Se as coisas fossem assim tão simples, haveria pouco assunto a tratar neste livro, mas sabemos que não é o caso. Como vimos, muitos povos, tanto cristãos quanto de credos mais variados, consideravam o casamento algo vil, ou pelo menos nada além de um último recurso para aqueles incapazes de se abster completamente do sexo.

A percepção do casamento como uma instituição permaneceu inabalável por milhares de anos como um elemento central na estruturação da fé de muitas pessoas — embora não haja bases históricas para tanto. Se um hindu, judeu ou cristão diz que o casamento é sagrado para si por jamais ter se modificado, isso é uma verdade teológica, um

---

92 *Centro Cristão de Oslo* "Audiência. Sugestões para mudanças na lei do casamento com efeito para parceiros do mesmo gênero e de gêneros diferentes", 5 de setembro de 2008.

93 *Book of Common Prayer*, "The Form of Solemnization of Matrimony".

testemunho de fé do mesmo tipo que alguém faz ao professar sua fé em Deus. Existe uma diferença, no entanto: ninguém jamais conseguiu provar a existência ou não de algum tipo de divindade, ao passo que a afirmação de que o casamento segue inalterado é pura e simplesmente falsa. Quando, por exemplo, o Vaticano afirma que "a sociedade deve sua sobrevivência contínua à família, fundamentada no casamento"[94], isso também é um testemunho de fé, de forma alguma uma verdade objetiva, pois sabemos que muitas sociedades no passado saíram-se perfeitamente bem sem o conceito católico de casamento, e tantas outras saem-se tão bem hoje em dia.

A ideia da imutabilidade do casamento tem sido constantemente utilizada como argumentação acerca do que Deus considera aceitável ou não no sexo. Nesse contexto, é salutar ter em mente que foi por volta de 200 a.C. que o mito de Adão e Eva começou a ser utilizado para defender diferentes valores e visões de mundo[95]. Mas, independentemente do que aconteceu no Paraíso, é evidente que o casamento heterossexual, em nenhuma hipótese, permaneceu o mesmo em qualquer uma das religiões que se referem ao relato bíblico da criação.

Para nós pode parecer óbvio a opção do casamento — ele é considerado uma espécie de direito humano[96]. Mas o fato de que jovens homens e mulheres possam escolher livremente seus futuros cônjuges é, como regra geral, um fenômeno mais recente, quase uma revolução social. Comum a quase todas as religiões é o fato de o casamento, em princípio, ser um arranjo decidido pela família. A opinião de ambos os cônjuges era mais ou menos irrelevante. Às vezes acontecia de o homem ter até certo direito a determinar algo. A variação etária era bem elástica e os noivos podiam já estar na idade adulta, e, portanto, ter autoridade suficiente para fazer sua própria escolha. Ocasiões em que às mulheres era dada autonomia para decidir o próprio casamento só podem ser descritas como raridades socioantropológicas.

[94] *Congregação para a Doutrina da Fé*, "Considerations regarding proposals to give legal recognition to unions between homosexual persons", 3 de junho de 2003, §§4, 8.

[95] Pagels 1988:XIX.

[96] *Convenção Europeia de Direitos Humanos* § 12; *Convenção de Direitos Políticos e Civis das Nações Unidas* § 23.

Uma norma religiosa tradicional e amplamente difundida é a de que a mulher deve ser subordinada ao homem na constância do matrimônio. No judaísmo bíblico fica claro que a mulher é normalmente considerada propriedade do homem: ele não deverá, por exemplo, cobiçar "a casa de teu próximo; não cobiçarás a mulher de teu próximo, nem seu escravo, nem sua escrava, nem seu boi, nem seu jumento, nem nada do que lhe pertence"[97]. Segundo Paulo, no Novo Testamento, o homem é "a cabeça da mulher" assim como Cristo é a cabeça do homem[98]. Agostinho explica como o casamento é uma "união amorosa" na qual "um governa e o outro lhe dá ouvidos"[99]. O Alcorão descreve como o homem é o protetor ou mantenedor (*qawwam*) da mulher[100]. Muitas religiões, incluindo o judaísmo bíblico e o cristianismo tradicional, acreditavam que a submissão da mulher ao homem era tanta que um esposo tinha o direito de estuprar sua esposa. Não era algo que a religião condenasse, e serviu de inspiração para as leis religiosas sobre o sexo. Em 2003, somente pouco mais de cinquenta países consideravam crime o estupro conjugal[101]. Nos EUA, a propósito, o estupro conjugal era legalizado em todos os estados até 1975, quando Dakota do Norte se tornou o primeiro estado a declará-lo ilegal[102]. E não é considerado ilegal na maioria dos países muçulmanos. Na Noruega, ninguém jamais fora condenado por estuprar sua esposa até 1974, quando a Corte Suprema decidiu que um cônjuge não seria inimputável por cometer estupro.

Casamentos arranjados ainda são uma prática disseminada em muitas religiões, configurando uma inequívoca e séria violação aos direitos humanos em muitas partes do mundo, inclusive na Noruega — o que serve também para demonstrar que um casamento constituído dessa maneira, seja em qual religião for, choca-se frontalmente com a noção moderna do que sejam direitos humanos. Detalhes inconvenientes como esses passam despercebidos pela mente dos defensores da ideia

---

97 Êxodo 20:17.

98 I Coríntios 11:3.

99 Agostinho *Casamento e concupiscência* 1.1.

100 Alcorão 4.34.

101 Unifem 2003:40.

102 Barden 1987.

de que o casamento é uma instituição imutável, que não costumam mencioná-los nos seus argumentos.

Muitas outras mudanças ocorreram em nossa maneira de compreender o casamento. Para o cristianismo, por exemplo, ele gradualmente passou de um ritual periférico a uma posição protagonista na concepção religiosa de mundo de muitos fiéis.

Inicialmente, os cristãos nem sequer regulavam o ingresso na vida conjugal, mas o deixavam a cargo das autoridades pagãs do Império Romano. Não existem registros de casamentos cristãos anteriores ao século III. Muito embora tenha sido e continue sendo o único âmbito legal cristão para o sexo, o casamento não era considerado uma instituição especialmente importante nem muito menos sagrada. Mas, ao longo da Idade Média, o casamento passou de uma instituição com pouco contato eclesiástico ou canônico para algo com que a Igreja passou a se envolver inteiramente[103], e foi entronizado como sacramento apenas no século XIII[104].

Apesar de ter sido alçado à condição de sacramento, muitas pessoas continuavam a se casar fora dos ditames da Igreja. Juridicamente, um voto de casamento em si já era suficiente, independentemente de onde era proferido. O casamento na Igreja não era considerado o único meio legal de união na Inglaterra e no País de Gales até 1753[105]. Quando várias congregações religiosas, como a Igreja católica, dizem formalmente que consagram o casamento[106], acham-se cobertas de razão segundo sua própria posição teológica; mas nem sempre essa foi a realidade nem na Igreja católica nem nos demais domínios do cristianismo.

Outra compreensão do casamento, que se encontra no cristianismo, é a de que preferencialmente a pessoa deve se manter sexualmente casta também casada. Essa era uma concepção defendida, entre tantos, por vários patriarcas cristãos. Especialmente em relação aos padres, que no cristianismo ocidental foram autorizados a se casar até 1123, a Igreja passou a exigir que "se afastassem de suas esposas"[107].

103 Bullugh 1976:385.
104 Johnson & Jordan 2006:84.
105 Weeks 1981:24.
106 *Congregação para a Doutrina da Fé* "Considerations regarding proposals to give legal recognition to unions between homosexual persons", 3 de junho de 2007, §§ 7,8.
107 Concílio de Cartago (A.D. 419), Cânone 4.

Um tipo totalmente diferente de casamento sem sexo encontramos no hinduísmo, no qual pessoas em situações específicas não se casam com outras, mas com animais e lugares. Um homem chamado Nandi Munda, da aldeia Ghatshila, no estado de Jhardkand, casou-se com uma montanha chamada Lakhasaini em 2007. A deusa protetora do local lhe havia surgido em sonho que os ataques das guerrilhas maoístas locais cessariam caso ele se casasse com uma montanha. Seus vizinhos aldeões apoiaram sua decisão e celebraram seu casamento com a montanha com uma festa tradicional para centenas de convidados[108]. No estado de Tamil Nadu, em 2007, P. Selvakumar, de Manamadurai, casou-se com um cachorro para expiar a culpa por ter matado dois cães cinco anos antes. Depois do ocorrido, ele se sentiu perseguido por desgraças, e, segundo um astrólogo, o casamento canino seria a única maneira de melhorar seu destino. A cerimônia se deu observando a tradição, incluindo o banho ritual no templo hindu local. A noiva, a cadela Selvi, foi escolhida pela família do noivo da mesma maneira que teriam escolhido uma mulher para a cerimônia entre humanos[109].

Na aldeia de Pallipudet, também em Tamil Nadu, existe a tradição de celebrar casamentos entre sapos e garotas para protegê-las de doenças místicas. O costume tem origem no mito da transformação de Shiva em um sapo. Como testemunharam Vigneswari e Masiakanni em 2009, ambas com sete anos de idade, não existe sexo envolvido nesse tipo de casamento: as menininhas voltaram imediatamente à vida que levavam antes da cerimônia e seus maridos, dois sapos, foram devolvidos à lagoa de onde vieram.

Outro tipo de casamento sem sexo, nos limites do sobrenatural, teve seu renascimento na religião chinesa. Um preceito fundamental para casais chineses é o de serem sepultados juntos. Quando da morte de um jovem solteiro, seus pais podem não desejar que o filho seja enterrado sozinho. Procuram, então, um cadáver feminino, casam-nos e os sepultam juntos. Nem sempre um cadáver feminino está disponível, e isso levou à criação de um mercado. Ladrões de sepulturas ganham

---

108 *DNA* 2007.

109 *MSNBC* 2007.

um bom dinheiro roubando corpos de mulheres — quanto mais frescos, mais alto o valor. Mas já houve ocasiões em que os ladrões acharam mais vantajoso assassinar mulheres e vender seus corpos para pais à procura de noivas cadáveres para o filho morto do que correr o risco cavando sepulturas[110].

No budismo, o casamento não é visto como uma instituição religiosa central. Ao contrário, dá-se mais importância à perspectiva não religiosa, e tradicionalmente monges budistas, por exemplo, nem se fazem presentes na cerimônia. Ainda assim, em diferentes regiões budistas usam-se cada vez mais símbolos religiosos e a participação ativa de autoridades religiosas. No budismo ocidental surgiram cerimônias de casamento seguindo o modelo cristão[111], e certos hotéis tailandeses passaram a oferecer pacotes de casamento budista ao gosto dos hóspedes ocidentais, incluindo monges, buquê de noiva, bolo e dançarinos típicos[112]. Comparado ao cristianismo, que se afastou de seu foco original de abstinência total ou bênção enfática do casamento heterossexual, o budismo jamais viu o matrimônio como um fim em si mesmo.

Caso se busque uma compreensão única e simples do casamento como instituição religiosa, o islã não é a alternativa mais adequada, simplesmente porque entre os muçulmanos sempre houve a convicção de que há claramente vários tipos diferentes de casamento. Ao tipo mais comum, que só pode ser desfeito pela morte ou por uma separação formal, somam-se um par de outras variantes. O casamento *mutah*, de duração predeterminada, é uma forma legalizada de relação heterossexual e pode ser acordado para durar desde algumas horas até alguns anos. O objetivo imediato é simplesmente dar aos parceiros a oportunidade de satisfazer seus desejos sem ter que praticar sexo extraconjugal. Depois de um casamento desse gênero, espera-se a mulher menstruar três vezes antes de ser permitido aos cônjuges consumar outra união — isso para não haver dúvidas sobre uma eventual paternidade futura. A menção corânica sobre quando é permitido ao homem

110 *Economist* 2007b.
111 Keown 2005:57.
112 Ver, por exemplo, http://www.rockyresort.co.m/weddings/samui_buddhist_ weddings.php

fazer sexo com escravas ou capturadas em uma guerra[113] é normalmente tomada como referência nesse tipo de casamento. A maioria dos muçulmanos sunitas não aceita mais o *mutah:* os *hadiths* atestam que foi um casamento legal na época de Maomé, mas depois foi banido pelo califa Omar[114]. O *mutah* é praticado entre os xiitas e legalizado no Irã.

Outro tipo de casamento com menos implicações é o *misyar*, no qual o homem não precisa morar com a mulher nem sustentá-la economicamente. É realizado quando o casal não tem condições de ingressar em um casamento comum por razões financeiras ou como uma alternativa ao que, de outra forma, seria uma relação extraconjugal, sobretudo quando o homem possui mais de uma esposa. Ainda assim, não existe uma opinião majoritária sobre o grau de tolerância do islã ao *misyar*. Teólogos muçulmanos também não conseguem chegar a um consenso sobre o *urfi*, casamento secreto em que a única prova é uma declaração assinada pelas testemunhas — caso seja destruída, não haverá outra prova dessa união. Ainda assim, o número desses casamentos secretos tem aumentado, principalmente entre jovens homens sem condições de constituir um lar ou em busca de uma alternativa legal ao sexo extraconjugal, claramente condenado pelo Alcorão[115].

A crença amplamente difundida de que o casamento sempre existiu como uma instituição religiosa mais ou menos imutável é, portanto, nada mais que uma crença religiosa.

Da mesma forma que desempenha um papel central nas diversas religiões, o casamento também costuma ser visto como uma instituição desafiadora da fé e até mesmo não exatamente religiosa. Além disso, existe a percepção de que há nítidas variantes de casamentos cujo grau de importância também varia, assim como existem divergências fundamentais sobre quem pode se casar com quem.

Embora dadas normas muito diferentes em relação ao comportamento sexual masculino, certos padrões atravessam as fronteiras religiosas. Com exceção daquelas que condenam qualquer forma de sexo, a maioria das religiões tende a concordar que a atividade heterossexual

113 Alcorão 4.24.

114 Muslim Ibn al-Hajjaj *Sahíh Muslim* 8.3248-50.

115 Shahine 1999.

dentro do casamento é aceitável até certo ponto — embora nem sempre seja recomendável.

Mas, como veremos, isso não é uma verdade absoluta para todos os tipos de sexo heterossexual.

Sexo, queira ou não

Os órgãos sexuais são "os sinais visíveis de um mandado recebido dos deuses", dizia o proeminente xintoísta japonês Miyahiro Sadao, em 1831. Ele continua: "Os homens nascem equipados com órgãos sexuais masculinos e estes [...] são órgãos que devem ser utilizados para o propósito com que foram criados, isto é, a procriação, para aumentar a quantidade de pessoas em nossa terra"[116]. O pênis é, na verdade, "uma salvação para honrar as gerações de descendentes". Qualquer tentativa de evitar que alguém utilizasse seu órgão sexual masculino seria um sacrilégio[117].

Não é apenas o pobre Hipólito, de quem falamos no prefácio, que deve temer os deuses por não desejar o sexo. A antiga religião da Grécia não figura sozinha na história das religiões como uma fé que incentivava o sexo. O xintoísmo japonês está entre as religiões que mais explicitamente pregam o evangelho sexual.

Quando vemos o sexo dessa forma, torna-se extremamente complicado permitir que alguém pratique a abstinência sexual. Entre muitos xintoístas prolifera uma visão crítica do budismo, cuja orientação antissexual é considerada uma blasfêmia. Miyahiro Sadao expressou-se desta forma: "Encaminhar jovens pouco esclarecidos a monges budistas é em si um pecado contra os deuses"[118]. Enquanto budistas, católicos e muitos outros fazem o que podem para conservar o celibato pastoral, o casamento é logicamente uma obrigação para pastores xintoístas[119].

[116] Miyahiro Sadao *Kokueki honron* 1831, traduzido em LaFleur 1992:111.

[117] Miyahiro Sadao *Nihonshisotaikei*, traduzido em Hanootunian 1988:300.

[118] Miyahiro Sadao *Kokueki honron* 1831, traduzido em LaFleur 1992:111.

[119] Bornoff [1991]:241.

A posição ambivalente sobre o casamento, que vemos em muitas áreas do cristianismo e do budismo, não é de forma nenhuma a única maneira de regular a heterossexualidade. Com frequência invulgar, sexo e casamento são considerados uma obrigação religiosa. O judaísmo, pressuposto religioso do cristianismo, está entre as religiões que possuem outra abordagem sobre o casamento, bem diferente daquela das religiões de Buda e de Paulo. Espera-se de homens e mulheres que se casem — mais que isso: é sua obrigação. A passagem sobre a filha de Jefté, no Livro dos Juízes, demonstra bem o papel central do casamento naquela época. Quando Jefté partiu para combater os amonitas, prometeu sacrificar a primeira pessoa que saísse de sua casa e fosse encontrá-lo, caso retornasse da batalha são e salvo. Depois de derrotar os amonitas, foi recebido por sua única filha, que foi recebê-lo tocando pandeiro e dançando. A filha compreendeu que a promessa de seu pai a Deus significava sua própria morte, mas lhe fez um único pedido que demonstra o que considerava importante para sua existência: "Concede-me somente isto: deixa-me que vá sobre as colinas durante dois meses, para chorar a minha virgindade com as minhas amigas"[120]. Perder a vida pelas mãos do pai já seria ruim, mas morrer solteira era uma tragédia.

Caso pudesse se casar antes que seu pai a matasse, a filha de Jefté teria que fazer sexo, que se configurava uma obrigação logo após o matrimônio. Deus deixou essa obrigação muito clara a Adão e Eva ainda no Jardim do Éden. "Frutificai [...] e multiplicai-vos, enchei a Terra e submetei-a"[121]. Alguns séculos depois, ao deixar para trás a arca, Noé e seus filhos receberam as mesmas instruções após Deus afogar todos os outros seres humanos no dilúvio[122].

O judaísmo demonstrou, ao longo de toda sua história, uma postura bastante negativa em relação ao celibato.

Sexo e fecundidade estão diretamente relacionados. Quando alguém considera seus descendentes uma dádiva divina, ao se abster de sexo estará recusando a Deus. Como podemos ler no Livro dos Salmos: "Inútil levantar-vos antes da aurora, e atrasar até alta noite vosso

---

120 Juízes 11:30-37.
121 Gênesis 1:28.
122 Gênesis 9:1.

descanso, para comer o pão de um duro trabalho, pois Deus o dá aos seus amados até durante o sono. Vede, os filhos são um dom de Deus: é uma recompensa o fruto das entranhas. Tais como as flechas nas mãos do guerreiro, assim são os filhos gerados na juventude."[123]. A promessa de Deus para os judeus é idêntica a que Ele fez a Abraão: "Farei de ti uma grande nação; eu te abençoarei e exaltarei o teu nome, e tu serás uma fonte de bênçãos"[124]. Por meio do casamento e do sexo conjugal obrigatório com fins de procriação, os judeus dão sua contribuição à promessa de Deus para Abraão. A fecundidade é um sinal de que os fiéis carregam consigo a fé: "Não haverá no meio de ti quem seja estéril, macho ou fêmea"[125].

Quando pede a Jeremias para não desposar uma mulher, Deus está, na verdade, atribuindo-lhe uma tarefa: demonstrar ao povo de Israel como este se afastou d'Ele[126]. A condição de solteiro de Jeremias é um símbolo trágico de um Israel que se afastou de Deus.

No judaísmo bíblico, o direito da mulher de procriar era tão extenso que ela poderia até desposar o cunhado, caso seu marido morresse antes de ela engravidar. No Gênesis, somos apresentados a Tamar, que primeiramente se casa com o filho mais velho de Judá, mas este logo morre, por ser "mau aos olhos de Deus". Logo em seguida ela se casa com o segundo filho de Judá, que também morre antes que ela engravide. Ao perceber que o sogro não deseja lhe dar seu terceiro filho, o mais novo, como marido, ela se veste como prostituta e consegue ludibriar o próprio Judá, que a engravida. Ao ser acusada de prostituição quando os primeiros sinais da gravidez ficam visíveis, Tamar prova que o sogro é o pai da criança. Homem temente a Deus (e um cliente de prostitutas incrivelmente distraído), Judá conclui o seguinte: "Ela é mais justa do que eu; pois não a dei (como esposa) a meu (terceiro) filho Selá"[127]. No plano mítico, essa história atesta, exageradamente até, a importância do papel da esposa de conceber um filho no seio da família.

---

123 Salmos 127:2-4
124 Gênesis 12:2
125 Deuteronômio 7:14.
126 Jeremias 16:1-7.
127 Gênesis 38: 26.

O judaísmo rabínico acompanha essa visão da obrigatoriedade sexual, e já na *Mishná*, um texto rabínico primitivo datado de cerca de 200 d.C., fica muito claro que o sexo é o papel do homem no matrimônio: "Um homem não deve se escusar da procriação caso já não tenha filhos". Mesmo que já seja casado por dez anos e sua mulher, ainda assim, "não tenha tido criança, a ele não é permitido recusar esse encargo". Ao homem é exigido que procrie, enquanto a mulher, segundo a *Mishná,* não tem a mesma obrigação[128]. O homem que "não cumpre seu papel de gerar descendentes é como alguém que deixa esvair o próprio sangue", segundo escreveu o rabino Rashi no século I. Maimônides, um dos mais influentes eruditos do judaísmo, afirmou, no século II, que a mulher também tinha a obrigação de fazer sexo. Caso se negasse, o homem podia ser forçado a se separar dela. Esse tipo de exigência não encontrou muito apoio, já que uma de suas implicações seria um relaxamento das exigências para que uma mulher se divorciasse.

Um dos principais textos cabalísticos judaicos, o *Zohar*, escrito no século XIII, põe a exigência da procriação feita ao homem em uma perspectiva cósmica, redefinindo o sétimo mandamento: não cometer adultério passa a significar "procriar e deixar herdeiros". Caso um homem se negue a procriar, esse ato é visto como uma "rebelião contra Deus"[129]. A abstinência sexual é condenada de maneira ainda mais clara no *Shulhan 'Aruch*, um código legal do século XVI com textos e comentários compilados respectivamente pelo rabino palestino Joseph ben Efraim Caro e pelo rabino polonês Moisés Isserles. Assim afirma Caro: "Aquele que não se envolve na procriação é visto como um assassino, alguém que limita o papel da humanidade na Terra e contribui para que Deus abandone o povo de Israel". Isserles prossegue: "Aquele que não possui esposa leva uma vida sem bênçãos, longe da Torá e não pode ser considerado uma pessoa. Mas assim que desposar uma mulher, todos os seus pecados estarão perdoados, tal como rezam as Escrituras: 'Aquele que acha uma mulher, acha a felicidade: é um dom recebido do Senhor'".[130]

---

128 *Mishná, Yevamot* 61b, 64a, 63b, 65b.

129 Maimônides *Mishneh Torah, Sefer Nashim, Ishut* 14.8; cf. Berger 2005 c:149-50.

130 *Zohar*1.12-12-13, refers to Isaiah 66.24.

Por conta da concepção básica de que o casamento era uma instituição criada para coibir a prostituição, até Paulo aceitava a possibilidade do sexo obrigatório — para aqueles incapazes de se conter, que no matrimônio conseguiriam dar vazão à sua cupidez.

Somente havendo "consentimento mútuo e temporário" admite-se a abstinência sexual dentro do casamento[131]. Não é aceitável se apenas um cônjuge houver perdido o desejo, estiver com dor de cabeça ou algo do gênero. Muito ao contrário. É preciso se doar ao parceiro mais ardente, não importa quão inapetente para o sexo o outro esteja: "Não vos recuseis um ao outro, a não ser de comum acordo, por algum tempo, para vos aplicardes à oração; e depois retornai novamente um para o outro, para que não vos tente Satanás por vossa incontinência"[132]. Assegurar à mulher o direito ao casamento era uma antiga tradição judaica, mas estender esse direito ao corpo masculino é algo inaudito, que raramente mereceu algum destaque entre os primeiros cristãos.

Embora vários patriarcas da Igreja tenham afirmado que preferencialmente o casamento não deveria incluir o sexo, no cristianismo medieval acreditava-se que uma união verdadeira deveria envolver relações sexuais. A maioria das leis canônicas fazia a distinção entre o matrimônio e sua consumação por meio do ato sexual. Um casamento poderia ser anulado sem maiores problemas caso a relação sexual não houvesse ocorrido. Mas, não fosse esse o caso, a união seria indissolúvel. Logo, a primeira relação sexual conjugal era um ato com sérias implicações legais e teológicas[133]. Eis por que era comum nas bodas os convidados literalmente acompanharem noivo e noiva até o leito nupcial, enquanto o padre abençoava até a mobília. O casal deveria consumar o ato sexual tão logo os demais houvessem deixado o aposento[134].

Ainda assim, a Igreja católica não levou adiante a ideia de que o sexo no casamento é uma obrigação, preferindo insistir na tese da *capacidade* de fazer sexo vaginal como uma urgência. Segundo a lei canônica, se faltar à mulher ou ao homem a capacidade de consumar

---

131 Joseph ben Ephraim Caro & Moses Isserles, *Shulhan Aruch Even ha-ezer* 1.1. Isserles cita Provérbios 18:22.

132 I Coríntios 7:5.

133 Bullough 1976:385.

134 Weir 2000:8-9.

o ato sexual no transcurso do casamento, este será anulado[135]. Vários casamentos foram desfeitos pela Igreja exatamente porque a mulher descobria que o homem era impotente. O brasileiro Hedir Antônio de Brito foi vítima de um efeito colateral menos conhecido dessa regra sagrada. Em 1996, Brito estava prestes a desposar a mulher de sua vida, Elzimar Serafim, e já havia enviados os convites para a cerimônia. Porém, quarenta dias antes da data, a Igreja informou que não mais lhe daria permissão para se casar, já que era um cadeirante, e assim, de acordo com o entendimento eclesiástico, não poderia consumar o ato sexual[136].

Pelas mesmas razões, a Igreja católica recusou-se a casar pessoas com alguma deficiência física[137].

Hoje em dia, muitos cristãos sentem ou já sentiram na pele algum tipo de pressão para se casar, mas já houve época em que o peso dessa obrigação foi muito maior. No século XVIII, os herrnhuters iniciaram uma loteria para determinar os casamentos, para assim deixar a cargo de Jesus a determinação de quem deveria desposar quem[138]. A prática sobreviveu entre os herrnhuters que emigraram para as Índias ocidentais dinamarquesas, até se tornar um costume entre os missionários e finalmente ser abolida em 1836[139].

A seita cristã Moon, liderada pelo reverendo Sun Myong Moon, compreende o sexo com base em uma visão que tem como ponto de partida o pecado original. O plano original de Deus era redimir o pecado original por meio do casamento de Jesus, um Jesus sexualmente ativo, que povoaria a Terra com uma nova geração de seres concebidos sem pecado. Infelizmente, Jesus foi crucificado antes disso, e então Deus enviou o reverendo Moon em seu lugar, a fim de que sejam ele e seus descendentes essa nova geração de pessoas. Os seguidores do reverendo Moon veem o casamento como missão, e graças às bênçãos de seu líder, sua própria união é notoriamente livre de pecado. Durante as enormes cerimônias de casamentos coletivos, perfeitamente coreografadas, o

---

135 Lei do Direito Canônico da Igreja Católica, Cânone 1084, § 1.

136 Fontes 2001.

137 *New York Times* 1982a; *New York Times* 1982b

138 Sommer 2000:101-4.

139 Hutton [1909]:301.

próprio Moon decide quem vai desposar quem, assegurando, assim, a intervenção divina desde o primeiro momento da união[140].

O islã compartilha a visão judaica do casamento e do sexo conjugal como uma obrigação. Deus diz no Alcorão: "E vos é proibido esposardes as mulheres casadas, exceto as escravas que possuís. É prescrição de Alá para vós. E vos é lícito, além disso, buscardes mulheres com vossas riquezas, para as esposardes, e não para cometerdes adultério. E, àquelas com as quais vos deleitardes, concedei-lhes seu *mahr*[141] como direito preceituado. E não há culpa sobre vós, pelo que acordais, mutuamente, depois do preceituado."[142]. Quando um homem se casa deve também fazer sexo. Se a mulher reclamar da abstinência do parceiro, ele tem o dever explícito de se deitar com ela antes do decorrer de um ano[143]. E não deverá se abster do sexo conjugal por mais de quatro meses depois disso[144]. Caso se mantenha abstinente, deve se divorciar.

No hinduísmo, o papel principal da mulher é se casar, praticar sexo heterossexual e ter filhos.

Muito embora a abstinência sexual continue a ser vista como uma obrigação para jovens mulheres e para solteiros, o contrário é válido para mulheres em idade de casamento. O casamento é, aliás, o único sacramento védico para as mulheres[145]. Aquelas que se abstêm do sexo e do casamento estão rompendo com as mais fundamentais normas sexuais do hinduísmo.

O homem hindu incorre em obrigações diferentes, dependendo da idade em que se encontre. Quando conta 24 anos, é visto como alguém perfeito para se tornar o provedor de um lar, e nessa fase se esforçar para adquirir bens e prazeres materiais[146]. Assim que se casa, há a implicação tácita de que sua obrigação é fazer sexo. O *Código de Manu*, por exemplo, deixa claro que um homem deve fazer sexo com sua mulher

140 Dr. Frank Kaufmann, diretor-executivo da Inter-Religious Federation for World Peace (movimento associado à Igreja da Unificação do reverendo Moon) "A Portrait" em Beverluis 2000:103-10.

141 Dote em dinheiro pago pelo noivo à noiva, para ela dispor como quiser. (N. do T.)

142 Alcorão 24.32.

143 Imã Malik *Muwatta* 29.27.74-5.

144 Imã Malik *Muwatta* 29.5.17-19.

145 Virdi 1972:6.

146 Lidke 2003:109.

enquanto ela for fértil e também deve lhe proporcionar prazer[147]. Um homem que não pratica sexo com sua mulher quando ela provavelmente está no ápice de seu ciclo de fertilidade deve ser censurado[148]. Procriar é da mais alta importância: ter um filho quase que automaticamente garante ao homem um lugar no paraíso[149]. Embora o *Código de Manu* jamais tenha sido lido pela maioria dos hindus, menos ainda nos dias de hoje, prevalece o princípio do dever masculino de ser sexualmente ativo e trazer ao mundo descendentes homens. Caso alguém falhe na missão de produzir um filho que possa perpetuar essa tradição quando chegar a época, isso é visto como uma grande desgraça.

Enquanto muitas pessoas estão convictas, por razões religiosas, de que não desejam ou não devem praticar o sexo em absoluto, há um bom número de concepções religiosas que pregam exatamente o oposto dessa visão: é nosso dever praticar o sexo. Nessa perspectiva, podemos traçar paralelos entre outras exigências que a religião nos faz, como a orar, fazer um sacrifício ou obedecer a certos ritos de passagem, como o batismo ou o funeral. Desta forma, vemos que o sexo passa a ocupar um lugar central na observância religiosa. Quando a demanda por sexo é absoluta, fica claro que nem uma oração nem um sacrifício bastam: o sexo torna-se essencial, como Hipólito e tantos outros descobriram da pior maneira.

As razões para praticar sexo são, porém, muitas e variadas. A tarefa humana de se multiplicar, atribuída pelos deuses, é uma das razões que constantemente emerge no judaísmo, xintoísmo, hinduísmo e onde mais for. Essa obrigação costuma vir acompanhada de uma concepção claramente sexista. No hinduísmo tradicional, por exemplo, o sexo conjugal tem pouca serventia caso produza apenas mulheres. Em um extremo, não praticar sexo é uma ofensa contra os deuses. Em outros contextos, é dever de cada um estar sexualmente disponível para seu cônjuge assim que se casarem — isso está presente, por exemplo, no judaísmo, no cristianismo e no islã. Para muitas pessoas, parte dessas s regras sexuais é vivida como o peso de uma obrigação. Não basta apenas ingressar em um casamento heterossexual, independentemente da

---

147 Código de *Manu* 3.45, cf. Parlinder 1996:20.

148 Código de *Manu* 9.4.

149 Código de *Manu* 5.159.

vontade: deve-se estar sexualmente disponível para o cônjuge sempre que for preciso.

Apenas para reprodução

Caracterizar um tipo específico de sexualidade como "desumana" é uma estratégia bem conhecida para controlar a vida sexual alheia. A Igreja católica possui uma das mais restritivas definições do que considera sexo "adequado": "Uma relação sexual é humana somente quando expressa e promove a interação de gêneros dentro do casamento e está aberta à possibilidade de gerar uma nova vida"[150]. Qualquer outro tipo de sexo que não o heterossexual, sem proteção e praticado dentro do casamento, insiste a Igreja, é definido como desumano. Como vimos, a abordagem religiosa do sexo frequentemente está relacionada ao sexo a serviço da procriação.

A Igreja católica diz o oposto. Não há nenhuma obrigação de fazer sexo. Mas caso alguém deseje fazê-lo, deve ser do tipo que possibilite a procriação. Todo e qualquer outro tipo é condenado, vil ou, em essência, desumano. Mas essa obstinação, que data de 2003, não é única: representa uma longa tradição que remonta ao início da cristandade, com raízes que se estendem até o judaísmo. Mesmo em outras religiões encontramos concepções similares.

O relato do Gênesis sobre Onã, o segundo marido de Tamar, oferece um exemplo preciso do que pode ocorrer quando alguém se aventura no sexo com outra intenção que não a de procriar. Quando morreu seu irmão, Onã tomou sua cunhada Tamar como esposa com o objetivo de prover descendentes. Qualquer filho que tivesse com ela seria legalmente considerado herdeiro de seu irmão. Como não tinha o menor desejo de procriar apenas com esse propósito, Onã "derramava (sua semente) no chão" cada vez que fazia sexo com sua mulher/cunhada. Mas isso era "mau aos olhos do Senhor", que o puniu tirando-lhe a vida[151].

---

150 Congregação para a Doutrina da Fé "'Considerations regarding proposals to give legal recognition to unions between homosexual persons", de 3 de junho de 2007, §7.

151 Gênesis 38:6-9.

Deus não continuou a liquidar pessoas que se negavam a procriar, mas a contracepção é algo extremamente regulado nos textos canônicos judaicos. Tanto o uso de meios preventivos quanto a interrupção do coito é, em geral, proibido, embora outros textos judaicos indiquem que na antiguidade ambos os expedientes eram largamente utilizados pelos judeus[152]. O Talmude também abre essa possibilidade caso esteja em jogo a saúde da mulher[153]. Hoje em dia, a prevenção da gravidez é amplamente aceita na maioria das vertentes do judaísmo[154], mas continua a não ser recomendada: muitos rabinos já declararam ser aceitável o uso de anticoncepcionais no casamento, mas somente se o casal já possuir pelo menos dois filhos[155]. Os ultraortodoxos continuam apegados às escrituras antigas e consideram inadmissível o desperdício do sêmen. Não por acaso, o tamanho das famílias ultraortodoxas reflete essa postura.

A moderna teoria cristã sobre a contracepção tem uma história independente do judaísmo. Muito embora o casamento em si represente uma "união amorosa" na qual "um governa e o outro obedece", santo Agostinho relata que os filhos são o único "fruto virtuoso" da vida sexual conjugal. Se um casal fizer sexo excluindo a possibilidade da procriação, Agostinho vê "problemas no modo como podemos considerar essa relação um casamento"[156]. Fazer sexo conjugal ao mesmo tempo que se procura evitar a concepção equivale a fornicar dentro do casamento, acredita ele[157].

O destaque dado pelo cristianismo ao lado procriador do sexo novamente mostra o grau em que essa religião se debruça sobre os aspectos físicos deste mundo. Quanto mais pessoas nascerem, mais almas poderão ser salvas na eternidade. Agostinho sentiu na pele essa contradição, pois ele mesmo havia sido um maniqueísta na juventude. Segundo os maniqueístas, se alguém praticasse sexo, deveria ser com o gênero oposto, mas, de preferência, durante o período de

---

152 Noonan 1986:10-11.
153 Noonan 1986:10-51.
154 Alpert 1003:194.
155 Utnerman 1996:1996:146.
156 Agostinho *Casamento e concupiscência* 1.1.
157 Agostinho *Sobre o bem do casamento* 5.

infertilidade da mulher, para evitar que mais uma alma fosse "aprisionada na carne"[158].

Embora encarada como uma versão extrema da contracepção, a tradição clássica de abandonar à própria sorte filhos indesejados avançou com o cristianismo. Nenhum dos primeiros imperadores cristãos a proibiu[159]. Mas, tanto o abandono infantil como outras formas menos dramáticas de controle da natalidade passaram gradualmente a ser repreendidas dentro das Igrejas. Em 123, o papa Gregório IX decretou em uma de suas encíclicas que "aquele que pratica mágica e administra bebidas esterilizantes é um assassino"[160]. Sisto V reiterou que contracepção e aborto eram assassinatos em 1588, mas em 1591 Gregório VIX diferenciou uma coisa de outra e afirmou que a contracepção era um mal menor[161].

A Igreja católica repetidas vezes deixou clara sua oposição à contracepção. O papa Pio XI afirmou em 1930 que todos que incorreram na prática do sexo conjugal de modo a tentar burlar a concepção eram culpados de "pecados graves", desobedeciam à lei de Deus e à "lei natural" católica, um conjunto de dogmas que não tem nada em comum nem com as ideias de Newton nem com as leis mais elementares da ciência natural[162].

O papa Pio XII deu um passo à frente mais radical, ao permitir, em 1951, que os casais tentassem regular o número de nascimentos ao limitar o sexo aos períodos considerados seguros, ou "de esterilidade natural"[163]. De repente, casais católicos eram autorizados a fazer sexo apenas pelo prazer. Isso não conduziu a qualquer outra medida liberalizante, e, ao mesmo tempo, vários casais católicos reclamaram publicamente que o método do calendário arruinara não apenas sua vida sexual, mas também o vínculo entre sexo e amor[164].

A introdução de métodos de prevenção em escala industrial, mais acessíveis, principalmente a pílula anticoncepcional, traz em si uma

158 Agostinho *Contra o fausto* 15.7.

159 Agostinho *Sobre a moral dos maniqueístas* 18.65.

160 McLaren 1990:53-4.

161 Papa Gregório IX *Decretalium compilatio* 5.15.5.

162 Gudorf 2003:62.

163 Papa Pio XI *Casti connubi, 31 de dezembro de 1930*, § 56, cf. § 54.

164 Papa Pio XII *Mensagem às parteiras*, 29 de outubro de 1951.

separação real e mais perceptível entre sexo e procriação. O fato de que as pessoas, de forma muito mais simples, podiam fazer sexo sem se preocupar em engravidar, implicou, ao mesmo tempo, aumento da prática sexual, em oposição a normas religiosas que continuavam a tentar limitar o sexo no plano geral. Isso representou um crescente desafio para as autoridades católicas que não quisessem entrar em rota de colisão com seus fiéis.

À época do Concílio Vaticano II, no início da década de 1960, havia sinais de que a Igreja católica estaria em vias de permitir a contracepção. O papa João XXIII, por sua vez, expressou sua preocupação crescente com a explosão populacional, e pouco antes de morrer de câncer, em 1963, estabeleceu uma comissão de seis pessoas para discutir o assunto nesses termos[165]. De maneira nenhuma isso significava que João XXIII desejava uma mudança no curso da Igreja. Ao mesmo tempo, várias eminências, como o popular bispo holandês Willem Bekkers, de 's-Hertogenbosch, afirmavam que a contracepção era um método de livre escolha dos casais[166], enquanto freiras católicas de Léopoldville, em um Congo arrasado pela guerra civil, foram autorizadas a recorrer à contracepção caso corressem o risco de ser violentadas[167]. Ao deixar clara sua total oposição a qualquer forma de prevenção e esterilização na encíclica *Humanæ Vitæ*, em 1968, o sucessor de João XXIII, Paulo VI, deu início a uma onda de protestos entre os fiéis.

Muitos teólogos católicos se viram defendendo a mesma posição[168], e no mundo inteiro jornais passaram a receber milhares de cartas de fiéis católicos[169]. Tanto os donativos em dinheiro como o número de pessoas que acorriam às missas caíram dramaticamente nos primeiros anos que se seguiram à *Humanæ Vitæ*. Somente em 1969, a quantidade de fiéis nas igrejas caiu em um terço. Ao se opor tão diretamente ao clamor dos fiéis, a autoridade moral de um grande número de lideranças católicas evaporou como fumaça. Essa derrocada não prosseguiu na mesma proporção, mas a relação entre o rebanho e os pastores jamais foi

---

165 Fox 1995:59.

166 Fox 1995:52.

167 Oosterhuis 1999:80.

168 Parrinder 1996:238.

169 Fox 1995:77-81.

a mesma. Em 1999, somente 10% dos católicos nos EUA, por exemplo, disseram que as lideranças da Igreja não tinham autoridade moral para especular sobre o controle da natalidade[170].

O tempo não mitigou a postura do Vaticano. Em 1993, o papa João Paulo II classificou a contracepção como um "mal fundamental", qualquer que fosse a circunstância envolvida[171], enquanto o papa Bento XVI manteve o repto em outubro de 2008[172]. A conduta da Igreja católica em relação ao sexo e à procriação fornece uma boa imagem de como a postura das lideranças religiosas é diferente daquela da maioria dos fiéis. Enquanto o Vaticano continua a condenar o uso de qualquer método contraceptivo, entre o baixo clero a visão é totalmente outra. O Vaticano continua acreditando que sexo com contraceptivos não é uma "conduta humana"[173], mas 63% dos católicos norte-americanos achavam, em 1993, que era possível usar contraceptivos e mesmo assim continuar sendo um bom católico[174]. O número relativo ao uso de contraceptivos em uma série de países majoritariamente católicos mostra, da mesma maneira, que a postura oficial do Vaticano encontra pouca receptividade entre os fiéis.

Em meados da década de 1990, o uso de contraceptivos entre pessoas sexualmente ativas no Brasil, Bolívia, Peru, Filipinas e Guatemala era, respectivamente, 76,7%, 72,2%, 64,2%, 48,3%, 46,5% e 31,4% da população[175]. Tais números devem ser analisados também à luz de outros fatores, como o conhecimento dos métodos de contracepção e o acesso, a preços razoáveis, a eles.

Entre outras comunidades eclesiásticas houve uma mudança marcante ao longo do último século. Em 1930, a Igreja anglicana passou a aceitar a contracepção dentro do casamento, embora a abstinência sexual ainda fosse preferível[176]. No decorrer da década de 1950, a mais destacada Igreja luterana reconheceu que a contracepção no casamento era legítima, ao mesmo tempo que enfatizou que o objetivo da

170 Ertelt 2008.
171 Greeley 1989:52.
172 D'Antonio, Vavidson, Hoge & Meyer 2001:76.
173 papa João Paulo II *Veritatis splendor*, 6 de agosto de 1993, § 7.
174 Cavendish 2003:218.
175 Jain 2003a:241.
176 Noonan 1986:409.

sexualidade não era apenas a procriação, mas também a demonstração do amor e a satisfação física[177]. A maioria das comunidades protestantes de hoje permite a contracepção, mesmo diante de uma significativa oposição de conservadores contra a distribuição de contraceptivos a solteiros. A resistência religiosa à contracepção diz mais respeito a uma oposição ao sexo pré e extraconjugal que ao sexo com fins não reprodutivos. Esse movimento surge no contexto do uso de preservativos como meio de estancar a epidemia de Aids. Aqueles que obedecem firmemente ao ideal cristão de sexualidade, permanecendo fiéis a seus cônjuges e não se aventurando em sexo pré-conjugal, correm pouco risco de se tornar HIV-positivos. Mas, ao se opor sistematicamente à distribuição de preservativos que podem significar a vida ou a morte para pessoas que praticam sexo além dos confins do casamento, muitos cristãos nutrem a esperança pia de convertê-los aos seus ideais religiosos — se não por outras razões, pelo risco de morrer de Aids.

A resistência à contracepção em círculos cristãos pode levar a consequências bem peculiares. Alguns protestantes jovens e solteiros temem recorrer a um método contraceptivo por achar que teriam uma desculpa para "cair em pecado" e "viver em pecado". O uso de contraceptivos parece legitimar uma vida sexual ativa, enquanto o sexo sem prevenção não é encarado da mesma forma[178]. Uma jovem solteira, por sua vez, menciona que a pílula é ainda pior que o preservativo, pois ao ingerir anticoncepcionais ela se tornaria "ativamente responsável" pela "vida sexual pecaminosa" que considera levar[179]. Mas essa não é a única perspectiva conservadora que os cristãos podem ter acerca do controle da natalidade: o Partido Popular Cristão da Noruega, geralmente conservador no que concerne a questões sociais, propõe a distribuição gratuita de contraceptivos para reduzir a incidência de abortos, pois considera a interrupção da gravidez um mal maior que o sexo pré-conjugal[180].

O islã possui uma relação extraordinariamente mais simples com a contracepção, pois, como afirmou Maomé, Deus é tão onipotente

---

177 Noonan 1986:490

178 Røthing 1998:203.

179 Røthing 1998:205.

180 Hoel 2010,

que nenhuma ação humana é capaz de modificar o plano que Ele terá traçado para a concepção e o nascimento de qualquer ser humano[181]. Consequentemente, o Profeta não via o coito interrompido como um problema.

Juristas islâmicos começaram a discutir o uso dos diversos métodos contraceptivos ainda no século IX[182]. A maioria dos líderes muçulmanos de hoje apoia o direito à contracepção[183]. Pesquisas revelaram que cerca de metade do contingente de pessoas sexualmente ativas em Bangladesh, Indonésia, Egito e Jordânia utilizam contraceptivos, e no final da década de 1990 esses números eram de 20,8% e 11,8% no Iêmen e no Paquistão, respectivamente[184].

Apesar da convicção de Maomé sobre a incapacidade humana de alterar o curso dos eventos planejados por Deus, ainda existem muitos muçulmanos, hoje em dia, contrários à prevenção da gravidez. O Centro Cultural Islâmico, na Noruega, argumenta que a prevenção só pode ocorrer em determinadas circunstâncias, como quando o casal ainda está estudando e não deseja ter filhos, ou quando há o risco de as crianças nascerem com alguma deficiência[185]. O conselho dos ulemás da Arábia Saudita, a mais alta autoridade religiosa do país, considerou a conferência das Nações Unidas sobre controle da natalidade, realizada no Cairo, em 1994, "um violento ataque à sociedade islâmica", e condenou a presença de muçulmanos no evento. Embora o Sudão, o Iraque e o Líbano (este metade cristão) tenham seguido a resolução e boicotado a conferência, a maioria das nações islâmicas compareceu[186]. Sobretudo porque o islã representa, em princípio, uma postura muito mais relaxada em relação à contracepção, talvez fique ainda mais evidente que essa oposição muçulmana à prevenção da gravidez é motivada pelo desejo de manter o sexo dentro dos limites do casamento heterossexual.

A prevenção é problemática por princípio no hinduísmo devido à tradicional ênfase no sexo procriador, extremamente importante

181 Imã Malik *Muwatta* 29.32.95.

182 Shaikh 2003:115.

183 Shaikh 2003:116.

184 Jain 2003a:241.

185 Hegna 2008.

186 Shaikh 2003:105.

para essa religião. Ao mesmo tempo, é possível encontrar em textos ayurvédicos primitivos, datados de centenas de anos antes de Cristo, conselhos tanto para prevenção como para o aborto. Exemplos semelhantes são repetidos em textos medicinais dos séculos mais recentes[187]. Esses métodos tradicionais estão, em grande parte, sendo substituídos por outros mais novos e seguros, mas as estatísticas do começo da década de 1990 mostram que apenas pouco mais de 40% daqueles sexualmente ativos na Índia, a maioria dos quais hindus, utilizam a contracepção[188]. A explicação para esse baixo índice pode ser encontrada, em parte, na extrema pobreza que afeta boa parte da população da Índia, que não tem meios para adquirir contraceptivos. Existe um fator adicional: o hinduísmo exorta os casais a ter uma criança do sexo masculino, o que torna problemático utilizar contraceptivos entre aqueles casais que ainda não têm um filho[189]. O aborto seletivo de meninas entre as famílias que possuem condições para fazê-lo, e o assassinato disseminado de fetos do sexo feminino nas regiões mais pobres do país são outra consequência desse estímulo ao nascimento de filhos homens[190].

Diversos nacionalistas hindus se dizem contra o planejamento familiar, ainda que primeiramente pelo temor do decréscimo do número de hindus na população indiana. Para enfatizar a urgência dessa causa, muitos ativistas hindus têm dito, desde a década de 1970, que os muçulmanos se opõem ao controle de natalidade, e as estatísticas mostram que o índice de natalidade entre muçulmanos é ligeiramente maior que entre os hindus na Índia[191]. No movimento neorreligioso Hare Krishna, que entre muitos hindus é visto como uma vertente especialmente conservadora do hinduísmo, o sexo só é permitido dentro do casamento, e ainda assim, como meio de procriação[192].

Os *pali*, textos budistas escritos nos primeiros séculos da era cristã, enfatizam que a contracepção é permitida contanto que nenhuma

[187] Jain 2003b:136.
[188] Jain 2003b:138.
[189] Jain 2003b:241.
[190] Reynolds & Tanner 1995:67.
[191] Kumar 2003.
[192] Jeffrey & Jeffrey 1997:216.

vida seja desperdiçada[193]. Uma pesquisa realizada no Sri Lanka na década de 1990 mostrou que os monges com maior escolaridade não viam nenhuma contradição entre o budismo e o controle da natalidade, e tampouco viam essa questão com grande importância dentro da perspectiva religiosa. Monges com menor escolaridade, habitando áreas rurais, por sua vez, acreditavam que o controle da natalidade entrava em choque com o budismo porque evitar o nascimento de algo era o equivalente a cometer um assassinato. Mas nem mesmo para esses monges mais céticos a prevenção era um assunto religioso digno de importância[194]. Na Tailândia, o uso de contraceptivos tem se multiplicado ao longo das últimas décadas, ao mesmo tempo que budistas do norte do país têm estimulado ativamente o uso de contraceptivos pré-conjugais, mesmo sem ver com bons olhos o sexo antes do casamento[195].

Parece razoavelmente claro que o acesso aos contraceptivos em geral induz a uma maior prática sexual, como demonstrou o papel desempenhado pela pílula no curso da revolução sexual. Claro está que a contracepção reduz o risco de gravidez resultante de sexo casual, e isso, mais que impedir o surgimento de uma nova vida, parece incomodar os muitos opositores da contracepção. O fato de que existem grupos de muçulmanos anticontracepção, ainda que a contracepção em si não seja um problema tradicional para o islã, aponta na mesma direção: a questão é menos sobre a contracepção e mais sobre a restrição de um tipo de sexo que a religião não endossa. Parece ser esse o caso também da Igreja católica, que ainda em 1951 reconheceu a prática do coito conjugal apenas pelo sexo em si, mas recomendou que só fosse praticado durante os períodos ditos inférteis da mulher. Esses grupos conservadores são também contra o uso de meios preventivos para inibir a propagação da Aids. Ao repetir a falácia de que o uso de preservativos não evita a infecção pelo HIV, eles nos dão um bom motivo para pensar que muitos consideram mais importante sua guerra particular contra o sexo extraconjugal que o combate à catástrofe da Aids[196].

193 Puttick 1997:108.

194 Suwanbubbha 2003:148.

195 Reynolds & Tanner 1995:67.

196 *Catholic Online* 2003; Johannessen 2007

Quantos cônjuges você deseja?

Em 1524, Martinho Lutero afirmou que, em princípio, não poderia condenar ninguém por contrair matrimônio com mais de uma esposa, pois isso não vai de encontro a nenhum preceito bíblico[197]. Em uma carta de 1540 endereçada ao seu principal apoiador, o *landgrave* Filipe de Hessen, Lutero reconhece explicitamente o direito do *landgrave* de desposar uma segunda mulher[198]. Lutero jamais transformou esse reconhecimento em uma permissão generalizada à poligamia entre cristãos, tampouco em um endosso à prática entre luteranos. Talvez a lição mais importante que o caso de Filipe de Hessen nos ensina é que Lutero achava que existia uma diferença fundamental entre um nobre poderoso e os populares comuns. Se outros poderosos houvessem seguido o exemplo de Filipe, esse episódio singular da época da Reforma poderia ter tornado a poligamia aceitável em alguns rincões do protestantismo. Agora, contudo, a defesa bíblica que Lutero fez da poligamia há muito foi esquecida, embora sua argumentação deixe claro que não há nada autoevidente, em termos religiosos, no matrimônio com apenas uma esposa.

O número de parceiros é uma das muitas maneiras com que a religião sanciona o sexo heterossexual. Em uma perspectiva histórica, a monogamia não reina soberana. O cristianismo, na verdade, é a única religião global que assumiu um partido a favor da monogamia no momento em que esse debate surgiu[199], mas é importante considerar que nem Jesus nem Paulo se debruçaram sobre a questão da poligamia, nem tampouco a condenaram.

A falta de interesse de ambos pode estar ligada ao fato de que a lei romana permitia somente uma esposa a cada homem, e essa também era a regra em vigor na Palestina judaica. É igualmente relevante especular se o cristianismo não transformou a monogamia em uma regra religiosa simplesmente porque era essa a norma social vigente quando a questão emergiu.

---

[197] Martinho Lutero, em carta ao chanceler da Saxônia, Gergor Brück, 13 de janeiro de 1524, em *De Wette* 1826:459.

[198] Martinho Lutero, em carta a Filipe de Hessen, 10 de dezembro de 1539, em *De Wette* 1826:238-44.

[199] Deuteronômio 21:10.

Mas nem mesmo nas fronteiras do cristianismo a monogamia deixava de se afigurar um problema, já que os primeiros patriarcas cristãos, da mesma forma que Lutero, diziam que a Bíblia representava um desafio diante desse contexto. Como era possível explicar o apelo da Igreja pela monogamia quando tantos protagonistas bíblicos tinham várias esposas? Agostinho tentou defender os patriarcas poligâmicos alegando que apenas cumpriam seu dever de procriar, mas jamais faziam sexo movidos pelo desejo. Naquele tempo, prosseguiu Agostinho, não havia leis nem exemplos que demonstrassem que era errado ter várias mulheres[200]. É um argumento adequado no que tange à poligamia no Velho Testamento, que ao mesmo tempo tornava difícil explicar aos seus contemporâneos por que deveriam se satisfazer com uma esposa apenas.

Ponto de partida tanto do judaísmo como do cristianismo, a Bíblia jamais levanta a hipótese de uma mulher ter mais de um marido. Naturalmente, isso tem a ver com o princípio da propriedade, que se reflete no casamento segundo o Velho Testamento. As mulheres pertenciam, em princípio, a um *único* homem. O fato de uma mulher pertencer a vários homens redundaria em uma situação nada desejável, que incorreria em vários problemas subsequentes de difícil solução. Caso tenha vários maridos, a quem deveria obedecer? E, muito antes dos testes de DNA, como seria possível saber a paternidade das crianças que daria à luz?

Como tanto Agostinho quanto Lutero demonstram, a poligamia era originalmente permitida no judaísmo. A Bíblia judaica não apenas relata que os patriarcas e os reis israelitas com frequência possuíam várias esposas, mas também mostra como, e até que ponto, o homem deveria classificá-las[201]. Mesmo se não gostasse mais de sua primeira esposa, o homem não poderia suprimir os direitos de seu primogênito[202]. Dada sua riqueza, um rei poderia ter quantas esposas quisesse, mas era aconselhado a não ter tantas, a não "multiplicar suas mulheres"[203], muito embora não esteja claro quanto o verbo "multiplicar" implicaria.

No judaísmo rabínico existem duas tradições, pró e contra a poligamia, respectivamente no Talmude babilônico e no palestino. Essa

200 Deuteronômio 21:15-17.

201 Êxodo 21:10.

202 Deuteronômio 21:15-17.

203 Deuteronômio 17:17.

diferença teve uma clara influência dos persas, que aceitavam a poligamia em sua sociedade, ao contrário dos romanos, gregos e cristãos, que a proibiam[204]. Pela mesma razão, foi mais fácil à poligamia sobreviver mais ao leste, porque o Oriente Médio estava em poder de muçulmanos polígamos. Alguns judeus em certos países muçulmanos mantêm essa tradição viva nos dias de hoje.

Assim como o judaísmo e o cristianismo, o islã obriga as mulheres a ser monógamas. Já os homens, por sua vez, podem ter até quatro esposas — Maomé, uma exceção por seu *status* de profeta, teve quatorze ou quinze. Alguns muçulmanos contemporâneos podem ter ainda mais esposas, mas é uma prática difícil de ser justificada com base em razões religiosas, e ainda pode levar a sanções. O nigeriano que ganhou as manchetes de jornais em 2008 gabando-se de suas 86 esposas foi rapidamente instruído pelas autoridades islâmicas a se divorciar de 82 delas, ou correria o risco de ser condenado com base na *sharia* por um tribunal islâmico do estado onde vivia[205].

No contexto, com a obrigação masculina de cuidar dos mais necessitados — órfãos, por exemplo —, o Alcorão exorta os homens a desposar viúvas com filhos, até "duas, três ou quatro" delas[206]. Caso um homem possua mais mulheres que isso, o islã deixa claro que deverá tratar a todas igualmente. Isso vale também para aquelas a quem terá desposado apenas para proteger seus órfãos[207]. Como o Alcorão também exige um padrão econômico mínimo para o casamento[208], é claro que um homem deverá ter uma posição financeira elevada se desejar ter várias esposas.

O islã originalmente não delimita o número de concubinas ou de relações sexuais que o homem deve ter com suas escravas[209]. Houve períodos em que o concubinato foi instituído em larga escala entre homens proeminentes da sociedade muçulmana. No século IX, por exemplo, o califa al-Mutawakkil ficou famoso por, supostamente, ter

---

204 324 Deuteronômio 17:17.
205 325 Sabry 2008.
206 Alcorão 4.2-3.
207 Alcorão 4.3, 4.129.
208 Bouhdiba [1975]:107
209 Bouhdiba [1975]:105.

4 mil concubinas, todas as quais compartilhavam seu leito[210]. Diante de uma quantidade tão formidável, não chega a surpreender o fato de o harém de al-Mutawakkil figurar na narrativa das *Mil e uma noites*. Mas haréns têm um papel mais relevante na imaginação do Ocidente em relação ao Oriente do que efetivamente tiveram na organização histórica e social da vida muçulmana.

O objetivo do harém não era o de aglomerar o maior número possível de esposas e concubinas, mas segregá-las em lares mais afluentes, de modo a evitar que entrassem em contato com homens de outros clãs e famílias. O harém era considerado *haram* (proibido) para homens, não era de forma nenhuma um lugar onde hóspedes masculinos eram admitidos. Muitas das mulheres que terminavam nos haréns eram escravas, que, mesmo assim, poderiam se tornar esposas ou concubinas de homens da família. No fim do século XIX, o harém imperial otomano em Constantinopla abrigava de quatrocentas a quinhentas escravas, a maioria proveniente do norte do Cáucaso; mas aquele não era o destino final de todas. Muitas delas abandonavam o harém tão logo se casavam com poderosos oficiais do governo[211].

A permissão da poligamia entre os muçulmanos hoje varia de país a país, e, mesmo assim, há várias limitações naqueles onde é permitida. Enquanto os sunitas tradicionalmente não exigem que o homem dependa da concordância da sua(s) atual(is) mulher(es) para contrair um novo matrimônio, entre os xiitas é diferente.

No Irã, um projeto de lei de 2008 que tornaria possível a um homem desposar uma segunda esposa sem a permissão da primeira recebeu críticas e foi considerado *haram*, "em conflito com a justiça prescrita pelo Alcorão", por um aiatolá decano. O parlamento subsequentemente rejeitou o projeto[212].

No *Kama Sutra*, escrito no século I a.C. e provavelmente o texto mais importante sobre o amor do hinduísmo, existem certas normas aplicáveis ao homem que deseje mais uma esposa para si: ele pode desposar outra mulher caso sua primeira esposa seja frígida, promíscua ou infeliz no amor, ou ainda, se não conseguir procriar ou der à luz apenas

210 Bouhdiba [1975]:107-8

211 Toledano 1998:29.

212 Sykes 2008.

Marajá Ram Singh, de Kotah (1827-65) sendo atendido por várias mulheres ao mesmo tempo. Kotah, cerca de 1840-50
Crédito: Coleção particular

meninas. Na verdade, essas recomendações são um tanto supérfluas, pois o fato de o homem não gostar de sua atual mulher já é razão suficiente[213]. A possibilidade da poligamia encontrou campo fértil também em outras religiões indianas. Entre os jainistas, a hipótese de uma segunda esposa foi a razão do cisma entre as duas principais vertentes da religião. Os jainistas svetambara aceitavam uma segunda esposa caso a existente fosse infértil, ao contrário dos jainistas digambara[214]. Até o século XIX, um fiel parse, a sociedade zoroastrista existente na Índia, poderia ter outra mulher caso não tivesse filhos com a primeira[215]. Nem mesmo entre a elite sique a poligamia era uma conduta estranha.

A poligamia não é mais praticada no hinduísmo, contudo. Na Índia de hoje, os direitos matrimoniais continuam interligados à religião. A lei matrimonial comum a hindus, budistas, jainistas e siques proíbe a poligamia, assim como o faz para parses e cristãos. A lei pessoal para os muçulmanos, por outro lado, baseia-se na *sharia*, que dá ao homem o direito de se casar com até quatro esposas, de acordo com os preceitos do Alcorão[216].

Apesar da relação ambivalente que mantém com a heterossexualidade, o budismo não desconhece a poligamia. Padmasambhava, fundador do budismo tibetano, aceitou de bom grado uma esposa como presente do rei do Tibete apesar de já ser casado com outra[217]. O rei Jingme Sngye, do Butão, que abdicou em 2006, tem quatro esposas. Nem mesmo mais ao oriente, no taoísmo chinês, era interditado ao homem possuir diversas esposas[218].

Historicamente, é bem mais raro uma religião permitir a uma mulher ter vários maridos. Mas, exatamente no budismo tibetano, uma mulher pode se casar com vários maridos simultaneamente. Normalmente, a poliandria se dá com o casamento com vários irmãos de uma só vez, como forma de minimizar as dúvidas sobre a paternidade dos filhos[219].

213 *Kama Sutra* 4.2.

214 Parrinder 1996:63.

215 Parrinder 1996:72.

216 *Lei Pessoal Muçulmana (Sharia) Aplicação Legal* (1937) §2

217 Parrinder1996:48

218 *Lei do Casamento Hindu* (1955) §5.1; *Lei do Casamento e do Divórcio Parse* (1936) § 4.1; *Lei do Casamento Cristão Hindu* (1872) § 60.2.

219 Yao 2003:86.

Em várias religiões africanas a poligamia é disseminada, e em certos casos, extremamente religiosa. Os rastafáris na Jamaica e em outros países importaram a poligamia como um traço fundamental da cultura africana que deveria ser perpetuado[220]. Embora tanto missionários cristãos como autoridades coloniais tenham sistematicamente combatido a poligamia em terras africanas, alguns cristãos africanos, hoje, afirmam sem receio que tal prática é inteiramente compatível com o cristianismo. Sua convicção baseia-se no Velho Testamento, no qual a poligamia é permitida, e também no Novo, que não a proíbe em nenhum momento[221]. Estatísticas de 1994 mostram que 13, 18 e 17% de mulheres entre 15 e 49 anos vivem em uma relação poligâmica, respectivamente, na Namíbia, no Zâmia e no Zimbábue, países majoritariamente cristãos.

A poligamia também impõe um imenso desafio legal em países do Ocidente, majoritariamente cristãos, no que diz respeito ao *status* tanto das famílias quanto da segunda, terceira ou mesmo quarta esposa. O problema é menor em relação aos filhos, porque a convenção internacional de direitos humanos proíbe o Estado de discriminar crianças com base em sua condição de nascimento: é irrelevante se nasceram de uma família monogâmica, poligâmica ou fora de um casamento.

É possível encontrar exemplos de poligamia cristã em outras partes do mundo relacionadas à continuidade de práticas religiosas antigas. Na América Latina pós-descobrimento, as classes indígenas dominantes opuseram-se à proibição da poligamia pela Igreja católica. Como consequência prática, era comum um homem se casar com a primeira esposa em uma cerimônia católica e recorrer aos rituais tradicionais para casar-se com a segunda e a terceira esposas[222]. Alguns pajés promovem a poligamia como um modo bastante efetivo de protesto contra o catolicismo[223].

Mesmo sendo o mais comum na antiga religião nórdica o casamento monogâmico, reis e outros homens poderosos preferiam ter várias

---

220 Zeitzen 2008:180.

221 Childs 2004:42.

222 Westoff, Blanc & Nyblade 1994.

223 Parrinder 1996:48.

esposas. Haroldo I da Noruega[224], por exemplo, possuía pelo menos seis esposas e um séquito de concubinas. Na Noruega recém-convertida ao catolicismo, manter concubinas e "ajudantes domésticas" era um costume amplamente difundido nos lares, a despeito da censura e oposição da hierarquia católica[225].

Desde então, diversos grupos cristãos têm feito tentativas de instituir a poligamia. Os anabatistas radicais, que detinham o poder em Münster em 1534-35, praticavam-na segundo os padrões do Velho Testamento, mas quando uma mulher resolveu inverter a lógica e propor que também elas deveriam ter vários homens, foi rapidamente condenada por sua infeliz sugestão[226]. Os experimentos matrimoniais dos anabatistas não duraram muito — somente até a cidade ser invadida por um exército cristão que massacrou a maioria dos fiéis.

A comunidade cristã Oneida, concentrada no norte do Estado de Nova Iorque em meados do século XIX, operava com o que se conhecia como "casamento complexo", isto é, todos eram casados entre si. Se um homem e uma mulher desejassem fazer sexo apenas um com o outro, eram proibidos de se encontrar durante determinado período. Esse tipo de apego não era apenas visto como um sentimento egoísta, mas também idólatra. As pessoas só deveriam se conectar emocionalmente com Deus, jamais com outros seres humanos. O casamento monogâmico era considerado incompatível com a verdadeira cristandade e os integrantes da comunidade afirmavam que "não havia lugar para tal coisa no 'Reino dos Céus'"[227].

Encontramos o maior exemplo de poligamia cristã entre os mórmons.

O fundador da Igreja mórmon, Joseph Smith, assim disse a Helen Mar Kimbal, quatorze anos, uma das muitas mulheres com quem se casou na primavera de 1843: "Se você der esse passo (o casamento polígamo), vai garantir sua salvação e exaltação, assim como da casa de seus pais e de todos os seus parentes". Depois da morte de Smith, estabeleceu-se a doutrina de que a segunda esposa garantiria um lugar

---

224 Haroldo Cabelo Belo, responsável por unificar os condados da Noruega em um só reino, no início do século X. (N. do T.)

225 Wiesner-Hanks 2000:157.

226 Wiesner-Hanks 2000:158.

227 Steinsland 200:374-75

no paraíso não apenas para si, mas para o marido e sua primeira esposa. Outras mulheres receberam garantias semelhantes sobre a conexão entre a poligamia e a salvação[228]. Ter várias esposas afigurava-se um problema do ponto de vista prático para os maridos, e muitos mórmons recusaram o casamento polígamo. Tampouco havia uma compulsão nos homens para ter várias esposas ao mesmo tempo, já que valia o mesmo princípio de salvação caso um homem se casasse com outra mulher depois da morte de sua esposa anterior. Alguns homens contraíam matrimônio com mulheres que haviam morrido solteiras e com idosas com quem jamais viriam a coabitar[229]. Nem todos os seguidores de Smith viam razões para se conter, e Brigham Young, seu sucessor, desposou mais de cinquenta mulheres[230].

O único tipo de união importante, do ponto de vista da salvação, era o que os mórmons chamavam de "casamento celestial". Demais casamentos não tinham as mesmas consequências para a eternidade. Logo, pelo menos em princípio, uma mulher poderia se casar com vários homens de uma só vez. Em 1846, Cordelia Morley contraiu um casamento celestial (logo, eterno) com Joseph Smith. Um ano e meio depois que ele foi morto, e ao mesmo tempo desposou outro homem em um casamento limitado à vida de ambos na Terra[231].

A poligamia mórmon geralmente era reprovada por outros cristãos norte-americanos, e em 1862, em meio à guerra de fronteiras, o Congresso aprovou uma lei contra a prática nos "territórios e outros locais onde os Estados Unidos tenham jurisdição" — uma mensagem especialmente dirigida aos mórmons, que, em sua maioria, habitavam o então território de Utah. O presidente Abraham Lincoln deixou os mórmons em paz, apesar da lei que assinou, mas, com o passar do tempo, aumentavam as pressões em contrário. Em 1887, Washington D.C. aprovou uma moção para dissolver a Igreja mórmon e confiscar todas as suas propriedades. Polígamos poderiam ser condenados a até cinco anos de prisão. Crianças nascidas de outra esposa que não a primeira ou única do marido perderam todos os seus direitos hereditários.

---

228 Wiesner-Hanks 2000:66.

229 Foster 1984:107-8.

230 Daynes 2001:26.

231 Daynes 2001:76.

Somente podiam votar ou ter emprego público homens que prestassem juramento renunciando à poligamia, e o direito das mulheres ao voto — assegurado desde 1870 — foi revogado em todo o território de Utah porque polígamas eram consideradas uma ameaça política[232].

Mais de mil homens foram condenados por poligamia[233] e cerca de duzentas mulheres grávidas de relações poligâmicas foram presas por fornicação[234]. A pressão federal foi tamanha que a partir de 1889 Wilford Woodruff, presidente da Igreja mórmon, recusou-se a dar permissão para novos casamentos polígamos. Por fim, a questão se resolveu quando Deus apareceu em uma visão para Woodruff, em 23 de setembro de 1890, e lhe disse que não apoiava mais a poligamia. A nova doutrina foi publicada em um manifesto dois dias depois e imediatamente a liderança da Igreja a reconheceu, aprovando-a por unanimidade. Mesmo assim, a Igreja continuou reconhecendo qualquer casamento polígamo anterior e tais uniões perduraram até a morte dos cônjuges.

Apesar da nova doutrina, vários mórmons continuaram a contrair casamentos poligâmicos nos anos que se seguiram a 1890, entre eles, várias figuras proeminentes dentro da Igreja[235]. Esta, por sua vez, levou a nova doutrina a sério e, em 1904, aprovou uma moção para excomungar todos que insistissem nos casamentos poligâmicos[236]. Depois disso, adotou uma postura bastante vigilante no combate à poligamia. Em 1943, quando se tornou público que um dos doze apóstolos da Igreja — uma das figuras mais destacadas entre os mórmons — tinha uma mulher que considerava sua segunda esposa, foi não apenas demitido dos cargos que ocupava, mas também excomungado[237].

Com o passar do tempo, uma série de grupos dissidentes minoritários, chamados de "mórmons fundamentalistas", arguiu para si a condição de representantes da verdadeira tradição de Joseph Smith e Brigham Young, recorrendo, para tanto, a um considerável arrazoado teológico. Eles seguem práticas poligâmicas tradicionais, que continuam a associar à salvação. Como ninguém pode ser mais condenado por ter

---

232 Daynes 2001:76-8.
233 Abanes 2003:419.
234 Daynes 2001:79.
235 Lei Morill Anti-Bigamia, adotada em 1º de julho de 1862.
236 Lei Edmund Tucker, adotada em 1887; cf. Gordon 2002:180-81.
237 Daynes 2001:75.

vários parceiros sexuais além do cônjuge legalmente constituído, esses grupos não são mais processados por praticar a poligamia — muito embora um de seus seguidores tenha sido condenado por bigamia, em Utah, em 2001, além de ter sido considerado culpado por fraudar uma empresa de seguros e pelo estupro de menores[238].

Os casamentos polígamos nessas igrejas mórmons dissidentes carecem de amparo legal. Assim como *gays* e lésbicas em muitos países fazem campanhas pelo reconhecimento legal do casamento entre o mesmo sexo, muitos dos mórmons fundamentalistas encabeçam *lobbies* para que a poligamia seja legalizada nos EUA[239].

O endosso religioso à poligamia tem um impacto em muitos aspectos da relação entre sexo e religião. A poligamia, como Lutero e Agostinho descobriram, é um bom exemplo do tipo de problema que as pessoas enfrentam quando as referências que consideram sagradas lhes dizem algo muito diferente daquilo que consideram ser a fé verdadeira. Tanto os mórmons do século XIX como os fundamentalistas de hoje sentiram e sentem na pele, de diversas maneiras, a necessidade que o ser humano tem de regular a vida sexual alheia segundo sua própria convicção religiosa. Como a poliandria — reflexo da poligamia — é encontrada em uma escala tão ínfima, a sanção religiosa da poligamia também serve para realçar as diferenças extremas que existem entre as normas religiosas destinadas aos homens e às mulheres. É um absurdo falar de uma posição igualitária para homens e mulheres dentro da religião se a monogamia absoluta é exigida da mulher enquanto é permitido ao homem ter várias esposas. É um problema que persiste apesar dos esforços de encontrar uma solução que equipare ambos os gêneros. Como uma mulher pode ter o direito de ter vários maridos se as escrituras sagradas a proíbem? E como um homem pode ser condenado por ter várias mulheres se essas mesmas fontes lhe asseguram esse direito?

Talvez a poligamia sirva, acima de tudo, como uma importante ressalva para a afirmação — muito comum nos círculos cristãos — de que o casamento é algo óbvio ou natural. Ainda assim, as referências da cristandade dão ao casamento monogâmico heterossexual uma condição singular.

---

238 Gordon 2002:181.

239 Wilford Woodruff "Declaração oficial – 1.(O Manifesto), 24 de setembro de 1890, http://scriptures.lds.org/en/od/1; cf. Gordon 2002:220.

Sexo fora do casamento

Em 5 de julho de 2007, na cidade de Agche Kand, no nordeste iraniano, Jafar Kiani teve as mãos atadas nas costas e foi enterrado até a altura do torso. Em seguida foi apedrejado até a morte com pedras não tão grandes a ponto de matá-lo rápido demais. O "crime" pelo qual Kiani foi culpado foi o de ter tido relações sexuais extraconjugais com uma mulher casada, cerca de dez anos antes[240].

Não há nenhuma contradição entre a visão positiva que o islã tem da heterossexualidade e o trágico fim de Jafar Kiani. O que podemos ver, aqui, é um exemplo de um dos limites mais claros da aceitação da heterossexualidade, limite que não é único ao islã. A maioria das religiões tem uma visão bastante diferente do sexo heterossexual, seja ele praticado dentro ou fora do casamento.

Jafar Kiani foi condenado de acordo com a lei iraniana, que, em linhas gerais, deriva da *sharia*, a lei islâmica. Mas apedrejar pessoas por terem praticado sexo extraconjugal é uma conduta encontrada em livros entronizados nas estantes de muitos — talvez a maioria — das residências do Ocidente. Assim diz a Bíblia no Deuteronômio: "Se se encontrar um homem dormindo com uma mulher casada, todos os dois deverão morrer: o homem que dormiu com a mulher, e esta da mesma forma.". O embasamento para esse tipo de pena de morte vem a seguir: "Assim tirarás o mal do meio de ti"[241], ensina Deus. Caso não tenham recebido esse mandamento diretamente das mãos do próprio Deus, os autores do Pentateuco podem simplesmente ter sido influenciados pelo mais antigo código legal à disposição na época, o Código de Hamurabi, igualmente escrito por inspiração divina, cerca de 1.700 anos antes de Cristo. Ali está explicitado como uma mulher infiel deve sucumbir com seu amante[242].

Caso prossigamos examinando como as pessoas, segundo o Pentateuco, devem ser apedrejadas pelos atos sexuais que praticaram fora do casamento, precisamos prestar bem atenção no gênero dos infratores.

---

240 Hardy 1992:2006-11.

241 Deuteronômio 22:22, cf. Levítico 20:10.

242 *Código de Hamurabi* 129.

Embora qualquer ato sexual diga respeito naturalmente a ambos os sexos — como vimos, por exemplo, em relação ao sexo pré-conjugal —, não existe aqui nenhuma correspondência nas regras religiosas que afetem homens e mulheres. Mulheres casadas correm o risco de morrer apedrejadas caso façam sexo com qualquer outro homem que não aquele que desposaram. Mesmo se forem estupradas, a lei determina a pena de morte[243]. O homem, ao contrário, é livre para fazer sexo tanto antes como fora do casamento com mulheres solteiras. Em decorrência disso, o Pentateuco não traz nenhuma restrição à prostituição[244].

A Bíblia faz menção, também, a um bom número de prostitutas. "Não cometerás adultério"[245] é um mandamento que, na prática, não se aplica a todo sexo extraconjugal. Os homens só são proibidos de fazer sexo com mulheres casadas ou noivas de outros homens. Se o mesmo homem for casado ou não é irrelevante no que concerne à punição pelo sexo ilegal. Portanto, não é o casamento em si que está sendo defendido pelos códigos da lei, mas tão somente o direito do marido sobre a esposa. A lei assegura que a honra de um homem seja protegida da injúria resultante de saber que sua mulher faz sexo com outro homem que não ele próprio[246].

O judaísmo extinguiu a pena de morte para crimes sexuais após a Antiguidade. Não apenas porque a sociedade judaica, como grupo minoritário, de um modo geral não se encontrava na melhor posição para impor a pena capital, mas também porque a literatura rabínica revela uma aversão perene à pena de morte.

No Alcorão não existe nada que determine o apedrejamento de alguém que faz sexo fora do casamento, apesar de o califa Omar, que conheceu Maomé, ter afirmado que originalmente havia tal prescrição no livro sagrado[247].

---

243 Embora fique claro que noivas virgens só devessem ser apedrejadas se fossem estupradas dentro das muralhas da cidade, e não fora desses limites, não havia tais limitações para mulheres casadas que fizessem sexo com alguém que não o próprio marido. Uma mulher que fosse estuprada por alguém que não o próprio marido deveria ser apedrejada junto com seu estuprador (Deuteronômio 22:22-7). Se fosse estuprada pelo marido, entretanto, não haveria sanções legais.

244 Alpert 2003:181.

245 Êxodo 20:14.

246 Deuteronômio 22:13-28, cf. Levítico 20:10.

247 Imã Malik *Muwatta* 41.1.8; Muslim Ibn al-Hajjaj *Sahih Muslim* 17.4194.

Mesmo assim, o islã obedece ao princípio fundamental bíblico de que o sexo extraconjugal diz respeito ao direito religioso. Todo e qualquer sexo fora do casamento é, segundo o islã, pecaminoso (*zina*), e está em conflito com os verdadeiros ensinamentos. Uma vez pernicioso e abominável, o sexo extraconjugal pode conduzir a pecados piores[248] e se converter em uma ameaça a todo o ordenamento islâmico. Portanto, de acordo com o Alcorão, qualquer que seja culpado de adultério deve ser punido com cem chicotadas[249].

Ainda que o Alcorão não preveja a pena de morte para o adultério, a tradição mostra que Maomé a exigia de qualquer maneira. Isso é testemunhado em uma série de *hadiths* diferentes[250]. Não há necessariamente uma contradição entre o mandamento do profeta e o fato de o Alcorão não prever a pena de morte para o sexo extraconjugal. Maomé associa seu apelo à prescrição da pena de morte para o sexo ilegal ao Pentateuco[251], que para o islã também representa a tradição divina. Maomé viu com seus próprios olhos um casal judeu que havia cometido adultério ser apedrejado em observância ao preceito bíblico. Omar, o último califa, descreve em detalhes: "Eu fui um dos que arremessaram pedras e vi como ele a protegia com seu corpo [...] inclinando-se sobre ela para protegê-la das pedras"[252].

Maomé determina que aqueles que são condenados por adultério sejam chicoteados uma centena de vezes, tal como está no Alcorão, mas o profeta deixa claro que os parceiros devem ser apedrejados depois das chibatadas[253]. Mesmo que o apedrejamento seja a punição normal para o adultério, existem certos procedimentos a ser executados. Certa vez, uma mulher se aproximou do profeta, admitiu o adultério e revelou que estava grávida. Ele lhe disse que retornasse quando houvesse dado

---

248 Alcorão 17.32

249 Alcorão 24.2.

250 Imã Malik *Muwatta* 41.1.1,41.1.2,41.1.4,41.1.5,41.1.6; Imã Bukhari *SahihBukhari* 8.23.413; Muslim Ibn al-Hajjaj *Sahih Muslim* 17.4191-21-201, 17.4205-15-14, 17.4216; Abu Dawud *Sunan Abi Dawud* 24.3619, 38.4364.

251 Imã Malik *Muwatta* 41.1.1-21-2,41.1.4-64-6; Muslim Ibn al-Hajjaj *SahihMuslim*17.4211, 17.4214; Abu Dawud *Sunan Abi Dawud* 24.3619, cf. Imam Malik *Muwatta* 41.1.8, 41.1.9, 41.1.10, 41.1.11.

252 Muslim Ibn al-Hajjaj *Sahih Muslim* 17.4211; Imã Malik *Muwatta* 41.1.1,cf. Imã Bukhari *Sahih Bukhari* 2.23.413; Muslim Ibn al-Hajjaj *Sahih Muslim* 17.4212-12-13, 17.4216.

253 Muslim Ibn al-Haijaj *Sahih Muslim* 17.4191-91-93, cf. Alcorão 24.2.

à luz a criança, o que ela fez. Então, ele disse que retornasse novamente após o desmame da criança, o que ela também fez. O profeta mandou que entregasse a criança a outrem, e somente quando retornou pela terceira vez, não mais grávida e já sem um filho para criar, ele determinou que fosse enterrada até o peito e "incitou as pessoas a apedrejá-la"[254].

Em uma perspectiva mais ampla, ainda há esperança para os condenados à morte por infidelidade, pois se alguém morrer enquanto suplica a ninguém mais que a Alá, adentrará o paraíso. Assim falou o profeta[255].

Simultaneamente às punições severas contra o sexo extraconjugal, o islã demanda provas concretas do ocorrido. Para que alguém seja punido é necessário haver uma confissão ou quatro testemunhas do sexo masculino[256]. O relato a seguir ilustra como Maomé insistia nisso:

Um homem perguntou ao profeta o que deveria fazer se encontrasse outro homem deitado com sua esposa no lar onde viviam.

— Devo deixá-los lá até encontrar quatro testemunhas?

— Sim — respondeu o profeta[257].

Existe uma forte preocupação contra as acusações sem evidências. Qualquer um que acuse um escravo de adultério será punido no dia da ressurreição[258]. Quem quer que levante falso testemunho ou faça alguma acusação que careça de provas pode esperar uma reação imediata: "Aqueles que acusam mulheres castas ou que não podem apresentar quatro testemunhas devem receber oitenta chicotadas"[259].

A demanda vigorosa por evidências deu origem a uma possibilidade a que recorrem muitos muçulmanos, mais ou menos conscientemente. No século XIII, o tunisiano Ahmad Ibn Yusuf al-Tifashi escreveu um livro intitulado *The Delight of Hearts, Or What you will not Find in any Book*[260], que aborda as possibilidades de desfrutar diferentes formas de sexo proibido sem ser incomodado. Entre seus "conselhos

---

254 Imã Malik *Muwatta* 41.1.5; Muslim Ibn al-Hajjaj *Sahíh Muslim* 17.4206; cf. Imã Malik Muwatta 41.1.11.

255 Imã Bukhari *Sahíh Bukhari* 2.23.329; Muslim Ibn al-Hajjaj *Sahíh Muslim* 1.171, 1.172.

256 Alcorão 4.15,24.4; Imã Malik *Muwatta* 41.1.7.

257 Imã Malik *Muwatta* 41.1.7; Muslim Ibn al-Hajjaj *Sahíh Muslim* 9.3569-79-72.

258 Muslim Ibn al-Hajjaj *Sahíh Muslim* 15.4090.

259 Alcorão 24.4.

260 Bouhdiba [1975]:143.

práticos", por assim dizer, há dicas de como um homem pode perceber a distância, ou mesmo por trás de um véu, que uma mulher o deseja[261].

A lei islâmica sobre o adultério é a mesma para ambos os sexos, muito embora essa equivalência não exista na prática. Como a lei permite que homens tenham até quatro esposas e façam sexo com escravas e concubinas[262], a noção do que constitui a infidelidade masculina é bastante limitada. Como são as mulheres que engravidam, a infidelidade feminina é mais fácil de comprovar, o que as leva a ser condenadas com mais frequência que os homens por crimes sexuais. Mas mesmo os homens não são dispensados das punições mais severas *caso* sejam condenados, como podemos ler nos *hadiths* e como vimos no cruel relato sobre o iraniano Jafar Kiani.

O estupro representa um desafio adicional para o islã, já que, como qualquer outra forma de sexo ilegal, em princípio precisa de uma confissão ou de quatro testemunhas masculinas para que o autor seja condenado. Uma vítima de estupro que denuncie a agressão pode acabar acusada de sexo ilegal, caso a violação tenha ocorrido fora do casamento. O simples ato de denunciar o crime é uma confissão da vítima de que consumou um ato sexual pré ou extraconjugal, ou teve uma relação homossexual (masculina). Se não puder comprovar o estupro, a vítima corre o risco de ser punida em decorrência da denúncia. Uma pesquisa da ONU realizada no Afeganistão em 2006 mostrou, por exemplo, que cerca de metade das mulheres que estavam na prisão era sob a acusação de fazer sexo pré ou extraconjugal — mas a causa real para muitas dessas mulheres era ter sido vítima de estupro[263].

Mulheres estupradas eram condenadas por adultério ou por atentado ao pudor também no Paquistão até a lei ser modificada, em 2006, dando sequência a protestos veementes por parte da aliança composta por seis partidos islâmicos, para os quais significava dizer que o estupro não mais poderia ser julgado à luz da *sharia*.

De toda forma, seria muito simplista concluir que a atual visão islâmica do sexo é idêntica àquela existente no Alcorão e na tradição. Existem grandes discrepâncias entre os muçulmanos no que diz respeito

---

261 Bouhdiba [1975]:105.
262 *UNODC* 2007:21.
263 BBC 2006b.

ao grau de relevância dessas leis. Muitos as rejeitam totalmente e creem que Deus não está particularmente incomodado com a maneira como as pessoas exercem sua sexualidade. Outros são da opinião de que indivíduos não deveriam ser punidos por um ato sexual consensual, ainda que mantenham a crença de que o sexo extraconjugal não é compatível com o islã. Mesmo assim, um grande contingente de muçulmanos acredita de fato que o sexo extraconjugal é tão fundamentalmente contrário aos princípios islâmicos que é impossível ignorar a tradicional exigência de punição severa para ele.

A maneira como a maioria dos muçulmanos se relaciona com a proibição irrestrita contra o sexo fora do casamento varia enormemente. Podemos analisar, por exemplo, uma pesquisa de 1992 que mostra que 45% dos habitantes do Uzbequistão, país majoritariamente muçulmano, disseram que seria ótimo ter um(a) amante além do cônjuge. Os números do vizinho Tajiquistão, país igualmente muçulmano, mostram, em vez disso, que apenas 14% aprovariam semelhante traição[264]. As divergências prosseguem também na literatura popular, como podemos constatar no clássico romance *Heer Ranjha*, escrito pelo poeta sufi muçulmano Waris Shah, na Índia do século XVIII. Trata-se da história de uma mulher que abandona o marido e foge com o amante. Ao serem capturados e apresentados ao governante, amaldiçoam a cidade por sua injustiça. Deus ouve as preces dos adúlteros e imediatamente ateia fogo à cidade[265]. Mesmo sem ser algo largamente disseminado, existe entre os muçulmanos a concepção de que Deus pode ter um amor assim na mais alta conta, em um patamar superior até ao casamento enquanto instituição.

O cristianismo não possuía, originalmente, as mesmas normas jurídicas para o sexo heterossexual extraconjugal. Ao contrário, o Jesus dos Evangelhos interveio diretamente para evitar a execução de uma condenada por adultério. Não que ele considerasse o adultério justificável, pois assim disse para a mulher: "Vai e não tornes a pecar"[266]. Em outra ocasião, ele declarou que aqueles que cometiam

---

264 Kon 1995:167.

265 Waris Shah *Heer Ranjha*. Para resumo em inglês ver http://www.apnaorg.co./poetry/heercomp/heerenglish.html e Vanita 2005:103.

266 João: 8:3-11

adultério iriam direto para o inferno[267]. Mas, por ter impedido o apedrejamento da adúltera, parece que Jesus acreditava que essa não era uma questão para a justiça dos homens, ao mesmo tempo que deixou claro que o sexo extraconjugal levaria à danação eterna. Logo, de acordo com Jesus, Deus, e não nossos semelhantes, nos julgará por nossa conduta sexual.

Ao ver o casamento como uma solução para aqueles que não conseguem se manter abstinentes no sexo, Paulo segue a lógica de considerar a infidelidade uma conduta que vai ao encontro dos ensinamentos de Deus. Mas nem mesmo Paulo propõe uma punição mundana para os culpados de adultério, simplesmente afirma que "não hão de possuir o Reino de Deus"[268]. O tom de sua reprimenda é, portanto, mais suave que o de Jesus. A Epístola aos Efésios, que muitos acreditam não ter sido escrita por Paulo, da mesma forma enfatiza: "nenhum dissoluto [...] terá herança no reino de Cristo e de Deus"[269]. Enquanto Paulo se concentra em excluir os pecadores sexuais, a Epístola aos Hebreus dá maior ênfase às sanções negativas e afirma "...porque Deus *julgará* os impuros e os adúlteros"[270]. Portanto, essas outras referências bíblicas parecem estar de acordo com Jesus. Ambas consideram o adultério sinônimo de danação, mas dizem que não são as pessoas deste mundo que julgarão. Apesar de Jesus e Paulo reconhecerem em uníssono que o sexo ilícito somente poderia ser punido por Deus, quando os cristãos chegaram ao poder imediatamente passaram a usar o sistema legal para garantir que a população obedecesse a uma conduta sexual correta. Já que a Bíblia deixava claro que o adultério resultaria na descida ao inferno, parecia adequado criar leis para manter as pessoas afastadas dele. As pessoas rapidamente esqueceram que Jesus, ele próprio, não desejava deixar tais questões nas mãos da justiça humana.

Também no cristianismo existia, tradicionalmente, uma grande diferença no tratamento dispensado a homens e mulheres adúlteros, embora o Novo Testamento não forneça nenhum embasamento para tanto. A atitude para com as prostitutas é um bom exemplo disso. Os

267 Mateus 5:27-30.
268 I Coríntios 6:9-10.
269 Efésios 5:5
270 Hebreus 13:4 Itálico meu.

livros de penitência do início da Idade Média recomendavam que as prostitutas fossem excomungadas, ao passo que nada sucedia com seus clientes, mesmo que fossem casados[271]. No plano geral, a prostituição era tacitamente aceita como um escape para o sexo extraconjugal masculino. Tanto Agostinho como Tomás de Aquino defendiam a existência da prostituição como um meio de evitar aquilo que consideravam pecados ainda mais graves, como homens fazendo sexo com as mulheres de outros[272]. Martinho Lutero, por sua vez, rejeitava a aceitação tácita da prostituição[273].

A definição do que seria a infidelidade masculina também era muito mais restrita. Na Rússia ortodoxa só era costume considerar infiéis os homens que tivessem filhos fora do casamento, mas, para as mulheres, o ato sexual em si já era suficiente[274]. Debruçando-nos na Europa protestante do passado, também vemos exemplos de diferenças substanciais. As mulheres não eram apenas consideradas culpadas com mais frequência da violação dessa lei, mas a própria lei fazia uma distinção precisa entre os homens e elas. Na Nova Inglaterra colônia, um homem só era condenado com rigor caso estivesse na companhia de uma mulher casada ou noiva; a mulher, por sua vez, sofreria uma punição de qualquer maneira[275]. Uma lei que passou a vigorar em Genebra em 1566 tornou as mulheres casadas passíveis da pena capital por adultério, enquanto aos homens determinava apenas doze dias de cadeia. A lei inglesa do adultério, de 1650, determinava a pena capital para ambos os parceiros se a mulher fosse casada, mas o homem era sentenciado a três meses de prisão[276].

O gênero é um fator determinante na abordagem do hinduísmo à infidelidade. Em textos épicos hindus, o sexo fora do casamento para os homens é apresentado simplesmente como parte integrante da vida[277].

O *Kama sutra* descreve, por exemplo, como é permitido aos homens fazer sexo com mulheres de castas inferiores, com mulheres

271 Bullough & Bullough 1987:118.

272 Agostinho *De ordine* 2.4; Tomás de Aquino *Summa Theologica* 2-2.0.11.

273 Bullough & Bullough1987:141.

274 Kon 1665:16.

275 Katz 1995:37.

276 Wiesner-Hanks 2000:78

277 Parrinder 1996:26.

expulsas de suas castas ou com prostitutas, embora seja proibido casar-se com qualquer uma delas. Sexo com mulheres desse tipo deve ser feito somente por prazer[278].

A prostituição feminina é tradicionalmente bem aceita no hinduísmo, e a mulher prostituída possuía uma posição social determinada por seu carma[279]. Os homens das classes mais altas possuíam cortesãs refinadas, e as prostitutas mais comuns eram destinadas aos demais. Enquanto um amplo leque de possibilidades sexuais aguarda os homens, as mulheres infiéis, segundo o *Código de Manu*, devem simplesmente ser devoradas por cães. Ainda assim, o *Kama Sutra* concede às mulheres o direito de se sentir "levemente ofendidas pelas infidelidades de seus maridos", desde que não reclamem muito. Uma esposa não deveria brigar com o marido, mas "confortá-lo com palavras conciliatórias, seja na companhia de amigos ou sozinha"[280].

Mas, mesmo no hinduísmo, um homem não pode fazer o que bem entende. Não pode, por exemplo, cometer um crime contra outro homem, isto é, dormir com uma esposa alheia, ato especialmente abominável caso se trate da mulher de seu professor. As proibições e as consequentes implicações cármicas negativas do adultério também suscitaram algumas soluções criativas para aqueles que estavam entediados com a fidelidade sexual. O *Ananga Ranga*, texto erótico do século XVI, parte da premissa de que o sexo extraconjugal pode facilmente resultar em um desastre, e em seguida descreve tantas posições sexuais que o casal se sentirá como se tivesse trinta e dois parceiros[281].

Em 2010, ao comentar os casos extraconjugais de outro budista, o mestre do golfe Tiger Woods afirmou que "todas as religiões têm a mesma ideia" do adultério[282]. Como vimos, essa não é toda a verdade, e uma condenação velada desse tipo não é tão simples de ser feita, mesmo no budismo. A visão geralmente negativa que o budismo tem do sexo não faz que, como vimos, alguns tipos de sexo deixem de ser considerados piores que outros, e o adultério se enquadra claramente

278 *Kama Sutra* 1.5.

279 Parrinder 1996:57.

280 Parrinder 1996:21.

281 *Código de Manu* 12.58.

282 Parrinder1996:26.

nessa categoria. O adultério normalmente é comparado não apenas ao assassinato, à mentira, ao roubo e à pilhagem, mas representa, com estes, uma das piores ações que podem ser perpetradas, tanto em relação à ética geral como em relação às repercussões cármicas que implicará para a alma de quem o praticar. "Se alguém não suporta viver uma vida em celibato, não deve recorrer à esposa de outro", afirma o *Sutta Nipata*, clássico texto *pali* do primeiro século depois de Cristo[283]. Tais palavras não foram escolhidas ao acaso, pois a condenação do adultério se dá tanto para não infringir o mal ao próximo como também ao sexo em si mesmo. A pessoa afetada pelo adultério é, naturalmente, o homem traído[284]. A premissa nas entrelinhas, como em tantos outros contextos sexo-religiosos, é que a sexualidade feminina é subordinada ao homem — é sobre o marido a quem ela pertence que recairão as ofensas caso ela durma com outro. Consequentemente, as leis dos países budistas correspondem a essa separação de gênero, prevendo consequências para a infidelidade feminina e preservando os homens que incorram no adultério.

O que poucas pessoas parecem notar é que a maioria dos países cristãos manteve sanções ao adultério, embora raramente fossem aplicadas. A corte constitucional de Uganda aboliu a proibição do adultério em 2007 devido à discriminação de gênero. Somente mulheres infiéis, não homens, poderiam ser condenadas, segundo a lei[285].

Vários estados norte-americanos têm uma série de restrições ao adultério, que, na prática, são letra morta. Mas as leis permanecem lá. Em 2007, o procurador-geral de Michigan ficou surpreso ao assumir o cargo e descobrir que a lei estadual dava a possibilidade de condenar alguém à prisão perpétua por infidelidade conjugal[286]. Em 2008, o britânico David Scott e a filipina Cynthia Delfino experimentaram as consequências práticas de leis semelhantes, em países cristãos, que não são letra morta. Como o divórcio de Delfino ainda estava em andamento, ela e Scott foram acusados de adultério, presos e jogados em uma prisão em Manila. O fato de já terem um filho

---

283 *Kama Sutra* 1.5.

284 Parrinder 1996:57.

285 Parrinder 1996:21.

286 *Código de Manu* 6.30 5.164.

bastou como prova do crime. De acordo com as leis daquele país eminentemente católico, o casal poderia cumprir uma pena de até sete anos na cadeia. Em vez de esperar o resultado da interpretação da lei pelas cortes filipinas, o casal escapou da prisão, fugiu para a Tailândia e de lá para a Grã-Bretanha[287].

É difícil precisar os números da frequência com que ocorrem adultérios no seio das diversas religiões hoje em dia. Normalmente, já existem diferenças marcantes entre grupos pertencentes à mesma crença, mas vivendo em países diferentes. Uma pesquisa de 2005 mostrou que 10% dos adultos na Polônia, que é maciçamente católica, admitiram fazer sexo extraconjugal, enquanto na Itália, igualmente católica, o índice era de 26%. Variações semelhantes existem em países eminentemente muçulmanos, como a Turquia, exibindo 58%, e a Indonésia apenas 16%[288]. Outra razão para a dificuldade de chegar a números exatos é que as pesquisas só podem se fiar no que declaram os entrevistados. Pelo que se depreende das pesquisas nos EUA, parece que o nível do envolvimento individual com uma religião institucionalizada é um fato que reduz a incidência de adultério[289]. Mas, por causa da reprovação extrema do adultério exatamente nesses círculos religioso, é difícil interpretar os resultados dessas pesquisas como fatos absolutos, porque são baseadas somente nas respostas das entrevistas. Não é desprezível a quantidade de políticos e líderes religiosos — particularmente nos EUA — que vêm condenando pública e veementemente o sexo extraconjugal e logo depois são flagrados como adúlteros.

O adultério, como qualquer forma de sexo consensual entre adultos, é protegido pela legislação de direitos humanos para a vida privada[290]. Porém, está entre as poucas formas de sexo consensual que não encontram defensores sérios nem dentro nem fora da esfera religiosa. Embora a infidelidade sexual seja, nem mais nem menos, apenas uma

287 BBC 2007a.

288 *Código de Manu* 12.58.

289 Parrinder 1996:30.

290 cf. *Convenção Europeia de Direitos Humanos* § 8; *Convenção dos Direitos Civis e Políticos das Nações Unidas* §17; *Toonen vs. Austrália*, decisão do Comitê de Direitos Humanos da ONU, 4 de abril de 1994, §8.2; *A.D.T. vs. Reino Unido*, julgamento Corte Europeia de Direitos Humanos, 31 de julho de 2000, §26.

entre tantas variedades de sexo consensual, é uma conduta que envolve outras pessoas além daquelas que tomam parte do ato em si. Por sua própria natureza, o adultério significa que pelo menos um dos parceiros é casado, o que implica que ele ou ela — frequentemente apenas ela — firmou um pacto que inclui fidelidade sexual. A quebra desse acordo adiciona outra dimensão ao problema. Mesmo que o Estado não tenha o direito de punir aqueles que cometem adultério, o ato pode ter consequências jurídicas independentemente disso. Como o adultério normalmente implica a quebra de um acordo, a parte prejudicada costuma reter certos direitos em caso de divórcio.

A condenação religiosa do adultério, como regra geral, traz em si uma falta de aceitação da infidelidade conjugal, algo que é ainda mais difundido. Somente as condenações mais graves ganham as manchetes. Não é apenas no Irã que homens e mulheres continuam sendo condenados à morte devido a atos sexuais impróprios, mas também em países como Emirados Árabes Unidos, Nigéria, Paquistão, Arábia Saudita e Sudão. Enquanto isso, gente comum, especialmente mulheres que esperam no corredor da morte ou que foram condenadas a penas menores, têm chamado a atenção de políticos ocidentais e militantes de direitos humanos de toda parte. Interessante notar que tanta comoção advém do recurso à pena de morte para esse tipo de ato, e não da proibição do ato em si. Poucas pessoas exigem que esses países revoguem a proibição que mantêm contra o adultério, embora seja algo que se choque frontalmente com os direitos humanos e com toda forma de sexo consensual entre adultos.

Uma exceção foram os violentos protestos da União Europeia contra o partido islâmico que governa a Turquia quando este tentou reintroduzir a proibição ao adultério em 2004. A lei anterior fora revogada pela corte constitucional em 1996 — não em decorrência de um princípio geral de direitos humanos, mas por punir mulheres com mais rigor que homens, e assim, contrariar outro princípio, o de igualdade de gêneros[291].

O fato de que apenas mulheres são os alvos mais frequentes da proibição religiosa do adultério tanto fortalece como enfraquece os paralelos entre os preceitos religiosos e a ética cotidiana, dependendo de

---

291 Basar 2004; *Turkish Daily News* 2004.

quão difundidos sejam os vários padrões sexuais em uma determinada sociedade. A ênfase cada vez maior na importância dada à igualdade de gêneros significa que a prática religiosa de punir, em maior número, mulheres adúlteras, e não homens adúlteros, ocasiona um problema de difícil explicação. Como vimos nos casos da Turquia e de Uganda, o simples fato de existirem leis de inspiração religiosa que punem somente as mulheres — ou as punem de forma mais severa — fez que essas leis capitulassem por conta do princípio jurídico da igualdade de gêneros.

Saindo do casamento

Michelle, mãe de três crianças, e Dani, mãe de quatro, ambas judias ortodoxas, foram abandonadas por seus maridos no fim da década de 1990. Os homens que as deixaram não desejavam se separar, embora ambos mantivessem abertamente relações com outras mulheres e fossem pais de outras crianças. Já que somente o homem tem o direito de requerer o divórcio segundo o judaísmo ortodoxo, Michelle e Dani não tiveram escolha a não ser continuar casadas.

Em Israel, o casamento e o divórcio são regidos por leis religiosas, não seculares. Todos os judeus, independentemente do ramo de judaísmo a que pertencem, ficam automaticamente à mercê das cortes ortodoxas, as únicas que Israel reconhece na esfera do direito familiar. A única maneira de escapar da jurisdição das autoridades religiosas é casar-se no exterior. Os casos de Michelle e Dani, que em 2004 foram abordadas no documentário *Mekudeshet* ("Condenadas ao casamento"), não são, de forma nenhuma, uma exceção. Muitas mulheres judias vivem em situação semelhante em Israel. Embora os maridos de Michelle e Dani abertamente admitissem sua relação com outras mulheres, a corte religiosa ortodoxa recusou-se a aceitar o pedido de divórcio, a menos que fosse protocolado pelos próprios homens. Nesse ínterim, Michelle e Dani foram proibidas de namorar ou casar-se com outros homens, ao passo que aqueles que as abandonaram podiam fazer o que quisessem, exceto casar-se novamente[292].

[292] Zuria 2004.

A regulação do divórcio é parte importante do controle do sexo pela religião, principalmente por representar uma maneira efetiva de esta regular a quantidade de parceiros sexuais. O adultério, alternativa ao divórcio, é uma das poucas condutas sexuais ainda condenadas pela maioria dos fiéis hoje em dia, independentemente da religião a que pertençam. As religiões que logram limitar o acesso ao divórcio também limitam as possibilidades de os cônjuges fazerem sexo com outras pessoas que não seus parceiros originais.

Como a maioria das religiões dá mais destaque ao controle sexual da mulher, não surpreende constatar que a discrepância entre os direitos sexo-religiosos de homens e mulheres se reflita nas regras pertinentes ao divórcio. Ao mesmo tempo, podemos perceber que o divórcio é uma das áreas nas quais as religiões, em grande medida, tiveram que se render ao controle dos fiéis no curso do século passado. Mas é preciso ter em mente que as religiões, tradicionalmente, não consideravam o divórcio um tema controverso, tanto para homens como para mulheres.

No Pentateuco encontramos regras bastante simples em relação ao divórcio. Se um homem "vier a odiá-la [a sua mulher] — "por descobrir nela qualquer coisa inconveniente", por exemplo — simplesmente "escreverá uma letra de divórcio, lhe entregará na mão e a despedirá de sua casa".[293] Caso mude de ideia, é permitido ao homem casar-se novamente com a mesma mulher, mas apenas se ela não houver se casado com outro homem nesse intervalo. Caso o primeiro marido ainda assim a tome como esposa novamente, terá cometido um ato abominável aos olhos do Senhor[294].

Havia, porém, alguns tipos de esposa das quais era impossível se separar. Caso um homem fosse apanhado em flagrante com uma virgem que já não estivesse prometida a outro, teria não apenas que pagar cinquenta shekels ao seu futuro sogro, mas também casar-se com ela e "Como a deflorou, não poderá repudiá-la em todos os dias de sua vida"[295].

A opinião da esposa, sobre o divórcio ou sobre ser expulsa de casa ao sabor da vontade de seu marido, era irrelevante. As mulheres não

---

293 Deuteronômio 24:1.

294 Cf. Deuteronômio 24:2-3.

295 Deuteronômio 22:28-29.

tinham o mesmo direito de pedir o divórcio, mas algumas o faziam assim mesmo. O Livro dos Juízes fala de uma concubina que ficou furiosa com seu homem, que pertencia à linhagem de Levi, e "deixou-o e foi para junto de seu pai em Belém de Judá"[296]. A concubina jamais teria direito a uma separação formal, e a única esperança para uma mulher que desejasse o divórcio era que o marido a considerasse portadora de "algum inconveniente" ou simplesmente se cansasse dela.

O Talmude prossegue permitindo ao homem e negando à mulher o direito ao divórcio. Como expressa a Mishná: "Uma mulher pode se separar com ou sem seu consentimento; um homem somente se separa se ele mesmo consentir"[297]. Assim que uma mulher se divorcia, sua sexualidade deixa de ser regulada pelas regras para mulheres casadas. A declaração formal de divórcio que um marido é obrigado a dar a sua mulher deve ratificar que, a partir de então, ela passa a estar "disponível para qualquer homem"[298]. Logo após a conquista islâmica da Mesopotâmia, eruditos judeus deram às mulheres o direito ao divórcio, que não tardaria a ser abolido no curso do século XIII[299].

No século XI, o célebre talmudista Gershom ben Judá propôs, com sucesso, aos judeus asquenazes que um marido deveria ter a anuência da mulher para se divorciar, uma limitação significativa do direito originalmente concedido aos homens[300], mas a maioria dos judeus sefardis jamais aceitou essa mudança[301]. Quando países ocidentais passaram a liberar o divórcio e os judeus puderam se separar legalmente sem o peso das obrigações religiosas, muitos que novamente se casaram pela lei civil passaram a ser considerados adúlteros, e seus filhos, ilegítimos[302]. Judeus moderados e progressistas agora aceitam o divórcio em bases mútuas e não veem nenhuma incompatibilidade entre as leis civis e religiosas; mas, como vimos, muitos ortodoxos ainda se baseiam na lei antiga, em que o gênero é determinante.

---

296 Juízes 19:1-2.
297 *Mishná, Yevamot* 112b.
298 Unterman 1996:148-9.
299 Berger 2005a:5: Broyde 2005:93.
300 Berger 2005a:9: Broyde 2005:93-4.
301 Unterman 1996:148.
302 Berger 2005a:12

O islã parte do mesmo princípio que o judaísmo nesse particular, e garante aos homens um direito negado às mulheres; mas regula o divórcio de forma bem mais abrangente. No Alcorão, todo o capítulo 65 diz respeito ao assunto, e por isso foi apelidado de al-Talaq: divórcio. O marido é terminantemente proibido de expulsar a esposa de casa da forma descrita no Pentateuco e é obrigatório cumprir um período de afastamento[303]. Segundo os *hadiths*, tanto o califa Omar quanto o genro de Maomé, Ali, afirmam que esse período se inicia quando o homem jura abster-se de sexo com sua esposa, e deve durar quatro meses[304]. Ao término, ou o homem recebe a esposa de volta "amistosamente" ou se separa dela "amistosamente". Se ele tiver certeza de que deseja realmente o divórcio, não pode simplesmente entregar uma declaração por escrito nas mãos da mulher. É preciso a presença de duas testemunhas. O homem também tem o dever de sustentar sua ex-mulher de acordo com sua capacidade financeira, especialmente se ela estiver grávida[305].

O costume largamente difundido de o homem dizer três vezes "Eu me divorcio de você" tem implicações jurídicas no islã, mas é visto por muitos como uma distorção pecaminosa do direito masculino e uma afronta ao Alcorão[306]. Em muitos dos países onde habitam muçulmanos, esse tipo de divórcio seria considerado ilegal em relação às leis nacionais, o que, evidentemente, obrigaria o homem, nesses casos, a recorrer a um procedimento mais complexo de separação[307].

Assim como suas pares judias, as mulheres muçulmanas não tinham, de início, nenhuma possibilidade de obter o divórcio por iniciativa própria. Mas há imensas diferenças de país a país.

No Saara ocidental, ocupado pelo Marrocos, por exemplo, geralmente se aceita que as mulheres peçam o divórcio[308]. Vários países muçulmanos admitem que as mulheres tomem essa iniciativa com base

303 Alcorão 65.1.
304 Imã Malik *Muwatta* 29.5.17-18.
305 Alcorão 65.2.
306 Alcorão 65.6-7.
307 Esposito 2002.108.
308 Barakat 1993.115.

em uma série de razões, e as mudanças legais que possibilitaram isso muitas vezes foram inspiradas em relatos do Alcorão[309].

Tanto a Turquia como o Sudão passaram a dar às mulheres o direito ao divórcio no início do século XIX[310]. No Irã, existem algumas possibilidades para que isso ocorra, normalmente baseadas no que reza o contrato conjugal[311]. No Marrocos, esse direito só passou a ser garantido em 2004[312].

Em relação ao divórcio, o cristianismo parte de um pressuposto totalmente diferente do judaísmo e do islã. Jesus afirmou que todos aqueles que se casam novamente depois de terem se separado, por definição, cometem adultério e "se lançam ao inferno". Não importa se um homem divorciado se conserve solteiro, pois será culpado de adultério caso sua ex-mulher se case novamente. Na visão de Jesus, a fornicação era a única razão legítima para o divórcio, mas essa exceção pode muito bem ser uma interpretação tardia do texto bíblico, mais que algo que Jesus tenha realmente dito[313].

O fato de que Jesus não falou muito sobre a sexualidade é normalmente visto como um problema, porque obrigou os cristãos a tirar conclusões com base em outras afirmações que ele fez. Mas Jesus é muito claro sobre o divórcio: é proibido e conduz à danação.

De pouco adianta retroceder e tentar ponderar as afirmações de Jesus e os exemplos de homens do Velho Testamento, que tinham o direito de agir como bem entendessem. O ponto de partida para que Jesus abordasse o divórcio foram exatamente as leis do Pentateuco pelas quais um homem teria o direito de abandonar o casamento: Jesus as rejeita de imediato dizendo que não são rígidas o suficiente[314]. Não há, tampouco, nada no Novo Testamento que possa ser usado para argumentar que os cristãos têm direito ao divórcio. Paulo permite a um *gentio* tomar a iniciativa de se separar, e, nesse caso, seu cônjuge cristão, seja homem ou mulher, estará "livre das amarras"[315].

309 Harter 2004.
310 Esposito 2002:108.
311 Mir-Hosseini 2000:65.
312 Harter 2004.
313 Mateus 5:27-32; cf. Parrinder 1996:208.
314 I Coríntios 6:15.
315 Marcos 10:2-12; Mateus 19:3-9; Lucas 16:18, cf. Deuteronômio 24:1.

O ponto de partida para a cristandade é indiscutível: o divórcio é estritamente proibido.

Considerando que é quase impossível interpretar Jesus e o resto do Novo Testamento sob outra ótica que não essa, é especialmente interessante observar como o divórcio ainda assim é totalmente aceito ou considerado uma questão superada pela maioria dos cristãos de hoje. Quando Per Oskar Kjølaas, bispo de Nord-Hålogaland, deu entrada em seu pedido de divórcio, somente uns poucos membros do movimento conservador luterano laestadiano lhe pediram que se afastasse do cargo. O bispo Olav Skjevesland, primaz da Igreja da Noruega, nem sequer mencionou o veto integral de Jesus ao divórcio. Ao contrário, disse que "essa é uma questão privada que não diz respeito ao público em geral". É "perfeitamente possível" ser um bispo divorciado, argumentou ele. Segundo Skjevesland, ao se divorciar, um bispo "não se divorcia de sua vocação" — a despeito da proibição bíblica[316].

O primeiro e até agora único presidente divorciado a ocupar a Casa Branca foi Ronald Reagan, que se elegeu com um apoio esmagador da direita cristã. John McCain, candidato às eleições presidenciais de 2008 nos EUA apoiado pela imensa maioria dos conservadores cristãos, também era divorciado, e isso jamais representou um problema digno de nota.

Para vários patriarcas dos primórdios da Igreja, mesmo quando um divórcio resultava do adultério, o parceiro inocente não tinha o direito de se casar de novo[317]. Tertuliano, por exemplo, foi bastante claro quando afirmou que um segundo casamento "não pode ser considerado nada além de um tipo de fornicação"[318]. Mas o desequilíbrio entre gêneros não tardaria a se manifestar novamente. O Concílio de Elvira, na Espanha, no começo do século IV, exigiu que o marido se divorciasse caso sua mulher o traísse, mas se o marido fosse o infiel, a esposa não teria absolutamente nenhum direito[319]. No Império Bizantino o homem tinha o direito de se divorciar da mulher não apenas em decorrência de um adultério, mas também caso ela frequentasse locais de

---

316 Bjørke 2009; Eikeland 2009; Henriksen 2009.

317 Philips 1992:9-10

318 Tertuliano *Exortação à castidade* 9.

319 Concílio de Elvira, Cânone 65.

grande fluxo de pessoas, tais como hipódromos ou banhos públicos. Se o homem fosse infiel, não haveria razões correspondentes para uma separação, exceto se o ato fosse especialmente pecaminoso ou provocasse alguma comoção social[320].

Ao lado da diferenciação de gêneros havia também uma de classes. Carlos Magno, que proibiu o casamento após o divórcio também na lei civil, casou-se e se separou várias vezes[321]. Mas, como nos ensinaram os livros de história, não era sempre fácil para os monarcas deixar para trás um casamento, fosse por meio do divórcio ou da anulação. O papa jamais permitiu que Henrique VIII abandonasse sua primeira esposa, o que levou ao rompimento entre a Igreja católica e a anglicana.

A Reforma não trouxe nenhuma abertura para o divórcio, nem mesmo na Inglaterra. De acordo com a Igreja anglicana, o adultério continuava sendo a única razão para o divórcio até o ano de 1857. Mesmo se alguém possuísse um cônjuge infiel, não era fácil sair de um casamento. Entre 1670 e 1749, somente dezesseis separações foram reconhecidas. Em outros países protestantes era possível invocar o divórcio com base em infidelidade ou impotência, ou, em raras ocasiões, se o cônjuge fosse portador de alguma doença contagiosa, condenado por algum crime grave ou se convertesse a outra religião. Mas, ainda assim, o número de divórcios era pequeno. Em muitas áreas, a taxa de divórcios no começo da era moderna era de cerca de dois a cada ano por 100 mil habitantes[322]; nos EUA de 2008, era de 350 por 100 mil[323]; na Noruega de 2007, 217 por mil[324].

A Igreja católica manteve sua tolerância zero contra o divórcio, e embora costume contornar sua proibição anulando casamentos em larga escala, reiteradamente envida seus esforços contra a legalização do divórcio em países católicos. A Igreja católica resistiu fortemente quando a república da Espanha legalizou o divórcio, em 1932, mas, felizmente — do ponto de vista católico —, Franco reverteu a decisão

[320] Wiesner-Hanks 2000:50.

[321] Wiesner-Hanks 2000:34.

[322] Wiesner-Hanks 2000:79.

[323] Wiesner-Hanks 2000:78.

[324] Números do Bureau de Estatística da Noruega (2007): 7.737.200 habitantes e 10.300 divórcios.

quando os fascistas tomaram o poder, alguns anos depois[325]. O Vaticano teve êxito ao torpedear um projeto de lei de divórcio na Itália, em 1921[326], e também fez o que pôde para convencer os italianos a votar contra uma nova lei que legalizava o divórcio em um referendo, em 1974. Cinquenta e nove por cento da Itália de maioria esmagadoramente católica votou pela manutenção do recém-conquistado direito de se separar.

Na Dinamarca, a Igreja luterana estatal introduziu sua própria cerimônia de divórcio[327], mas uma institucionalização cristã da separação ainda é algo muito raro. A mais importante evidência da total mudança de atitude em relação ao divórcio entre os cristãos é tão somente o número de pessoas que tomam uma atitude e se divorciam. A proporção de uniões que terminam em divórcio nos países protestantes europeus é de cerca de 40 a 50%. Nos países católicos, não apenas constatamos que muitíssimas pessoas vivem em oposição direta à doutrina da Igreja, mas que a filiação religiosa não é o único fator decisivo. Existem variações significativas entre diferentes países católicos europeus. Enquanto o índice de casamentos que acabam em divórcio na Bélgica, Liechtenstein, Lituânia, Luxemburgo, Hungria e Áustria é de pouco mais de 40%, na Itália, Croácia, Polônia e Espanha esse número fica abaixo de 20%[328].

O budismo é, em princípio, neutro em relação ao divórcio, algo que tem relação com o fato de nem o sexo nem tampouco o casamento terem muita importância para essa religião. Em países budistas como Sri Lanka, Burma e Tailândia, o divórcio é tradicionalmente aceito e fácil de obter[329]. Mas, vendo como o budismo tem sido praticado em outros países, os problemas costumam ser mais frequentes, especialmente para as mulheres. Confucianistas, bem como fiéis de outras religiões, têm sua parcela de contribuição no agravamento do problema em países como Vietnã e China[330]. No Japão, onde o budismo divide com o xintoísmo o primeiro lugar entre as religiões do país, era virtualmente

---

325 Cleminson & Amezúa 1999:187,192.

326 Wanfooij 1999:125.

327 Jacobsen 2008.

328 Eurostat 2007: em um. 1.20

329 Dewaraja 1981.

330 Harvey 2000:103.

impossível para uma mulher conseguir o divórcio antes 1947, a não ser com a anuência do marido, para quem, por sua vez, bastava apenas alegar que não mais gostava da mulher para obtê-lo.

Se uma esposa não engravidasse, a família do marido poderia forçar um divórcio ainda que ele mesmo não o desejasse. O adultério por parte do marido não levava ao divórcio, mas se uma mulher fosse a adúltera, a razão era mais que suficiente[331].

Tornar-se uma freira era a única possibilidade que uma mulher budista tinha para obter o divórcio no Japão[332]. As freiras que se convertiam por esse motivo eram menosprezadas em relação às demais[333].

Embora o hinduísmo seja uma espécie de ponto de partida do budismo, existem poucos paralelos na visão sobre o divórcio. No hinduísmo, o divórcio é, em princípio, muito problemático, porque o casamento é visto como uma ligação eterna que se mantém ao longo de muitas vidas e também no paraíso. Essa era a razão pela qual as mulheres não deveriam se casar novamente, mesmo quando viúvas. Os homens não tinham o mesmo problema porque tinham o direito de ter várias esposas.

Como acontece com frequência no hinduísmo, as exceções são muitas também nesse particular. Pessoas que não pertencem mais a uma casta ou membros das castas inferiores têm, historicamente, mais facilidade para se divorciar, como também povos tribais da Índia. Mais surpreendente é o fato de que em regiões do Punjab e de Maharashtra o divórcio era uma prática usual entre as castas superiores[334]. Para muitos, as regras sobre o divórcio eram aplicadas segundo a casta a que pertenciam, e em muitas castas é tradicionalmente permitido que os casais se divorciem caso ambos os cônjuges estejam de acordo[335]. Em algumas castas o homem também tem o direito de se separar da mulher, independentemente do que ela deseja[336]. Em outras, há algumas possibilidades que dão à mulher o direito de se separar caso seja essa sua vontade, ou pagando ao cônjuge o valor de todos os dotes recebidos no

331 Harvey 2000:497.
332 Faure 2003:46-47.
333 Faure 2003:45-47.
334 Virdi 1972:33.
335 Derrett 1963:167.
336 Derrett 1963:166.

casamento[337], ou caso o homem seja impotente, tenha desaparecido ou se tornado um asceta[338].

Atualmente, o direito familiar dos hindus, aprovado em 1955, reconhece a possibilidade total do divórcio e equipara mulheres e homens tanto em relação à separação como à anulação do casamento. Alguns porta-vozes das castas superiores chegaram a afirmar que isso retratava um declínio cultural e religioso[339]. Um casamento pode, por exemplo, ser anulado se o marido se revelar impotente ou se a mulher engravidar de outro homem na vigência do matrimônio. São razões para o divórcio, para homens e mulheres: adultério, crueldade, lepra, doença sexualmente transmissível, abandono do lar, ascetismo, ingresso em uma ordem religiosa ou abandono da fé hindu[340]. Quênia e Uganda foram países que introduziram leis bastante similares para hindus em 1960 e 1961, respectivamente[341]. E desde 1976, hindus na Índia têm o direito de se divorciar, após um ano de separação de corpos, por nenhuma razão específica que não o desejo manifesto de um ou de ambos os cônjuges[342].

Não é possível classificar a postura das religiões em relação ao divórcio apenas analisando se é ou não permitido. Quando examinamos mais de perto, vemos que uma série de fatores diferentes determina essa conduta. No cristianismo e no hinduísmo, existe o princípio subjacente da indissolubilidade do casamento, o que obviamente implica a impossibilidade do divórcio como fundamento dessas religiões. No budismo, por outro lado, o fator principal é a irrelevância do casamento. O ingresso no casamento não é considerado uma questão religiosa essencial — consequentemente, o ato de sair dele também não. No judaísmo e no islã, novamente, o ponto de partida não é nem uma proibição total nem uma aceitação generalizada do divórcio. Em vez disso, o princípio norteador é o direito arrogado pelo homem de controlar a sexualidade da mulher. Somente os homens podem dar início a um

337 Derrett 1963:167.
338 Derrett 1963:165; Virdi 1972:246 cf. 229.
339 Virdi 1972:33.
340 Lei Hindu do Casamento (1955) §§ 12-13.
341 Virdi 1972:39-49.
342 Lei Hindu do Casamento (1955) § 13b.

divórcio, o que significa que o direito masculino de controlar a mulher é francamente superior ao do casamento como instituição.

Atitudes mais modernas em relação ao divórcio, particularmente dentro do cristianismo, oferecem um bom exemplo de como as religiões são capazes de fazer vista grossa àquilo sobre o que normalmente se julgam autoridades máximas. A hipótese do divórcio se tornou tão autoevidente na vida de tantos cristãos que a maioria deles nem vê problemas na condenação irrestrita que Jesus fazia a ele. A postura cristã em relação ao divórcio é, portanto, um excelente exemplo de como as proibições religiosas podem ser ignoradas por completo assim que deixam de ser relevantes para os fiéis.

Demais proibições e orifícios corporais

O Senhor surgiu para Moisés e disse: [...] "Se um homem dormir com uma mulher durante o tempo de sua menstruação e vir a sua nudez, descobrindo o seu fluxo e descobrindo-o ela mesma, serão ambos cortados do meio de seu povo"[343]. Não restam dúvidas quanto a essa proibição bíblica para o sexo durante a menstruação. A proibição de Deus é total, e os que a desobedecerem cometendo essa "abominação" devem ser mortos. Pode parecer um exagero, mas é uma medida de extrema importância, segundo a Bíblia.

O objetivo, aqui, não é chegar a nenhuma conclusão teológica extrema sobre o que deve ser feito com aqueles que praticarem sexo durante o período menstrual, mas mostrar que as regras religiosas para o sexo heterossexual se estendem muito além da simples relação sexual dentro ou fora do casamento. As regras para o sexo durante o período menstrual são apenas algumas dessas restrições. Mas, se observarmos esse fenômeno mais de perto, logo veremos que impõe uma problemática bem mais complexa.

Embora a Bíblia determinasse inapelavelmente a pena de morte para o sexo durante a menstruação, é improvável que essa determinação fosse cumprida. O texto, de forma um tanto confusa, prescrevia

[343] Levítico 20:18.

anteriormente sanções bem diferentes para o mesmo ato. Caso um homem dormisse com uma mulher no período de sete dias em que era considerada impura — quando tivesse "seu fluxo de sangue" —, teria sido contaminado e seria ele mesmo considerado impuro por sete dias, e o leito em que se deitassem também[344]. Esse é um tema sobre o qual Deus se manifestou a Moisés[345], logo, é um tanto difícil saber o que precisa ser feito com aqueles que praticaram sexo durante a menstruação. O que fica claro é a interdição do ato sexual em si, e talvez caiba a cada fiel, individualmente, decidir se esses criminosos sexuais merecem ou não a pena capital.

No judaísmo, a proibição ao sexo menstrual está relacionada a uma compreensão mais ampla da pureza religiosa e ritual, que inclui aspectos outros que não sexuais. As mais conhecidas são as regras dietéticas, que proíbem a carne de suínos, coelhos, camelos, avestruzes, camarões e certas variedades de gafanhotos (gafanhotos de certas espécies são perfeitamente palatáveis)[346]. Proibições similares sobre impurezas dizem respeito a doenças de pele, partos e bolor nas roupas[347]. No que se refere ao sexo e à impureza, *qualquer* tipo de ato que envolva secreções corporais é considerado impuro: "Se uma mulher dormiu com esse homem [que despejou sua semente], ela se lavará na mesma água que ele"; e mesmo depois de um banho ritual ambos estarão "impuros até a tarde". O mesmo princípio vale para o homem "cuja semente lhe escapar" quando não estiver fazendo sexo com uma mulher, e não se restringe somente ao sêmen: "Toda veste e toda pele sobre as quais caírem o sêmen serão lavadas com água, e ficarão impuras até a tarde"[348]. Como uma mulher menstruada é considerada impura por sete dias, não surpreende que a combinação com a atividade sexual — também considerada impura — conduza a sanções ainda mais severas.

O sexo menstrual não é a única variedade sexual impura passível de punição com a pena capital, também recomendada para casos de adultério, bestialismo, pederastia, incesto e sexo com familiares casados.

---

344 Cf. Levítico 15:19-24.

345 Cf. Levítico 15:1.

346 Levítico 11:1-47,20.

347 Cf. Levítico 12:1-14:57.

348 Levítico 15:15-18.

Todas estas formas de sexo impuro, além da prática de magia e ingestão de animais impuros, eram atos abomináveis praticados tanto pelos egípcios como pelas "nações que Deus castigava diante dos homens"[349]. Não se sabe, ao certo, se essas condutas eram de fato praticadas por todos os povos da região, mas a *impressão* de que assim procediam é muito importante na Bíblia. O fato é que os israelitas acreditavam nisso, e uma vez que Deus lhes disse "Sereis para mim santos, porque eu, o Senhor, sou santo; e vos separei dos outros povos para que sejais meus", eles procuraram não copiar certos costumes dos povos que os rodeavam[350]. Tais atos conspurcariam até mesmo a Terra Santa[351]. Quando os israelitas tiravam a vida de quem praticava sexo menstrual ou violava outras leis semelhantes, agiam sob inspiração sagrada, para reforçar a singularidade de sua relação com Deus.

Como tantos outros aspectos relacionados à pureza ritual na Bíblia, a condenação do sexo menstrual foi mantida pelo judaísmo rabínico. Embora tenha abolido a pena de morte para tanto, a lei mosaica manteve a proibição do sexo nos sete dias em que a mulher "esteja impura", somados a "sete dias de purificação" — em outras palavras, o sexo era interditado durante duas semanas a cada mês devido à menstruação[352].

A proibição ao sexo menstrual foi herdada pelas demais religiões abraâmicas, embora as severas sanções divinas em geral tenham sido deixadas de lado. Ainda que o Alcorão mantenha o interdito, nada consta sobre penalidades, apenas a menção de que os homens devem se abster de sexo com mulheres menstruadas porque são impuras[353]. O cristianismo medieval não proibiu apenas o sexo durante a menstruação, mas também ao longo da gravidez e da lactação. Sobre o culpado desses pecados recaía um período de penitência de quarenta dias[354].

O livro de penitência irlandês de Cummean, do século VI, proibia o sexo às quartas, sextas e domingos, além dos sábados à noite. Além disso, os casais deveriam se abster de sexo durante três períodos de quarenta dias a cada ano, perfazendo, assim, um total de noventa

349 Cf. Levítico 18:1-30,20.
350 Levítico 20:26.
351 Cf. Levítico 18:27-8.
352 Alpert 2003:182.
353 Alcorão 2.222.
354 Brundage 1987:156,242.

dias anuais nos quais o sexo era permitido[355]. Posteriormente, na Idade Média esse tipo de embargo passou a ser visto com menos seriedade[356], e, hoje em dia, poucos cristãos se importariam com tais questões do ponto de vista puramente religioso.

Seguindo para o Oriente, vemos que o sexo durante a menstruação é proibido pelo *Código de Manu*[357]. Esses escritos antigos contêm inúmeras outras proibições a que poucos hindus obedeceriam atualmente. É pecado fazer sexo debaixo d'água, está escrito. Alguém que o pratique deve se penitenciar e fazer *samtapana kricchra*[358], isto é, ingerir uma mistura de urina de vaca, estrume bovino, leite, leitelho, manteiga clarificada e uma infusão de grama *kusa*, e jejuar pelas 24 horas seguintes[359]. Um homem pertencente às três castas superiores não pode fazer sexo com uma mulher durante o dia ou sobre carroça puxada por bois. Caso, mesmo assim, incorra nessas condutas abomináveis, deverá obedecer a um ritual de purificação banhando-se completamente vestido[360]. Embora pareçam absurdas aos olhos da maioria das pessoas hoje em dia, essas regras oferecem uma clara mostra de como os limites para a regulação do sexo pela religião parecem não existir.

Certa vez, a lendária heroína grega Atalanta e seu amado Melânio fizeram sexo em um templo dedicado a Zeus ou à deusa-mãe Cibele. Não se sabe se encontraram esse templo durante uma caçada ou se teriam sido tomados por um desejo súbito, obra da deusa do amor, Afrodite, furiosa por não lhe terem feito uma oferenda de gratidão. Qualquer que tenha sido a razão, eles deveriam ter sido mais cautelosos — a religião grega proibia o sexo nos templos. De acordo com Ovídio, as inúmeras esculturas de madeira viraram o rosto diante da visão do casal copulando no local sagrado. Atalanta e Melânio não ficaram impunes por seu desvio sexual. O pescoço de ambos se curvou e se encheu de pelos, seus dedos se transformaram em garras, seus

---

355 Bullough 1976:360.
356 Brundage 1987:242.
357 *Código de Manu* 3.46.
358 *Código de Manu* 11.174.
359 *Código de Manu* 11.213.
360 *Código de Manu* 11.175.

braços viraram patas e do dorso brotaram caudas. Já não eram mais seres humanos: foram transformados em leões[361].

Transformar-se em bestas por fazer sexo nos templos gregos, sem dúvida, era algo excepcional, mas serve para enfatizar o quanto a prática era proibida em locais sagrados. O Pentateuco também proíbe o sexo no templo[362], uma interdição que foi mantida e estendida a todos os locais sagrados do judaísmo. Quando os filhos de Eli fizeram sexo com a mulher que prestava serviços no santuário, seu pai recebeu uma mensagem divina dando conta de que "morrerão ambos no mesmo dia", o que de fato ocorreu[363].

O cristianismo possui as mesmas proibições, ainda que mais implícitas.

A proibição cristã do sexo em locais sagrados talvez seja mais bem exemplificada nas muitas fantasias cristãs sobre rituais satânicos e outros cultos não cristãos que ocorrem exatamente dentro de igrejas. Normalmente o sexo ocorre no próprio recinto ou em rituais que deliberadamente desfazem os ritos eclesiásticos.

Em 1841, Giovanni Furlan foi decapitado e queimado em Veneza por fazer sexo com sua esposa. Mas isso não foi uma expressão radical da postura cética do cristianismo contra o sexo heterossexual, vigente ao longo de toda a história da religião. O problema foi que Furlan praticou o tipo *errado* de sexo, recorrendo ao *orifício* errado. A sentença mortal foi levada a cabo com base na acusação de reiterada sodomia — mais precisamente, sexo anal[364]. Em 1758, um francês foi condenado à escravidão perpétua nas galés na Catalunha por ter praticado sexo anal com sua mulher, e homens foram executados em 1583 e 1619 em Zaragoza pelo mesmo crime[365]. Portanto, a concepção vigente em certos círculos cristãos de hoje, de que o sexo anal heterossexual seria tolerável por preservar a virgindade da parceira, é uma opinião das mais controversas na teologia cristã[366]. A condenação cristã ao

361 Ovídio *Metamorfoses* 10.681-71-707, cf. Pseudo-Apolodoro *Bibl.*3.9.2; Pseudo-Higino *Fabulae* 185.

362 Cf. Deuteronômio 23:17.

363 I Samuel 2:22, 2:34, 4:11.

364 Ruggiero 1985:119.

365 Monter 1990: 285, 294.

366 Blanc & Way 1998.

sexo anal estava relacionada à ideia de que sodomia e sexo anal eram sinônimos, e não era algo que homens e mulheres devessem praticar entre si. O sexo anal era visto com ressalvas também por não ser considerado natural — em outras palavras, não permitia a procriação.

Não há nada na Bíblia sobre o sexo anal entre homens e mulheres. A condenação cristã do sexo anal é, portanto, baseada em nada mais que uma interpretação do que Deus acredita ser a conduta sexual correta. Se recorrermos à tradição rabínica, veremos outra interpretação: aqui, o sexo anal é permitido no casamento[367]. Ao abordar as posições sexuais permitidas, os *hadiths* islâmicos proíbem casais de praticar o sexo anal, sem explicar o porquê[368]. Assim como na doutrina cristã, alguns juristas sunitas traçam um paralelo entre o sexo anal heterossexual e o tipo de sexo que se dizia praticar em Sodoma[369].

Em 342, os imperadores cristãos Constantino e Constâncio proibiram toda e qualquer relação sexual conjugal que não a vaginal[370]. Não era apenas um típico exemplo da preocupação cristã com o sexo anal, mas também com o oral. Como vimos, muitos cristãos conservadores de hoje afirmam que o sexo oral é uma alternativa boa e prática para aqueles que realmente desejam praticar sexo antes do casamento[371]. Obviamente, os cristãos nem sempre tiveram essa opinião: o sexo oral é costumeiramente visto como ainda pior que o anal.

Agostinho sustentava que era melhor para homens que gostavam do assim chamado "sexo desnaturado" — a saber: anal ou oral — praticá-lo com prostitutas, argumentando que era melhor fazer coisas deploráveis com mulheres cuja salvação já seria duvidosa, que pôr em risco a vida eterna de suas devotadas esposas[372].

Graciano, que no século XII publicou um dos mais importantes compêndios de leis canônicas do cristianismo ocidental, dizia que a prática desse tipo de "sexo desnaturado" dentro do casamento era pior que a fornicação e o adultério[373]. Outros patriarcas da Igreja lamentavam-se,

---

367 Alpert 2003:181.
368 Muslim Ibn al-Hajjaj *Sahîh Muslim* 8.3365.
369 Schmitt 1995:15.
370 Brundage 1987:108.
371 Akst 2003; Røthing 1998:13,182-7.
372 Agostinho *Sobre o bem do casamento* 12.
373 Brundage 1987:241.

com boas razões, pelo fato de que era difícil comprovar, dentro do casamento, a existência de tais práticas sexuais condenadas, e nada podiam fazer a menos que as pessoas confessassem os delitos[374].

Embora dificilmente se trate de uma questão que ocupe o tempo da maioria dos fiéis, a proscrição cristã do sexo anal e oral não é somente uma história perdida no tempo. Essas práticas estão claramente inseridas entre o sexo conjugal não procriador, prática que a Igreja católica define como a única permitida e verdadeiramente humana[375]. Práticas heterossexuais de sexo oral e anal permaneceram sendo crimes também segundo algumas leis cristãs modernas. Somente em 2003 a Suprema Corte dos EUA invalidou as leis estaduais que proibiam o sexo oral e anal entre homens e mulheres[376]. O sexo anal, aliás, fornece um bom exemplo da discrepância tão frequente entre o que as pessoas realmente fazem e aquilo que é proibido, ou por uma condenação direta da Igreja ou por leis de inspiração religiosa. Estatísticas de 2005 sugerem que 47% dos adultos nos EUA já fizeram sexo anal. Na Itália, apesar de nove a cada dez italianos pertencerem à Igreja católica, que condena com tanto vigor o sexo anal, 50% da população admitem já tê-lo praticado assim mesmo[377].

Leis religiosas que governam quando, onde e como pessoas podem fazer sexo representam uma grande variedade de maneiras de regular a sexualidade. As limitações acerca de quando é possível fazer sexo dizem respeito tanto a normas de pureza como a uma necessidade religiosa de constranger a sexualidade — mesmo dentro do casamento. Embora a vida privada de um casal seja bem mais restrita hoje que antes (somente os mais ricos possuíam seus próprios quartos de dormir), as regras que tentavam impor limites à sexualidade eram difíceis de ser postas em prática. Com exceção das normas que dizem respeito à menstruação e à obrigação de fazer sexo com uma mulher somente em seu período fértil, as tentativas de limitar a vida sexual das pessoas não encontraram eco nem no senso comum nem nas fontes religiosas. Não há dúvida de que

---

374 Brundage 1987:322.

375 *Congregação para a Doutrina da Fé* "Considerations regarding proposals to give legal recognition to unions between homosexual persons", de 3 de junho de 2007, §7.

376 Lawrence et al. v. Texas, 26 de junho de 2003.

377 Durex 2005:15.

esses fatores explicam, em parte, o porquê de essas tentativas de restringir o sexo a determinados períodos terem tido tão pouco êxito.

A regulação religiosa sobre quais orifícios corporais podem ser utilizados para o sexo é outra área cujo controle é bem difícil, pois representam uma invasão extrema na vida privada de parceiros que têm para si bem nítido esse direito. Ainda assim, tais regras concentram-se bem mais em determinar quais orifícios são permitidos que em impor restrições temporais ao sexo — embora sempre haja uma série de outros detalhes envolvidos. O uso heterossexual de qualquer outro orifício que não a vagina implica automaticamente que o sexo não tem fins de procriação, e, consequentemente, qualquer religião que afirme que o sexo só deve ser feito com fins de procriação condenará o uso sexual desses orifícios. Caso o uso heterossexual de orifícios outros que não a vagina seja tolerado, estaremos nos aproximando dos confins do território heterossexual.

Se o sexo for sinônimo de um pênis penetrando uma vagina, nada que não seja sexo heterossexual será considerado natural. Quando o uso de outros orifícios corporais é tolerado, fica, portanto, mais fácil se questionar por que não é possível fazer o mesmo com pessoas do mesmo gênero.

A proibição do sexo em locais sagrados e em determinadas outras localidades tem sido mais comum que as restrições temporais, mas nunca teve uma grande importância, possivelmente porque coincide com a regra básica cotidiana, comum em tantas culturas, de que o sexo não deve ser praticado em público. Portanto, raramente houve oposição à proibição do sexo em locais específicos, seja em princípio, seja na prática.

As regras religiosas sobre onde, quando e como é possível fazer sexo funcionam, na prática, como uma última lembrança do quão complexa a heterossexualidade pode ser do ponto de vista religioso. Ao mesmo tempo, essas regras dão um bom exemplo de como a questão sexual desempenha um papel fundamental em muitas religiões; há marcadamente poucas, senão nenhuma, áreas do comportamento sexual que a religião não tentou regular.

É, acima de tudo a diversidade dessas regras que caracteriza a abordagem religiosa da heterossexualidade. Muito do debate atual parece sugerir que a religião considera problemática apenas a homossexualidade, mas é importante ter claro em mente que várias formas de heterossexualidade — na verdade, a heterossexualidade em si — podem ser muito problemáticas do ponto de vista religioso.

Mesmo a abordagem da heterossexualidade como uma categoria *per se* dentro das diferentes religiões pode representar um problema. As regras para homens e mulheres são tão diferentes em muitas religiões que a heterossexualidade em si se torna desprezível como categoria para discutir o que é permitido e o que é proibido: seria mais preciso tratar a heterossexualidade masculina e a feminina como categorias separadas.

A ênfase no sexo no âmbito do casamento é tão absoluta para as várias religiões que faz mais sentido abordar o sexo conjugal e o extraconjugal como duas categorias principais. Falar de sexo heterossexual ou de outro tipo fora do casamento torna-se, desta forma, irrelevante, tão formidável é a proibição, independentemente da forma de sexo à qual estejamos nos referindo.

Existem religiões que classificam o sexo à medida que permita ou não a procriação, e respectivamente o endossam ou o condenam. Aqui, o gênero do parceiro e a escolha do orifício são relevantes, mas não seriam os fatores determinantes para que tipo de sexo seria considerado correto em termos religiosos.

Há uma tendência muito clara, observável, talvez, na maioria das religiões de hoje, de dar um grande crédito à heterossexualidade como uma categoria *per se*. Isso, em grande medida, deriva da homossexualidade ser tão nitidamente definida como uma categoria de pleno direito, tanto pelas religiões como pela sociedade em geral. Uma vez que o gênero do parceiro se tornou o fator principal para definir a sexualidade, a heterossexualidade também ganhou, consequentemente, mais atenção como categoria. Quando observamos, por exemplo, as atitudes cristãs normalmente adotadas em relação ao sexo entre parceiros heterossexuais em grandes partes da Europa, fica óbvio que para muitas pessoas não importa se o sexo é feito dentro dos limites do casamento ou não. A sexualidade conjugal, em grande medida, foi substituída pela heterossexualidade no discurso sexo-religioso.

6

Sexo homossexual: Esperado, compulsório, condenado

No fim do século XVI, um homem frustrado chamado Mitsuo Sadatomo vagou pelo interior selvagem do Japão na esperança de receber uma inspiração divina do sagrado monge budista Kobo Daishi, que viveu no século IX. Durante dezesseis dias Mitsuo isolou-se em preces, sem que nada ocorresse. Mas seus esforços não foram em vão. No décimo sétimo dia, o monge sagrado, morto havia muito tempo, revelou-se ao paciente Mitsuo e guiou o devoto homem pelos "mistérios do amor pelos rapazes".

A história de Mitsuo Sadatomo e seu encontro com a divindade budista que lhe rendeu tal inspiração para a homossexualidade sagrada foi escrita pelo próprio protagonista. Trata-se da introdução do *Kobo Daishi's Book*, escrito em 1598. O restante do livro contém conselhos detalhados do divino Kobo Daishi (também conhecido como Kukai) sobre como os monges deveriam interpretar os sinais de seus noviços, como deveriam seduzi-los, que tipos de técnicas e posições sexuais deveriam usar depois que houvessem atraído a atenção dos jovens[1].

A visão de Kobo Daishi, para quem o sexo entre homens era um mistério sagrado, não é exatamente característica das atitudes religiosas em relação à homossexualidade, embora seja uma importante ressalva a uma condenação que costuma ser tão avassaladora que faz o sexo entre pessoas do mesmo gênero parecer um pecado. Porém, o fato de que a

[1] Mitsuo Sadatomo, *Kobo Daishi's Book*, texto traduzido e sumário em Schalow 1992:216.

maioria das religiões tem uma visão mais negativa do sexo homossexual que do sexo conjugal heterossexual não significa um conflito fundamental entre a religião e o sexo entre pessoas do mesmo gênero. Como revela a visão de Mitsuo, esse tipo de sexo tanto pode ser condenado como ser considerado sagrado. Não há nada no fenômeno religioso como tal que forneça subsídios para que uma determinada religião seja homofóbica.

Como vários pesquisadores já indicaram, a homossexualidade enquanto categoria não deixa de ser um problema. Assim como a heterossexualidade, a homossexualidade como categoria uniforme é algo originalmente estranho a muitas religiões e culturas. Em muitos contextos religiosos e culturais, por exemplo, não é o sexo com o parceiro o que importa, mas na verdade o que se faz com ele ou ela. Em outros contextos religiosos, por outro lado, vemos que o gênero é muito mais importante do que normalmente se apresenta hoje em dia, porque as sexualidades masculina e feminina simplesmente não são consideradas fenômenos paralelos; esse também é o caso da homossexualidade.

Outro fator importante a se ter em conta quando vemos a relação entre religião e sexo com pessoas do mesmo gênero é que a persona homossexual é, até certo ponto, uma construção contemporânea. O próprio conceito de homossexualidade só foi inventado no século XIX. Sexo entre pessoas do mesmo gênero é algo que sempre existiu, mas nem sempre a sexualidade intragênero foi vista como um fator de identidade, como é o caso na sociedade ocidental de hoje. Ao mesmo tempo, embora seja difícil encontrar correlatos do *gay* ou da lésbica de hoje ao longo da história, sempre existiu uma noção bem disseminada de pessoas que preferem evitar relações sexuais com pessoas do gênero oposto.

A classe média global contemporânea tende a citar três categorias principais da identidade sexual humana: heterossexuais, que se identificam por sentir atrações por e praticar sexo com pessoas do gênero oposto; *gays* e lésbicas, que se identificam por ser romântica e sexualmente atraídos por pessoas do mesmo sexo, e bissexuais, que se identificam por ser romântica e sexualmente atraídos por pessoas de ambos os sexos.

Mas essas categorias não são assim tão bem definidas nem mesmo em nossos dias. A maioria dos que fazem sexo com pessoas do mesmo gênero hoje não se diz nem homossexual nem bissexual. São pessoas que levam uma vida heterossexual em sua maior parte, e embora já tenham feito sexo com outras do mesmo gênero, definem-se como heterossexuais ou como nenhuma dessas categoriais sexuais. Uma pesquisa de 2007 revela que pouco mais de 97% dos australianos adultos se dizem heterossexuais, mas 8,6% dos homens e 15,1% das mulheres se declararam sexualmente atraídos por outros do mesmo sexo. Um total de 6,9% dos homens entrevistados e 13,2% das mulheres já haviam tido experiências sexuais com pessoas do mesmo gênero[2]. Outra pesquisa sugere que um total de 22% dos australianos adultos já tiveram experiências homossexuais[3]. Na Noruega, 14% daqueles que se identificam como heterossexuais dizem que estão abertos ao sexo com pessoas do mesmo gênero, e 4% já o praticaram. Três de cada dez mulheres heterossexuais abaixo dos 30 anos já se imaginou fazendo sexo com uma parceira[4]. Algumas pesquisas realizadas no Paquistão revelam que a maioria dos homens que já praticaram sexo com homens é casada. Números de 2000 mostram, entre outras coisas, que 49% dos motoristas de caminhão paquistaneses já fizeram sexo com outros homens, embora 83% deles tenham um casamento heterossexual[5]. De acordo com uma pesquisa iraniana realizada em 2009, 24% das mulheres e 16% dos homens já tiveram experiências homossexuais[6]. A pesquisa de Alfred Kinsey nos EUA, em 1948, revelou que 37% dos homens já haviam feito sexo com outros homens, enquanto entre as mulheres o índice era de 14%[7]. Em uma pesquisa realizada em Moscou, 42% de estudantes de medicina, majoritariamente pertencentes à Igreja Ortodoxa, responderam que haviam "descoberto a masturbação por meio de alguém"; isto é, outros homens e rapazes[8]. Uma pesquisa, em 1963, mostrou que 44% do universo de estudantes masculinos (tanto muçulmanos como católicos) da Universidade Norte-Americana de Beirute admitiram já ter feito sexo com outros homens[9].

2 Smith, Rissel, Richters, Grulich & de Visser 2007:138, 141.

3 Durex 2005:15.

4 Jansen 2003.

5 Agha 2000: tab. 1; cf. Khan & Hyder 1998.

6 UK Gay News 2009.

7 Kinsey, Pomeroy & Martin 1948:656; Kinsey, Pomeroy, Martin & Gebhard 1953:488

8 Kon 1995:45.

9 Melikian 1967:173.

Vale a pena ter isso em mente quando olharmos para constantes mudanças das condutas religiosas em relação ao sexo intragênero. Quando adentramos esse território, é sempre um desafio fazer referência a categorias que têm um significado próprio tanto para nós mesmos quanto se tomadas com base nos diferentes contextos religiosos e culturais.

Homossexualidade abençoada

A visão budista que Mitsuo Sadatomo tem do sexo homossexual sagrado não está em absoluto isolada no panorama religioso, ainda que não represente uma tendência majoritária. Nenhuma das grandes religiões tem uma postura positiva em relação à homossexualidade. Se examinarmos o panorama religioso atual, veremos fiéis de todas as crenças argumentando que sua própria religião tem uma visão positiva da homossexualidade.

De fato, Mitsuo é bem representativo do contexto do budismo japonês. Mosteiros budistas no Japão eram famosos por abrigar casos homossexuais, normalmente entre homens de posição e idades diferentes. Alguns homens ingressavam nos mosteiros exatamente por causa de seu amor por outros homens[10].

O budismo e a homossexualidade masculina eram intrinsecamente conectados no Japão. O bodhisattva Kobo Daishi, que instruiu Mitsuo no sexo entre homens, costumava ser visto como responsável pela introdução tanto do budismo esotérico como do sexo entre homens no Japão do século XI[11]. Dos séculos XIV ao XVI floresceu um gênero próprio de narrativa, *chigo monogatari*, versando sobre a relação entre monges e noviços (*chigo*). Eram histórias que costumavam terminar com o monge perdendo seu amor e, por meio dessa perda, alcançando um novo patamar de consciência. Como regra, o belo noviço era uma manifestação de um grande bodhisattva, uma divindade budista, que por meio de suas condutas homossexuais, dentre outras, dava ao monge um *insight* mais profundo[12].

---

10 Schalow1992:227.
11 Schalow1992:215.
12 Wilson 2003:166.

Em 1667, Kitamura Kigin, escriba e conselheiro dos xóguns de Tokugawa, publicou *Rock azaleas*, um compêndio de poemas homoeróticos no qual o budismo novamente desempenha um papel preponderante. A maior parte desses poemas são lições de amor escritas por monges para os noviços. O verso mais antigo data do século X e provavelmente foi escrito pela pena de algum discípulo de Kobo Daishi[13]. Kigin é ainda mais explícito no vínculo que faz entre a homossexualidade e o budismo. No prefácio, escreve:

Já que a relação entre os gêneros foi proibida por Buda, os pastores da lei — não sendo feitos nem de rocha nem de madeira — não tinham alternativa a não ser praticar o amor com os rapazes como uma forma de dar vazão aos seus sentimentos... Essa forma de amor se mostrou mais profunda que o amor entre homens e mulheres, afligindo o coração de aristocratas e guerreiros, indistintamente. Mesmo aqueles que habitam montanhas e cortam lenha na floresta estão cientes de seus prazeres[14].

Em *The Mirror of Manly Love*, escrito por Ihara Saikaru em 1864, encontramos novamente a antiga divindade homossexual Kobo Daishi. Segundo esse livro, "Kobo Daishi não pregava os profundos prazeres do amor entre homens fora dos muros dos mosteiros porque temia a extinção da humanidade[15]. No prefácio do livro, Saikaku não relaciona o amor entre homens apenas ao budismo, mas também à religião nacional do Japão, o xintoísmo. Segundo Saikaku, a homossexualidade masculina surgiu, de acordo com a mitologia xintoísta, no começo dos tempos, com a fálica "joia em forma de lança vinda dos céus": "No princípio, quando os deuses iluminaram os céus, Kuni-toko-tachi foi educado no amor pelos rapazes por um pássaro de cauda longa que morava no leito seco de um rio sob a ponte suspensa do céu... Até a miríade de insetos preferia a posição do amor entre rapazes. Como resultado, o Japão passou a ser chamado de 'Terra das Libélulas'". O sexo heterossexual e o "choro das crianças" só surgiu uma geração depois porque o Deus Susa-no-wo, incapaz de desfrutar do amor dos rapazes na velhice, transformou-se na princesa Inada como consolo[16].

---

13 Schalow1992:222.

14 Kitamura Kigin *Rock Azaleas* (Azaleias da rocha), traduzido em Schalow 1992:222.

15 Ihara Saikaku *The Mirror of Manly Love* 1.1.

16 Ihara Saikaku *The Mirror of Manly Love* 1.1.

Em outras palavras, não era sem embasamento religioso que tanto templos budistas como santuários xintoístas, como Saikaku aponta, funcionavam como locais de encontro para homens que desejavam outros homens. Pastores lendários podiam escrever milhares de cartas de amor para seus amantes masculinos sem causar comoção, mas uma única carta para uma mulher poderia destruir a reputação de um homem para sempre[17].

No Japão contemporâneo, a homossexualidade não tem, de maneira nenhuma, a mesma aceitação que tinha no passado, mas isso decorre primeiramente da influência externa e do desejo das autoridades japonesas de modernizar o país com base no modelo ocidental desde a abertura japonesa ao mundo, em meados do século XIX. Em 1873, foi introduzida a proibição do sexo entre homens segundo o modelo alemão. Ainda que tenha sido revogada dez anos depois, recomendação de juristas franceses, iniciativas como essa levaram a que a homossexualidade deixasse de ser amplamente aceita na sociedade e, consequentemente, perdesse seu papel central na religião[18].

Abandonemos o Japão e sigamos para o Mar Amarelo. Lá encontraremos uma idêntica aceitação do sexo entre homens na sociedade chinesa. A partir do século I a.C., o budismo também passou a desempenhar um papel de destaque na China. E, a exemplo de como o budismo e o xintoísmo estavam intimamente ligados no Japão, é difícil diferenciar práticas budistas, taoístas e confucionistas e das demais antigas religiões chinesas. A homossexualidade masculina era aceita pela elite social, segundo indicam os graus de tolerância na visão de mundo religiosa na China, uma visão que data de antes da chegada do budismo. Um conto escrito no sexto século depois de Cristo pelo filósofo Ha Fei Zi fala sobre o governante de Wei e seu amante masculino Mizi Xia, no final do século III. Xia apanhou um pêssego, e ao descobrir quão delicioso era, deu o resto para o amante em vez de comê-lo inteiro. "O pêssego mordido" tornou-se, então, uma expressão associada ao amor entre homens[19]. Há, portanto, uma clara linha de continuidade entre os idos chineses e a época em que o budismo

---

17 Ihara Saikaku *The Mirror of Manly Love* 2.5, 1.1.

18 Watanabe & Iwata 1989:121; Hawkins 2000:37.

19 Ha Fei Zi Ha Fei Zi 12; Hinsch1990:20-20-22

começou a ter influência. Em seu enorme e célebre trabalho sobre a história chinesa de cerca do século I a.C., Sima Qian escreveu um capítulo inteiro sobre os muitos amantes masculinos do imperador da antiga dinastia Han[20]. O imperador Wen, por exemplo, foi amante de um marinheiro do palácio imperial depois de sonhar que outro o teria ajudado a alcançar o reino dos imortais[21]. Um imperador que o sucedeu, Wu, foi sepultado com seu amante, embora ambos fossem casados[22]. Sepultamento conjunto e descoberta de um caminho para a imortalidade indicam o grau de aceitação e o contexto positivo de que o amor entre o mesmo gênero gozava no contexto religioso, algo que prosseguiu até bem depois dos primeiros imperadores Han. Pouco antes do nascimento de Cristo, o imperador Ai Di foi de tal sorte arrebatado por seu amante, a quem havia nomeado comandante-em--chefe dos exércitos, que preferiu cortar a manga de sua túnica a ter que despertar o amante que havia adormecido sobre ela. Essa história se tornou recorrente na literatura chinesa, e devido a esse episódio, o amor entre homens passou a ser chamado de "a paixão da camisa da manga cortada"[23]. Durante dinastias não chinesas, como mongóis e manchus, houve menos entusiasmo pelas relações entre homens[24]. Assim como no Japão, a resistência chinesa à homossexualidade cresceu sob influência ocidental, mas somente quando os comunistas tomaram o poder foi que a homofobia grassou na China, embora jamais tenha havido uma proscrição formal à homossexualidade[25]. Durante a ditadura de Mao houve períodos de forte perseguição, e a homossexualidade chegou a ser declarada "inexistente"[26].

A acepção positiva tradicionalmente existente entre a religião e a homossexualidade masculina no Japão e na China pode ser vista dentro de um pano de fundo budista mais amplo. Como Kitamura Kigin indicou, a homossexualidade disseminada nos mosteiros tem a ver com a resistência que o budismo normalmente tem em relação ao

20 Bullough1976:303; Crompton 2003:218.
21 Bullough 1976:303; Crompton 2003:218
22 Crompton 2003:220.
23 Hinsch 1990:53; Wawrytko 1993:200.
24 Wawrytko1993:202.
25 Hinsch1990:163.
26 Baird 2001:65.

sexo heterossexual[27]. Uma vez que a procriação era o pior aspecto do sexo, segundo o budismo, a homossexualidade — apesar de tudo — era tida em melhor conta. Não surpreende, portanto, encontrarmos um grau sempre maior de tolerância ao sexo intragênero em grande parte do budismo.

Desejo em excesso é um problema, não importa qual seja o gênero do parceiro. Vários textos budistas primitivos, por exemplo, traçam um quadro nada positivo do que chamam de *pandaka*, isto é, homens afeminados acusados de um desejo avassalador por homens não *pandaka*. Não é a questão de gênero que causa espécie aqui, mas o desejo sem limites. *Pandakas* são, consequentemente, comparados a prostitutas ou a jovens lascivas. Diz-se que Buda se recusou a ordenar *pandakas* monges[28].

Ainda assim, fazer sexo com um *pandaka* afeminado era menos traumático para um monge que fazê-lo com uma mulher. E fazer sexo com um homem não *pandaka*, ou seja, com um homem que não fora acometido pela onda de desejo que acometia mulheres e *pandakas*, era ainda menos traumático[29]. O que temos, aqui, é um *ranking* curioso e bem nítido de variantes sexuais e uma indicação da variante menos perniciosa para um monge. Se um monge devia praticá-lo, o sexo com um homem "comum" era preferível, seguido pelo sexo com um afeminado *pandaka*, sendo o sexo heterossexual considerado o de pior tipo.

No Tibete, não apenas eram comuns as relações mais discretas entre homens[30]: encontramos também uma ordem monástica especialmente conhecida por seu desejo por outros homens. Os monges *ldab ldob* eram hipermasculinizados, combativos e dados a utilizar uma sombra nos olhos que os deixavam com uma aparência ainda mais agressiva. Frequentemente empregados como seguranças por suas habilidades marciais, os *ldab ldob* não apenas tinham casos com monges mais jovens, mas eram conhecidos por raptar homens nos quais estivessem interessados[31].

---

27 Kitamura Kigin *Rock Azaleas*, traduzido em Schalow1992:222.
28 Zwilling 1992:204-8; Wilson 2003:162-32-3.
29 Zwilling 1992:207.
30 Goldstein1964:134; Murray 2002:62-32-3.
31 Goldstein 1964:134; Murray2002:62-5; Wilson 2003:167-87-8.

No budismo theravada, popular no Sri Lanka e no sudeste asiático, não se aceita a homossexualidade nos mosteiros da mesma forma que no Japão e no Tibete tradicionais, mas as punições para os comportamentos homossexuais e heterossexuais são equivalentes em termos de grau de severidade. Enquanto o sexo heterossexual era punido com a expulsão do mosteiro, o sexo entre homens levava apenas a penitências menores[32]. Na prática, o contato sexual discreto entre homens costumava ser frequente e não era sequer punido[33]. Ao contrário da heterossexualidade, a homossexualidade não representa nenhum desafio especial para a vida monástica, desde que que não implique uma obrigação familiar nem a lealdade a qualquer pessoa estranha ao convento[34].

Contudo, não é correto ver o budismo como uma religião em geral positiva em relação à homossexualidade como tal. Todos os exemplos que vimos só mostram o sexo entre homens. O sexo entre mulheres jamais era visto de forma semelhante, senão como algo claramente pejorativo. Enquanto o sexo entre homens não apenas era tolerado, mas por vezes até considerado sagrado, entre mulheres era geralmente visto de forma negativa. Como o desejo é um dos maiores problemas na perspectiva budista, a sexualidade feminina é ainda mais problemática, pois no budismo a mulher é normalmente considerada um ser movido por desejos sexuais[35]. O sexo entre mulheres torna-se, portanto, impossível de equiparar ao sexo entre homens. A relação entre monjas é governada por regras muito mais rígidas. A elas não é permitido dormir na mesma cama, exceto se uma estiver doente, como também não podem se despir uma diante da outra, conversar sobre assuntos sexuais, massagear umas às outras nem usar a mesma água do banho. Monjas adultas não podem se sentar na cama de uma noviça e tampouco vasculhar suas roupas[36].

Que o sexo entre homens era muito difundido e aceito na Grécia antiga é fato bem conhecido. O que é menos conhecido é que era

---

32 Conner & Donaldson 1990:169.

33 Parrinder 1996:48.

34 Zwilling 1992:209.

35 Faure 1998:98.

36 Faure 1998:82.

também intimamente associado a crenças religiosas. A religião não condenava a homossexualidade masculina, e existiam, na verdade, inúmeros precedentes religiosos para tanto. Muitos dos deuses tinham relacionamentos com jovens mortais. Zeus apaixonou-se de tal forma pelo jovem Ganimedes que o levou para o Olimpo. Apolo estava perdidamente apaixonado pelo belo Jacinto e um rejuvenescido Pelópidas foi atraído por um ciumento Possêidon. Em inúmeras representações artísticas há também claros paralelos de como homens tentam cortejar outros, e de como os deuses, por sua vez, tentam cortejar os mortais do sexo masculino[37]. Segundo o poeta Píndaro no século V a.C., o amor de homens mais velhos por jovens era diretamente inspirado pelos deuses[38].

O sexo podia ser proibido nos templos, não obstante, era praticado. Há inúmeros remanescentes de grafites em paredes de templos dizendo coisas como "Aqui Jasão deitou com Heitor"[39]. Em outras ocasiões, não é apenas o local que empresta ao sexo uma conotação religiosa. No templo de Apolo em Santorini, é possível ler esta inscrição do século VII a.C.: "Por Apolo de Delfos, aqui Crímon penetrou o filho de Báticlo". Bem ao lado há outra inscrição: "Aqui Crímon penetrou Amótio"[40].

A relação sexual entre homens estava institucionalizada de diferentes formas nas cidades-estados gregas. Como regra geral, um homem mais velho era o parceiro ativo e um jovem, o passivo — um modelo que refletia a relação entre deuses e mortais. Assim como no contexto heterossexual, no qual a mulher sempre desempenhava o papel inferior, a homossexualidade não deveria ocorrer entre iguais. O sexo entre parceiros socialmente equivalentes não era visto apenas como algo essencialmente não grego: por vezes beirava uma atividade não humana[41].

Em Tebas, homens mais idosos e mais jovens costumavam viver como casais, paralelamente à vida conjugal que levavam com suas

---

[37] Dover [1978]:91-11-100.

[38] Píndaro segundo Ateneu 13.564e.

[39] Bullough 1976:101.

[40] Inscriptiones Græcæ12.3.537 e 537b.

[41] Endsjø 2008b.

esposas[42]. Havia um nítido aspecto religioso nessa prática, e em 378 a.C. a cidade fundou o *Bando Sagrado*, que consistia de 150 soldados e seus "maridos"[43]. Na Esparta clássica e também do período helenístico, havia normas rígidas acerca de como casais masculinos deveriam se portar, incluindo atribuir ao mais velho a responsabilidade pelo amante mais novo[44]. Em Creta, o rapto dos jovens pelos quais os mais velhos estavam atraídos era parte integrante do rito formal de passagem da adolescência para a idade adulta. Era considerado vergonhoso caso um jovem não houvesse sido considerado atraente o bastante para ser raptado. Esse ritual espelhava as concepções religiosas que retratavam jovens rapazes sendo raptados pelos deuses, e era considerado adequado fazer uma oferenda a Zeus quando o jovem retornasse a sua casa[45].

Muito embora os romanos não compartilhassem a visão sagrada do sexo entre homens vigente entre os gregos, o jovem e belo Antínoo foi declarado Deus depois de se afogar nas águas do Nilo em 130 a.C.[46], pelo fato de ser amante do imperador Adriano[47]. Seu culto chegou a ser comparado à adoração a Jesus[48], e não foram poucos os cristãos que ficaram incomodados com a perpetuação do culto ao jovem amante divino do imperador[49]. Apesar de a maioria dos deuses entronizados pela relação com da família imperial não terem merecido reverência além dos cultos mais formais, o belo Deus homossexual tornou-se uma figura popular no Mediterrâneo oriental; sua adoração manteve-se inabalável por dezenas de anos depois da morte de Adriano[50].

Assim como na tradição budista e xintoísta, o sexo entre mulheres jamais alcançou o mesmo prestígio na antiga religião grega. Ao contrário, vemos que era considerado abjeto e anormal, já que a sexualidade

---

42 Xenofonte Constitution of the Lacedaemonians 2.12.

43 Plutarco Pelópidas 18.

44 Aelianus Tacticus 3.12; Plutarco Licurgo 18.4.

45 Strabo Geografia 10.19-29-21.

46 Dio Cassius 11.3; Hist. Aug. Hadr. 14.5-65-6; Sext. Aur. Cæsarib. 14.8; Cf. Endsjø 2009:96.

47 Lambert 1988:166, 180, 184-85, 191-91-95, cf. Pausânias Descr. 8.9.7-87-8;8.10.1.

48 Orígenes Contra Celsum 3.36,5.63.

49 Atanásio Contra Gent. 9; Atenágoras Leg. pro Christ. 30; Hegesipo segundo Eusébio Hist. Eccl. 4.8.2; Orígenes Contra Celsum 3.36-38.

50 Cf. Brooten 2002:78-9.

Prato grego mostrando um homem velho e um homem jovem bebendo. Cerâmica.

Crédito: Museum Schloss Hohentubingen, Tubingen. Foto: The Bridgeman Art Library/Keystone Brasil

necessariamente implicava um parceiro penetrando outro. Isso significa que o sexo entre homens poderia ser considerado natural, ao contrário do sexo entre mulheres[51].

A poeta Safo, que viveu em Lesbos e na Sicília durante o sexto e o sétimo séculos antes de Cristo, é famosa por seus poemas de amor a suas jovens pupilas, mas sua obra é virtualmente única em milhares de anos de religião grega na Antiguidade. É digno de nota, contudo, que ela apela pela divina intervenção de Afrodite em seu amor por mulheres, assim como faria se estivesse em uma relação heterossexual[52].

Os gregos tinham consciência de que uma mulher poderia se apaixonar por outra, porém, a consumação sexual desse tipo de amor era visto como um desafio físico, pois não correspondia à sua percepção de sexo como atividade que necessariamente envolvia um parceiro ativo e outro ativo. A narrativa grega de Ífis, uma jovem da ilha de Creta educada como homem, diz algo sobre suas ideias. Ífis, apaixonada pela jovem de quem está noiva (todos acham que Ífis é um rapaz), cai em desespero porque acha que está incorrendo em algo antinatural: "Vacas não se ardem de amores por vacas, nem éguas por éguas". (Ífis ignora recentes pesquisas que indicam uma quantidade significativa de sexo lésbico no reino animal.) Os deuses aparentemente concordam com a conclusão de que o sexo lésbico é antinatural, mas, em vez de condená-la, apiedam-se da infeliz nubente. Quando intervêm, é dentro do que consideram normal no conceito de sexo natural. A deusa Ísis transforma Ífis em um homem para que seu amor pela garota seja consumado nos parâmetros desejados pelos deuses gregos[53].

Nem no budismo nem no xintoísmo, e tampouco na antiga religião dos gregos, a aceitação da sexualidade intragênero reflete os padrões que temos hoje. Embora o sexo entre homens fosse aceito, a expectativa era de que não ocorresse entre dois homens da mesma idade nem do mesmo *status* social. Se levarmos em conta a maneira como essas religiões viam o sexo entre mulheres, perceberemos que a abordagem da homossexualidade masculina jamais levou em conta a sexualidade intragênero como uma categoria geral. O que na verdade

51 Safo, Fragmento 1, segundo Dion. H. Comp 23.

52 Ovídio Metamorfoses 9.715-95-97.

53 Baum 1993:10.

George Catlin. Dança para o berdash (As maneiras, os costumes e as condições dos índios norte-americanos). 1841. Cromolitografia. 12,1 x 17,15 cm

Crédito: Archives and Rare Books Library, University Libraries, University of Cincinnati, Ohio

estava em vigor era a aceitação religiosa de um tipo particular de sexualidade *masculina*.

Todos esses exemplos de situações em que a homossexualidade masculina está bem incorporada ao contexto religioso foram extraídos da história. Circunstâncias históricas fizeram que essas tradições religiosas específicas não permanecessem imutáveis até nossos dias. As convicções religiosas que discutimos aqui podem ser *antigas*, mas não comprometem a compreensão de que a religião como fenômeno pode ter uma visão favorável à homossexualidade. Ao contrário, para a maioria das religiões o simples fato de que algo é *antigo* lhe confere uma aura de autoridade. Além do quê, a *antiga* resistência à homossexualidade em muitas outras religiões é utilizada como argumento para a contínua hostilidade voltada à homossexualidade nos dias de hoje. Mesmo naqueles tempos míticos da Antiguidade, que as religiões tendem a considerar tão importante, temos que elas podem ser tolerantes à homossexualidade, e eis por que é tão importante para nós ter a exata noção desses exemplos históricos.

Outras fronteiras sexuais

Diversas formas de transexualidade costumam estar ligadas à aceitação religiosa do sexo intragênero. Em muitas religiões, é (ou era) possível para alguém deixar para trás, ainda que parcialmente, o tradicional papel masculino ou feminino em prol de diferentes gêneros. Esperava-se que tivessem relações sexuais com pessoas do mesmo sexo biológico sem necessariamente abandonar seu próprio papel sexual.

Esse padrão sexual é especialmente difundido em sociedades menos influenciadas pelas religiões mundiais, mas com enormes variações. As denominações utilizadas para descrever esse fenômeno variam bastante, mas os antropólogos costumam se referir a ele como terceiro sexo ou *berdache* (originalmente uma palavra persa). Entre os índios norte-americanos, hoje em dia usa-se a expressão *two-spirits people*, ou pessoas de duas almas. Transexuais ou transgêneros são também sinônimos de pessoas que abandonam seu papel sexual tradicional.

Em muitas religiões indígenas norte-americanas, as pessoas são chamadas "dois espíritos" em decorrência de sonhos ou visões de inspiração divina[54]. Entre os índios osage, lakota e omaha, por exemplo, uma deusa surgia para os jovens em visões relacionadas aos seus ritos de passagem e lhes dava a possibilidade de escolher entre objetos associados a homens e mulheres. Os iniciados às vezes escolhiam os objetos associados ao sexo oposto, e, nesse caso, teriam de viver de acordo. Sua opção de viver como pessoas de dois espíritos era, desta forma, um chamado divino, e não apenas fruto de sua própria vontade[55]. Em muitas regiões nativas norte-americanas era, na verdade, necessária a existência de pessoas de dois espíritos, uma vez que eram tidas como figuras sagradas dotadas de especial proximidade com os deuses[56]. Era o caso dos índios cheyenne, fox, bidatsa, kiowa, lakota, mohave, navajo, papago, sauk, tohono, o'odham, yokut, yurok e zuni, entre outros[57].

Algumas religiões norte-americanas permitiam o casamento entre duas pessoas do mesmo sexo biológico se um dos parceiros fosse alguém de dois espíritos. *Crazy Horse*, famoso chefe político e religioso lakota, possuía duas esposas *winkte*, de dois espíritos. Uma mulher de dois espíritos, ou *koskalaka*, poderia da mesma forma desposar outra com as bênçãos da deusa lakota Mulher Dupla[58]. Em algumas poucas outras tribos, entretanto, o casamento entre pessoas de dois espíritos não era comum ou não era permitido, o que não implica que o sexo intragênero fosse proibido ou que as pessoas de dois espíritos fossem consideradas sexualmente promíscuas[59]. Mas nem mesmo isso era um padrão sexual sem significância religiosa. Entre os índios sauk e fox, os jovens precisavam fazer sexo com um homem de dois espíritos para ser aceitos nos rituais da sociedade masculina[60].

É possível traçar paralelos entre religião, sexualidade intragênero e expressão sexual em muitas sociedades africanas. Na religião ioruba do sudoeste nigeriano todos os pastores envolvidos na conjuração dos

---

[54] Baum1993:10.

[55] Baum1993:15.

[56] Baum 1993:13, 16-16-17.

[57] Baum 1993:12.

[58] Baum 1993:12.

[59] Baum 1993:12.

[60] Baum1993:13.

orixás vestem-se de mulher, independentemente de seu sexo biológico[61]. O sexo entre homens também é associado à magia — de uma forma ou de outra, é visto como uma maneira de reduzir a distância entre as dimensões humana e divina do cosmo[62]. De maneira similar, o povo dagara, que habita a fronteira entre Gana e Burkina Faso, considera homens que fazem sexo com outros homens guardiões do portal que separa este mundo do além[63]. Homens transgêneros que fazem sexo com outros homens também desempenham um papel central no culto pré-islâmico *bori*, do povo haussá no Sahel[64].

Mais ao sul da África, entre o povo ovambo, na fronteira entre a Angola e a Namíbia, homens vestidos de mulher tradicionalmente exercem o papel de curandeiros ou xamãs. Eles também se casam com outros homens[65]. Homens homossexuais do povo ila, no Zâmbia, também são profetas[66]. O povo meru, do planalto queniano, possui seus homens *mugawe*, que se vestem de mulher e às vezes desposam outros homens. Como seus equivalentes em muitas outras culturas, os *mugawe* também têm um papel religioso específico[67]. Na religião vodu do Haiti, que também deita raízes na cultura africana, a deusa Èzili Freda é particularmente associada a homens femininos que praticam sexo com outros homens, e é considerada sua santa padroeira[68]. Apesar de a sociedade haitiana não ser exatamente favorável à homossexualidade, é comum homens que vivem abertamente como homossexuais serem plenamente aceitos nas congregações e pelas autoridades da religião vodu[69].

Existe uma grande quantidade de exemplos de diferentes tipos de âmbitos institucionalizados para o sexo intragênero na sociedade africana, mas nem sempre é fácil determinar o grau de envolvimento da religião nessas circunstâncias. Às vezes, é possível verificar como a religião

61 Murray & Roscoe 1998:99.
62 Murray & Roscoe 1998:101.
63 Murray & Roscoe 1998:93.
64 Murray & Roscoe1998:98.
65 Baum 1993:39; Murray & Roscoe 1998:147-87-8.
66 Murray & Roscoe 1998:280.
67 Murray & Roscoe 1998:37.
68 McAlister 2000:132.
69 McAlister 2000:135.

se insere quando as pessoas atuam em áreas limítrofes do que normalmente se considera aceitável em relação ao sexo e à sexualidade. O antropólogo social britânico Brian McDermot narra, por exemplo, a reação de um profeta do povo nuer, na Etiópia, ao ver um homem que passou a usar roupas femininas. O profeta consultou os espíritos que disseram que o homem deveria passar a ser considerado uma mulher e ser chamado de "ela". Deveria se vestir como mulher e poderia desposar um marido[70].

Também na religião pré-cristã norueguesa havia abordagens específicas para o sexo entre homens. O homem-*seið*, da religião nórdica, tinha a capacidade de contatar a dimensão sobrenatural da existência e estava associado a *ergi*, a homossexualidade passiva[71]; mas isso não significava uma aceitação religiosa do sexo entre homens. Era exatamente por *romper* com as regras estabelecidas que o homem-*seið* adquiria suas habilidades sobrenaturais. Acusar outros homens de *ergi* era extremamente complicado, pois era considerado um insulto muito grave[72], o que indica que os homens-*seið* tinham um papel ambíguo na sociedade nórdica antiga. Ragnvald Rettilbeine, filho do rei Haroldo I da Noruega, era um conhecido homem-*seið* da região de Hadeland. Seu irmão, Eirik Blodøks, instigado por seu pai, queimou-o vivo junto com oitenta outros homens-*seið* — feito "muito celebrado"[73], segundo Snorri Sturluson, historiador islandês do século XIII. Esse episódio nos diz algo sobre a projeção que os homens-*seið* tinham na antiga sociedade nórdica, embora possamos suspeitar que a simpatia de Snorri pelo cristianismo tenha interferido em seu relato.

A aceitação religiosa do sexo intragênero no qual um dos parceiros desempenha um papel sexual alternativo não é a mesma coisa que a aceitação da homossexualidade de forma geral. Neste caso, também deveríamos incluir a aceitação de relações intragênero em que os parceiros desempenhariam papéis sexuais diferentes dos tradicionais. Normalmente, o que ocorre com mais frequência é o oposto disso. Religiões mais permeáveis a diferentes identidades de gênero mostram

---

70 Murray & Roscoe 1998:xv.

71 Bandlien 2001:57-97-9.

72 Bandlien 2001:54.

73 Snorri *The Saga of Harald Finehair* 35.

pouca aceitação da homossexualidade quando os parceiros mantêm seus papéis sexuais tradicionais, e raramente encontramos relações desse tipo institucionalizadas. Em outras palavras, a ênfase dispensada ao gênero é extremamente diferente quando uma visão religiosa de mundo reconhece a existência de mais de dois sexos. Concepções religiosas de sexo envolvendo pessoas que não são nem homem nem mulher não são algo que encontramos em todas as religiões. Se nós, por meio de nosso olhar ocidental contemporâneo, virmos nisso uma espécie de endosso da homossexualidade, também não estará correto. Ao mesmo tempo, é preciso ter em mente que muitas pessoas pertencentes a uma vasta gama dessas religiões, assim como seus descendentes, têm recorrido a essas tradições exatamente para demonstrar uma aceitação de longa data de algo que não era exatamente a heterossexualidade — e nisso estão cobertos de razão.

Esquartejamento, asfixia, fogueira, forca

O dia 24 de setembro de 1731 não foi um dia qualquer no vilarejo de Faan, no interior da Holanda. A pequena localidade na província de Groningen estava infestada de soldados enviados para pacificar os habitantes durante o que seria uma demonstração pública de justiça cristã. Primeiramente, o corpo do aldeão que havia morrido na cadeia local, provavelmente em decorrência de tortura, pendia de um cadafalso. Em seguida, doze homens e nove adolescentes, o mais novo deles de apenas 14 anos, desfilaram pela praça até as estacas, onde foram garroteados um a um, estrangulados pelo lento aperto de uma corda em volta do pescoço. Enquanto os soldados faziam o possível para impedir que a multidão agitada pusesse a mão em seus filhos, pais, irmãos, vizinhos e amigos, por fim ateou-se fogo aos corpos dos 22 condenados, para que nenhum deles pudesse ter um sepultamento cristão[74].

Os acontecimentos em Faan foram o ápice de algo que poderia ser mais bem descrito como uma espécie de caça às bruxas empreendida na Holanda contra homens que haviam feito sexo com outros homens.

[74] Noordam 1995:273-53-5.

Tudo começou com uma série de acusações e prisões realizadas em Utrecht no ano anterior. Pelo menos 74 homens foram condenados nessa primeira onda de perseguição homossexual pública, enquanto mais de uma centena de outros foi condenada à morte à revelia depois que fugiram do país. Enquanto os homens em Faan acabaram a vida na fogueira, alguns dos condenados em Utrecht foram atados a lastros pesados e atirados ao mar[75], com o mesmo propósito de aniquilar quaisquer traços de sua existência por toda a eternidade.

As sangrentas execuções em massa na Holanda de 1730 e 1731 não são, de forma alguma, acontecimentos isolados. Representam um padrão típico de muitas das perseguições religiosas empreendidas a homens que fazem sexo com outros. Embora possamos encontrar proibição ao sexo entre pessoas do mesmo gênero em boa parte das religiões atuais, são as ocidentais — o judaísmo, o cristianismo e o islã — as que possuem o histórico mais negativo nesse aspecto. O cristianismo se destaca como a mais agressiva delas. O começo dessa história sangrenta encontra-se, no entanto, na Bíblia judaica, o Velho Testamento.

No Pentateuco está escrito: "Se um homem deitar com outro homem como se fosse mulher, ambos cometerão uma coisa abominável. Serão punidos de morte e levarão a sua culpa"[76]. Existem vários indícios de que a pena de morte não abrangia todo e qualquer tipo de sexo entre homens. O que determinava a punição era a expressão "como se fosse mulher", o que implicaria a obrigatoriedade de haver a penetração para que alguém fosse morto sob as bênçãos de Deus. O fato de o Pentateuco não conter nenhuma proibição ao sexo entre mulheres aponta nessa mesma direção. O sexo, no sentido legal do termo, era sinônimo de penetração. É importante notar que não existe no Pentateuco nenhuma condenação à homossexualidade como tal. A condenação é somente ao sexo entre homens, ou, mais provavelmente, ao sexo anal com penetração entre homens.

Como já vimos, não há nenhuma exclusividade na demanda pela pena de morte para certos tipos de condutas sexuais, pois Deus também nos comanda a matar homens e mulheres que tenham praticado

---

75 Van der Meer 2004:80.

76 Levítico 20:13.

o sexo durante a menstruação e homens e mulheres adúlteros que tenham feito sexo com mulheres casadas ou noivas de outro homem[77]. A proibição do sexo entre homens era explicada também por estar entre os hábitos sexuais dos povos vizinhos aos quais os israelitas deveriam evitar[78]. O sexo anal masculino deve ser apreciado no contexto dos preceitos bíblicos de pureza ritual, cujo foco era centrado na defesa de categorias bastante distintas: homens que penetram uns aos outros podem facilmente ser vistos como um distúrbio nas categorias de gênero. Deus já havia advertido que homens e mulheres que vestem roupas do sexo oposto são "abominações"[79]. E não são apenas as categorias sexuais que devem se manter puras. Entre os diversos mandamentos sexuais, o Pentateuco proíbe usar vestes de dois tecidos diferentes", usar uma parelha de boi e asno para arar a terra e semear o mesmo campo com dois tipos de semente[80].

Para dois homens, fazer sexo como o fariam com uma mulher significaria ter o sangue derramado sobre si[81], possivelmente por estarem subvertendo as categorias de gênero judaicas. Esse tipo de subversão das estruturas sociais resulta em pena capital em tantos outros contextos. Os pais têm o direito de amaldiçoar os filhos, mas filhos que amaldiçoam os pais incorrem em pena capital e devem, portanto, ser mortos, assim como homens que exercem o sexo com penetraçao com outros[82]. O mesmo é verdade para pessoas acusadas de assassinatos[83], certos tipos de adultério, diferentes formas de incesto e de zoofilia[84]. A essa lista poderíamos acrescentar qualquer um "que evocar os espíritos ou fizer adivinhações"[85].

Ainda assim, permanece a questão sobre quão importante era essa proibição contra o sexo anal entre homens na religião israelita. Enquanto outros livros do Pentateuco são reiterados e exemplificados em

77 Levítico 20:10,18; Deuteronômio 23:4.
78 Levítico 20:23.
79 Deuteronômio 22:5.
80 Levítico 19:19; Deuteronômio 22:9-19-11
81 Levítico 20:13.
82 Levítico 20:9.
83 Números 16:18, 26:27; Deuteronômio 19:10, 21:8.
84 Levítico 20:10-12, 15-16.
85 Levítico 20:27.

Iluminura da Bible Moralisée. 1200-1230.
Crédito: Osterreichische Nationalbibliothek, Viena

vários outros trechos da Bíblia judaica, nada mais é dito sobre a proibição do sexo anal entre homens. Quando se conta da relação amorosa entre Jônatas, filho do rei Saul, e o jovem Davi, que futuramente seria feito rei, não existe nenhum tipo de problema na intimidade entre ambos. Quando viu Davi pela primeira vez,"a alma de Jônatas apegou-se à alma de Davi e Jônatas começou a amá-lo como a si mesmo" [86]. Jônatas dá a Davi suas armas e roupas como sinal de seu amor, e o salva sucessivas vezes de ser morto por seu pai, o rei Saul. Davi, por sua vez, deseja que o nome de Jônatas não seja eliminado da família de Davi[87]. Os dois homens apreciam beijar-se[88] e sua relação é comparada a um relacionamento heterossexual. Quando Jônatas é morto, Davi se verga e clama: "Tua amizade me era mais preciosa que o amor das mulheres"[89].

A condenação, por Paulo, da homossexualidade tanto masculina como feminina é muito cara ao cristianismo, mas não pode ser interpretada independentemente da proibição do Pentateuco ao sexo anal entre homens, uma vez que o próprio Paulo era judeu. A absoluta intolerância ao sexo entre homens que demonstrava é provavelmente um resultado de sua formação judaica, mas, ao contrário da Bíblia hebraica, Paulo acreditava que a sexualidade intragênero era uma consequência lógica do afastamento das pessoas de Deus. A homossexualidade seria uma punição tramada por Deus, que pune os idólatras, aliás, fazendo-os sentir atraídos por pessoas do mesmo sexo. Segundo Paulo, foi por isso que Deus os entregou (os idólatras), conforme os desejos do coração deles, à impureza com que desonram seus próprios corpos. Eles "Trocaram a verdade de Deus pela mentira, e adoraram e serviram à criatura em vez do Criador, que é bendito pelos séculos. Amém! Por isso, Deus os entregou a paixões vergonhosas: as suas mulheres mudaram as relações naturais em relações contra a natureza"[90]. Mulheres fazendo sexo com mulheres e sendo comparadas a homens fazendo sexo com homens é um novo elemento que Paulo traz ao discurso religioso.

---

86 1 Samuel 18:1.

87 1 Samuel 20:16.

88 2 Samuel 20:41.

89 2 Samuel 1:26.

90 Romanos 1:25-6-7.

Os judeus tradicionalmente não tinham restrições ao sexo lésbico, ao passo que os gregos consideravam o sexo algo abençoado pelos deuses, e sexo entre mulheres era considerado, por princípio, desnaturado. A equivalência que Paulo faz entre a homossexualidade masculina e a feminina teve relativamente pouco seguimento até no cristianismo, que costuma condenar o sexo entre homens com muito mais veemência que o sexo entre mulheres.

Retomando a afirmação de Paulo, para quem a homossexualidade era uma consequência automática do afastamento de Deus: embora Deus seja o responsável por tornar esses indivíduos homossexuais, por terem se afastado Dele, são os próprios indivíduos que devem receber "em seus corpos a paga devida ao seu desvario"[91]. Em seguida Paulo diz daqueles que fazem sexo entre iguais: "São repletos de toda espécie de malícia, perversidade, cobiça, maldade; cheios de inveja, homicídio, contenda, engano, malignidade; são difamadores"[92]. A maioria dessas condutas citadas por Paulo não leva à pena capital segundo a lei mosaica. Em boa medida, então, Paulo não está seguindo a Bíblia judaica e não parece fazer uma referência exata às decisões judiciais sobre o sexo anal masculino do Pentateuco. Quando diz que ladrões, pessoas maliciosas, adúlteros e praticantes do sexo homossexual devem morrer, está certamente se referindo à justiça divina, e não às leis dos homens. Todavia, esse ponto costuma ser ignorado, e as palavras de Paulo são repetidas de tempos em tempos para justificar a execução de homossexuais, particularmente masculinos.

Ao contrário de Paulo, Jesus jamais proferiu palavra contra o sexo homossexual. A clara condenação que faz do sexo heterossexual extraconjugal é um bom ponto de partida para assumirmos que ele também condenaria a homossexualidade masculina, já que, até onde o judaísmo abrange, seria, em certa medida, idêntica ao sexo extraconjugal. Mas, como Jesus se opôs à punição da mulher adúltera dizendo "Vai e não tornes a pecar"[93], podemos inferir que ele também sustentava que a homossexualidade não deveria estar sujeita à justiça dos homens, uma opinião em nada diferente à de Paulo.

---

91 Romanos 1:27.

92 Romanos 1:29-30.

93 João 8:11.

Entretanto, a narrativa do Evangelho de Mateus sobre o centurião romano que vem até Jesus porque seu criado, *pais*, está severamente enfermo, torna o quadro mais complexo[94]. *Pais* é a palavra grega normalmente usada para designar o jovem amante em uma relação entre dois homens. A imensa ternura que o centurião demonstra por seu *pais* indica que era exatamente esse o caso, e não de apenas um serviçal menor ou escravo. O Evangelho de Lucas, por sua vez, usa tanto as palavras *pais* como escravo na mesma narrativa, o que não exclui a possibilidade de existir uma relação estreita ou mesmo de cunho sexual entre ambos[95]. Essa narrativa sobre o centurião e seu *pais* significa que Jesus pode ter curado um homem em uma relação homossexual sem censurar nenhum dos parceiros; ao contrário, até exibe o centurião como exemplo a ser seguido, tanto para judeus como para gentios[96]. Poderíamos indagar se, agindo assim, Jesus também não estaria, de alguma maneira, aprovando o casamento homossexual.

Isto, é claro, é uma hipótese, pois Jesus não menciona nada sobre o assunto. Qualquer que tenha sido sua intenção originalmente, quase dois milênios se passaram até que esse tipo de interpretação das escrituras, mais favorável à homossexualidade, tenha tido algum impacto real no cristianismo. Nesse enorme ínterim, a maioria das pessoas deu por certo que Jesus condenava a homossexualidade, a despeito de não haver nenhum registro disso.

A pena de morte prevista na Bíblia para o sexo com penetração entre homens, devido às leis de pureza religiosas ou a um controle mais amplo da sexualidade, é também o ponto de partida para a intensa condenação do sexo intragênero por grande parte dos judeus, cristãos e muçulmanos. Outro episódio descrito no Pentateuco, que originalmente pouco tem a ver com a homossexualidade, desempenhou um papel central na postura das três religiões diante do tema. Trata-se da narrativa sobre Sodoma.

Ao firmar-se na cidade de Sodoma, Ló, sobrinho de Abraão, certa noite encontra dois anjos à sua porta e os convida a entrar. Pouco tempo depois, a inteira população masculina da cidade aglomera-se diante

94 Mateus 8:5-15-13.
95 Lucas 7:10.
96 Cf. Stuart 1995:160.

da casa e exige de Ló: "Onde estão os homens que vieram para a sua casa esta noite? Traga-os para que tenhamos relações com eles"[97]. As traduções desta passagem variam, mas fica claro no original hebraico que a intenção dos homens era violar os visitantes. O episódio termina com os anjos exortando Ló e sua família a abandonar a cidade, depois do que Deus destrói Sodoma e a cidade vizinha de Gomorra, eliminando todos os seus habitantes ao verter dos céus ácido em chamas.

Apesar das nítidas intenções sexuais dos habitantes em relação aos anjos, não é o sexo entre homens que era visto como o grande pecado de Sodoma. Como emerge de outras citações bíblicas, a razão para a punição dos sodomitas é sua falta de respeito pelas normas de hospitalidade[98]. Em outros trechos, a razão para a punição é o desejo dos sodomitas de praticar sexo com animais[99], sua heresia[100] ou sua vida em pecado[101].

No Livro dos Juízes somos apresentados a uma situação um tanto similar à de Sodoma, quando os moradores homens da cidade israelita de Gibeia exigem fazer sexo com um levita hóspede de um ancião local. Novamente vemos que o problema não é a homossexualidade, mas a quebra das regras de hospitalidade. Os homens de Gibeia, nada hospitaleiros, ignoram o gênero da vítima e se satisfazem ao estuprar a concubina do anfitrião, em vez de o próprio visitante[102].

Jesus também não relacionava os crimes de Sodoma com a homossexualidade, mas com a falta de hospitalidade[103] e com uma generalizada falta de fé[104]. Somente por meio do filósofo judeu Fílon, na época próxima ao nascimento de Jesus, descobrimos que o desejo dos sodomitas de fazer sexo com outros homens é referido entre os pecados que levaram à aniquilação da cidade: "Pecaram não apenas contra o matrimônio de seus vizinhos em sua luxúria selvagem por mulheres, mas

---

97 Gênesis19:5.

98 Ezequiel 16:48-50; Sofonias 2:8-9.

99 Jubileus 20.5; Test. Naph 3:.4-54-5; 2 Pedro 2:4,6-8.

100 Deuteronômio 29,22,28; Jeremias 50:38-40; Amós 4.11.

101 Isaías 3:8-9; Jeremias 23:14, 49:16-16-18; Lamentações 3:61-41-4:4.

102 Juízes 19:22-5.

103 Mateus 10:14-14-15; Lucas 10:10-10-12.

104 Mateus 11:10-24.

também deitavam-se com homens"[105]. Vale ressaltar, aqui, que Fílon parece inferir que as inclinações homossexuais dos sodomitas resultam de não conhecerem limites para seu desejo sexual, pois deitavam-se também com as mulheres alheias. A interpretação de que a homossexualidade masculina era o pecado dos sodomitas mesmo assim foi repetida e enfatizada por judeus como Josefo e por cristãos precoces, como Clemente de Alexandria, e por Agostinho[106]. Depois disso, a associação entre Sodoma e o sexo anal tornou-se a explicação mais comum para a destruição da cidade. O termo "sodomia", entretanto, gradativamente passou a ser usado para denotar o sexo anal como um todo, seja ele heterossexual ou homossexual.

A percepção, por princípio incorreta, de que a homossexualidade masculina foi a razão pela qual Deus destruiu Sodoma teve repercussões violentas e frequentemente letais na história da religião. A ideia de que sexo entre homens poderia desencadear uma reação tão direta de Deus sustentou as atitudes negativas em relação ao sexo entre homens. Enquanto a condenação do sexo menstrual no Pentateuco, assim como uma série de outros desvios igualmente passíveis da pena capital, tornou-se marginalizada ou foi completamente esquecida pela cristandade, a proibição do sexo entre homens foi constantemente reformulada para se adaptar a novas circunstâncias.

Os judeus não mantiveram a exigência do Pentateuco de matar os homens que fizessem sexo entre si. Embora Maimônides considerasse a pena de morte a sentença adequada[107], poucos outros o secundavam. Independentemente disso, os judeus não tinham meios nem força suficientes para apoiar a pena de morte. Como vemos desde a época do Velho Testamento, o judaísmo rabínico, em sua maior parte, sempre deu pouca atenção à homossexualidade[108]. Josef ben Efraim Caro, rabino palestino do século XVI, por exemplo, não se referiu a uma punição, mas apenas disse que os judeus em geral não eram suspeitos de praticar sexo entre homens. E já que homens judeus alegadamente não eram inclinados à homossexualidade, era permitido a dois homens encontrar-se sozinhos.

105 Fílon De Abr. 135; cf. Fílon Qua est. et Solut. in Gen .4:31, 4:37.

106 Josefo Ant. 1.11.3; Clemente de Alexandria Paed. 3; Agostinho Decivitate Dei 16.30.

107 Maimônides Mishná Torá, Sefer Kedushah, Issurei Bi'ah 1.14.

108 Unterman 1996:134.

Nicolaus de Hoey. Cenas do Velho Testamento: cegueira dos sodomitas. 1583. Gravura. 23,6 x 19,8 cm

Crédito: The British Museum, Londres

Por via das dúvidas, entretanto, tais encontros privados não eram recomendáveis, e dois homens não deveriam dividir um leito[109]. Comentaristas posteriores que habitavam terras cristãs afirmaram que essa cautela só seria necessária para judeus que vivessem em terras muçulmanas (caso de Caro), pois o sexo entre homens era mais difundido entre os muçulmanos que entre os cristãos[110]. Judeus na Espanha sefardi, contudo, eram contumazes imitadores das elegias amorosas muçulmanas aos jovens rapazes. Embora os poetas judeus raramente fossem explicitamente tão eróticos quanto os muçulmanos, fica evidente que os judeus também desejavam mais que os beijos e abraços sobre os quais escreviam[111]. Nem todos os judeus alfabetizados temiam ser explícitos: como o Pentateuco só proíbe o sexo anal entre homens, é lógico que as autoridades rabínicas também debatessem até que ponto a penetração anal poderia ser definida como sexo entre homens. Alguns diziam que a glande inteira deveria penetrar o ânus; outros, "apenas um pouco"[112].

Apesar de dar menos ênfase à homossexualidade masculina que o Pentateuco, o judaísmo rabínico muitas vezes condenava o sexo entre mulheres, algo que a Bíblia judaica jamais fez[113]. Maimônides, por exemplo, relacionava o sexo lésbico às práticas sexuais dos egípcios, logo, era proibido "portar-se como o povo do Egito", uma dedução que recomendaria a pena de morte para as mulheres que incorressem nessa prática; mas Maimônides pensa que apenas algumas chibatadas seriam suficientes[114]. Outras autoridades judaicas sustentavam, como já vimos, que o sexo entre mulheres, na verdade, nem sexo era[115]. De todo modo, esperava-se que mulheres que praticassem sexo lésbico desposassem homens. Alguns comentaristas medievais dão aos homens o direito de punir suas esposas se as apanharem praticando sexo lésbico[116], mas seria o marido, não a sociedade, o agente da punição — o

109 Joseph ben Ephraim Caro & Moses Isserles Shulhan Aruch Even ha-ezer 24.

110 Unterman 1996:134-54-5.

111 N. Roth 1982:29-51; Crompton 2003:169.

112 Eron 1993:113; Sefer ha-Hinuch 209; Rashion Levítico 20:13; cf. Mishná, Yevamot 55b; Maimônides Mishná Torá, Sefer Kedushah, Issurei Bi'ah 1.10, 1.14, 1.19.

113 Sarah [1993]:95-75-7.

114 Maimônides Mishná Torá, Sefer Kedushah, Issurei Bi'ah 21.8; referência a Leviítico 18:3.

115 Eron 1993:119-29-20.

116 Alpert 2003:188.

que demonstra que esse era um assunto privado, e não um pecado grave. Se o marido aceitasse de bom grado o fato de sua esposa se divertir com uma amiga, que assim fosse.

A reação da cristandade era agravada pela separação de poderes entre Igreja e Estado. Normalmente, apenas o Estado detinha o poder de levar a cabo as punições mais severas, o que refreava o desejo que a Igreja nutria de executar pessoas. Novamente Sodoma é citada para embasar a proibição absoluta do sexo entre homens.

Embora seja difícil afirmar que jamais houve, na história do cristianismo, um período de maior tolerância, de tempos em tempos o combate à homossexualidade deixava de ser prioritário. O Concílio de Elvira, na Espanha do início do quarto século, deu pouca importância à sexualidade intragênero. O sexo entre mulheres sequer foi mencionado, tampouco o sexo entre homens de forma geral, embora homens que "corrompem rapazes" devessem ser punidos com o banimento perpétuo da Igreja[117]. Em outras palavras, é o padrão clássico de adultos mantendo relação com jovens rapazes que está sob ataque, algo que provavelmente tem relação com o papel central que essa conduta desempenhou em boa parte da sociedade pagã.

Em 390, o imperador cristão Teodósio, o Grande, instituiu uma lei que punia com a fogueira qualquer um que "transformasse" seu corpo masculino "em feminino por meio da adoção de comportamentos e condutas reservados ao outro sexo"[118]. Isto significa que apenas o parceiro passivo seria condenado à morte. Em 538, contudo, Justiniano determinou a prisão e execução de todos os homens que faziam sexo com outros, mas isso só ocorreria se continuassem a praticá-lo depois de terem sido admoestados uma primeira vez[119]. A lei tinha, assim, um efeito mais doutrinário que prático.

Essas decisões sobre a pena de morte tiveram poucas consequências no mundo cristão, e sua adoção no mundo ocidental foi bastante discreta ao longos dos séculos vindouros. Concílios e livros de penitência da Baixa Idade Média propunham diversos tipos de jejum e

---

117 Concílio de Elvira Cânone 71.

118 A lei de Teodósio, o Grande, contra a homossexualidade pode ser encontrada no compêndio escrito por seu neto, Teodósio II, Codex Theodosianus 9.7.6.

119 Justiniano Novella 77.

penitência[120]. Era o ato em si, não a intenção, a questão mais grave, e a falta de consentimento por vezes não era o bastante para alguém escapar à punição. Embora seja claramente menos difundida que a proibição do sexo entre homens, havia também a mesma restrição para as mulheres[121]. A ausência de severidade nas sanções contra a homossexualidade provavelmente tinha relação com o fato de que eram as instâncias eclesiásticas, não o poder público, que tinham poderes limitados para levar a cabo punições e castigos.

Não há sequer menção à homossexualidade nos primeiros códigos legais da maioria dos povos germânicos que se converteram ao cristianismo, como anglo-saxões, bávaros, burgúndios, saxões e lombardos[122]. Com o tempo isso se modificaria. No reino visigodo da Espanha, onde os bispos se envolveram de perto com a administração estatal logo após a conversão do rei ao catolicismo, no século VII, tanto a homossexualidade ativa como a passiva tornaram-se puníveis com a castração[123]. O Concílio de Paris, em 829, demandou novamente a pena de morte para a sodomia[124], mas como se tratava apenas de uma lei eclesiástica, não havia fundamentação jurídica para sua implementação. Na tentativa de que os infratores fossem realmente executados, em 850 Benedito Levita (como se fazia chamar) falsificou trechos da lei de Carlos Magno, de 779. Incorporou ao compêndio legal carolíngio as recomendações tardias do Concílio de Paris, que determinavam a pena de morte para a sodomia. Desta forma, o desejo da Igreja assumiu um valor legal. A versão falsificada da lei de Carlos Magno foi bastante propalada e teve uma influência definitiva sobre outras legislações seculares de países cristãos. Foi também considerada autêntica e livre de falsificações até a fraude ser finalmente descoberta por um pesquisador alemão, em 1836[125].

A mistura de convicção cristã sobre o sexo intragênero com a lei secular resultou em uma combinação altamente fatal. Na Noruega, onde o Estado era hipotrofiado, a lei do Gulating, de 1170, determi-

120 Crompton 2003:155.
121 Crompton 2003:155.
122 Crompton 2003:152.
123 Lex Visigothorum 3.5.5-65-6.
124 Concilium Parisiense 34, traduzido em Crompton 2003:158.
125 Boswell [1980]:177n.30; Crompton 2003:159-69-60.

nou que homens que praticassem sexo com outros fossem declarados fora da lei[126], significando que qualquer um teria direito de executá-los. Em outras partes da Europa, amputação e tortura costumavam ser associadas à pena de morte. No século XIII, o rei de Castela, Afonso o Sábio, deu um passo além da antiga lei visigótica e ordenou que os sodomitas não fossem apenas castrados em público: depois disso, deveriam ser pendurados de cabeça para baixo e agonizar até morrer[127]. Leis inglesas de 1290 diziam que sodomitas deveriam ser enterrados vivos[128]. Na Orleans da Alta Idade Média os condenados tinham os testículos amputados na primeira condenação, o pênis na segunda e ardiam na fogueira na terceira[129]. Na Veneza renascentistas, os sodomitas condenados eram passíveis de uma série de punições: poderiam ser exilados, vendidos como escravos, atirados nas masmorras pelo resto da vida ou trancafiados em uma jaula até que morressem; outros eram açoitados, tinham membros amputados, eram decapitados, enforcados, queimados ou sofriam qualquer combinação possível dessas penas. Mas qualquer um que levantasse falso testemunho poderia também ter os membros amputados[130]. Em cidades espanholas como Madri e Almeria, homens executados por homossexualidade podiam ser avistados pendendo de cabeça para baixo da forca com órgãos sexuais amputados amarrados em volta do pescoço[131]. Houve períodos em que certos Estados iniciaram uma perseguição ativa, organizando campanhas sistemáticas para identificar e punir homens que faziam sexo com outros. Foi o caso de Perúgia, na Itália, no século XIII, na Espanha durante a época de Colombo e na Holanda do século XVIII[132]. Seguindo-se à instituição da Inquisição pelo papa Gregório IX, em 1233, sobrevieram períodos em que a própria Igreja arrogou-se o direito de punir os "infratores", e o exerceu com notável zelo. Por vezes a fio havia mais sodomitas que hereges nas estacas[133]. A Inquisição em

126 Cf. Rian 2001:32.
127 El fuero real 4.9.2; cf. tradução em Crompton 2003:200.
128 Fleta 37.3.
129 Li livres de jostice et deplet 18.24.22; cf. Crompton2003:202.
130 Labalme 1984, 238-45.
131 Monter 1990:280.
132 Crompton 2003:190,245.
133 Crompton 2003:189-99-90.

Aragão examinou cerca de mil casos de sodomia entre 1570 e 1630, e 170 homens foram executados[134].

Nesse ínterim, a perseguição a homens que faziam sexo com homens foi estendida às mulheres que faziam sexo com mulheres. A lei em Orleans estipulava que as mulheres, a exemplo dos homens, deveriam ter parte de sua genitália removida na primeira infração, mais ainda em uma segunda e queimariam na fogueira em uma terceira incidência[135]. Na cidade de Treviso, ao norte da Itália, homens e mulheres condenados por praticar sexo homossexual eram pregados pelos genitais a uma estaca e lá deveriam permanecer um dia inteiro antes de ser queimados[136].

Ainda assim, o sexo lésbico era, em geral, mais tolerado que a homossexualidade masculina. Quando uma série de mulheres foi acusada de crimes sexuais em uma cidade de Aragão em 1560, as autoridades judiciais afirmaram que acusações formais só seriam aceitas se as mulheres houvessem recorrido a falos artificiais: sexo feminino sem penetração não poderia ser considerado sexo[137]. O teólogo franciscano Ludovico Maria Sinistrati argumentou, em 1770, em seu comentário à lei canônica, que uma mulher só poderia ser culpada de sodomia caso possuísse um clitóris tão grande que pudesse fazê-lo penetrar outra. Se persistisse a dúvida, a mulher deveria ser examinada, e caso possuísse tal clitóris descomunal, seria "necessário o emprego da tortura para que o juiz possa descobrir se esse crime indescritível foi realmente perpetrado"[138].

A dimensão religiosa das perseguições cristãs fica ainda mais evidente pela forma como a sexualidade intragênero é reiteradamente associada à heresia. Os bogomilos, os cátaros e os templários foram todos acusados de sodomia. Homens que eram condenados por homossexualidade também eram acusados de heresia mesmo quando nada além de seu comportamento sexual sugeria uma violação dos ensinamentos cristãos[139]. Em Navarra do século XIV, praticar a homossexualidade

134 Monter 1990:288.

135 Li livres de justice et deplet 18.24.22; cf. Crompton 2003:202.

136 Crompton 2003:246-76-7.

137 Crompton 2003:299.

138 Ludovico Maria Sinistrati De delictis et poenis §24, traduzido em Crompton 2003:473.

139 Rian 2001:33; cf. Stephens 2002:332.

masculina equivaleria a "cometer heresia com o corpo[140]. Tudo isso está associado à maneira como Paulo dizia que Deus punia os homens que se afastavam Dele, fazendo-os se sentir atraídos por outros do mesmo sexo[141]. Pessoas com atração por outras do mesmo sexo necessariamente estariam equivocadas em sua crença. Para outros comentaristas, eram as forças demoníacas que estariam envolvidas. As leis do imperador Justiniano, por exemplo, mostram que se culpava o diabo pela ocorrência do sexo entre homens[142], ainda que Paulo afirmasse que Deus era o responsável.

Os cristãos que se ocupavam de impor limites à homossexualidade alegavam que qualquer um poderia se sentir atraído por alguém do mesmo sexo. No século IV, o influente patriarca cristão Basílio de Cesareia reconheceu que jovens rapazes poderiam ser particularmente atraentes para os monges, e o conselho que lhes deu foi um tanto abrangente. Deveriam se sentar bem distantes de um irmão mais jovem; ao deitar-se, deveriam atentar para que seus hábitos sequer roçassem os hábitos alheios — "tampouco permitais que um irmão mais velho se deite ao vosso lado". Basílio acreditava que o desejo de um homem por outro mais novo era tão constante que o perigo sempre estava à espreita: "Quando um jovem irmão fala convosco ou está frente a frente convosco no coro, respondeis com a cabeça abaixada para que vosso olhar não cruze o dele e a semente do desejo não seja plantada em vosso ser e vós colhais o mal e a danação"[143]. Também entre os puritanos da Nova Inglaterra era presente a convicção de que *todas* as pessoas traziam em si desejos homossexuais e heterossexuais. O objetivo do bom cristão era controlar esse desejo restringindo-o ao sexo com fins de procriação nos limites do matrimônio[144]. Essa mesma conduta embasa a tentativa de alguns conservadores de hoje de coibir tanto a relação de equivalência como as referências positivas à homossexualidade. Tanto mais a homossexualidade for aceita e tanto mais se

140 Monter 1990:280.

141 Romanos 1:25-75-7.

142 Justiniano Novella 77.

143 Basílio Sermo asceticus 2.321.

144 Katz 1995:38-40.

ouvir falar de seus atributos positivos, mais pessoas cederão aos seus instintos homossexuais latentes.

As proibições não apenas sobreviveram à Reforma Protestante, mas, como vimos no caso da Holanda do século XVIII, às vezes tornaram-se ainda mais severas. Na Inglaterra, houve poucas perseguições anteriores aos séculos XVII e XIX, durante os quais dezenas de homens foram executados, especialmente durantes as guerras napoleônicas[145]. A última execução foi levada a cabo em 1836: pena de morte por sodomia em todas as colônias inglesas na América do Norte, exceto na Pensilvânia[146], onde a pena da maioria dos condenados foi comutada de execução a somente o açoite e o degredo. Vários clérigos protestaram veementemente contra esses atenuantes, argumentando que a conduta nada cristã dos acusados exigiria a pena de morte[147].

Na Noruega, a pena de morte para casos de sexo entre homens vigorou até bem depois da Reforma, pois a fonte que embasava a Justiça era a Bíblia[148]. O clamor dos cristãos mais devotos pela pena de morte foi mantido quando a Bíblia deixou de ser usada como documento jurídico válido. Em 1687, Cristiano V promulgou lei determinando que "condutas que vão de encontro à natureza devem ser punidas com a fogueira"[149], o que significava, na prática, que homossexuais deveriam ser queimados. Mas na prática ninguém foi punido por ser homossexual na Noruega pós-Reforma, algo que provavelmente estava relacionado ao desejo dano-norueguês[150] de manter esse tipo de sexo oculto o quanto fosse possível.

Em 1842, a pena de morte por "condutas que vão de encontro à natureza" foi permutada por "trabalhos forçados em quinto grau"[151]. Outros países cristãos mantiveram a pena de morte por ainda mais tempo: a África do Sul, por exemplo, conservou-a para casos relacionados a sexo entre homens até 1907, embora a derradeira execução

---

145 Crompton 2003:366.
146 Katz 1995:38; Crompton2003:391.
147 Bullough 1976:522.
148 Rian 2001:34.
149 Lei Norueguesa de Cristiano V § 6.13.15.
150 A Noruega esteve unida à Dinamarca em um único reino desde o século XVI até 1814. (N. do T.).
151 Rian 2001:36.

tenha ocorrido em 1831[152]. A revogação da pena de morte por sexo homossexual masculino na Noruega não foi o sintoma de uma visão mais positiva em relação ao tema, mas decorreu de uma moderação mais genérica no uso desse castigo. Na prática, a lei mais branda possibilitou um *aumento* das perseguições, ao reduzir o grau da punição e permitir que mais casos fossem levados às cortes[153]. Em 1887, a lei foi novamente modificada, dessa vez para que a infração fosse definida como "conduta lasciva entre pessoas do sexo masculino". Em 1902, a pena foi reduzida para um ano de detenção[154].

Embora o ódio dos nazistas fosse primariamente voltado aos judeus e às pessoas com deficiência, eles não poupavam totalmente a homossexualidade. Ao ser confrontado com os casos nada discretos que Erich Röhm, comandante da SA, mantinha com homens, Hitler afirmou: "O único objetivo de qualquer investigação deve ser o de confirmar se um oficial da SA [...] está cumprindo seus deveres oficiais [...][...] Sua vida privada não deve ser objeto de investigação a não ser que esteja em conflito com os princípios fundamentais da ideologia nacional-socialista"[155]. Era um tipo de tolerância extremamente difícil de sustentar diante dos conservadores cristãos, das elites e da burguesia aristocrática da Alemanha, todos extremamente tradicionalistas. Quando deram meia-volta e começaram a perseguir sistematicamente os homens homossexuais, a mudança deve ser vista à luz de uma adaptação estratégica à conduta cristã tradicional diante da homossexualidade. No discurso proferido no Reichstag em 23 de março de 1933, Hitler deu bastante ênfase ao fato de que "o governo do Reich [...] considera a cristandade o alicerce inabalável da moral e dos códigos morais da nação"[156]. Os nazistas foram hábeis o suficiente para manipular a direita cristã alegando que seu objetivo era proteger os ideais cristãos de pureza, o que foi determinante para o estabelecimento e a estabilização da base de apoio ao regime nazista, durante a primavera

[152] Long, Brown & Cooper 2003:262.
[153] Lei Criminal Norueguesa de 1842 § 18.21.
[154] Lei Criminal Norueguesa de 1902 § 213.
[155] Plant 1986:61.
[156] Adolf Hitler "Discurso ao Reichstag", 23 de março de 1933, http://hitler.org/speeches/03-23-33.html.

e o verão de 1933[157]. No curso dos dois primeiros anos no poder, o regime nazista amealhou reações positivas tanto da parte dos católicos quanto dos protestantes[158]. Até o Vaticano elogiou abertamente a maneira como os nazistas apertaram o cerco e censuraram conteúdos de cunho sexual nos meios escritos e visuais[159]. Essa censura foi uma das razões que deram embasamento legal à destruição do Institut für Sexualwissenschaft (Instituto de Ciência Sexual), de Magnus Hirschfeld, pioneiro defensor da causa homossexual, em 6 de maio de 1933.[160] Em 1935, entraram em vigor novas leis, bem mais rígidas, contra qualquer tipo de sexo entre homens, marcando o início de uma perseguição mais aberta e ampla[161]. Porta-vozes cristãos eram em geral favoráveis a essas mudanças legais e as viam como uma iniciativa válida para combater os "crimes" e "ataques ao casamento"[162]. Embora a perseguição aos homossexuais tenha sido primeiramente posta em marcha em decorrência da tentativa dos nazistas de se adaptar à moral cristã, isso não foi o bastante para inibir seu entusiasmo persecutório uma vez que o processo estava em curso. O regime nazista continuou a perseguir homens que faziam sexo com outros até o cerco das forças soviéticas a Berlim, nos últimos dias da guerra[163].

Do mesmo modo que os ideais cristãos serviram como ponto de partida para a perseguição homossexual nazista, algumas das vítimas do regime descobriram, sentindo na própria pele, que aqueles que derrotaram os nazistas também eram cristãos. Um grande contingente de homens homossexuais não foi libertado dos campos de concentração onde se encontravam; em vez disso, os aliados os enviaram direto para a prisão para cumprir o remanescente da pena a que tinham sido condenados pelos nazistas[164]. Os homossexuais não eram o único grupo a

157 Roos 2005:83.

158 Herzog2005:13.

159 *Deutsche Allgemeine Zeitung*, 6 de abril de 1933, em Grau [1993]:30.

160 A oposição à homossexualidade veio a calhar para a eliminação de alguém a quem Hitler começava a ver como um rival perigoso. A homossexualidade foi uma das justificativas para a liquidação de Röhm e de outros líderes da SA durante a "Noite das Facas Longas", em 30 de junho de 1934.

161 Plant 1986:110.

162 Timm 2005:233.

163 Plant 1986:117.

164 Plant 1986:118.

quem os nazistas perseguiam, mas foram os únicos cuja perseguição foi legitimada pelos aliados ao fim da guerra.

A tradicional postura cristã diante de homossexualidade foi de condenação e perseguição, das formas mais letais possíveis. Com base em uns poucos versículos um tanto ambíguos da Bíblia, a cristandade construiu uma tradição de repressão ao sexo entre pessoas do mesmo gênero, particularmente entre homens. Enquanto o judaísmo, que divide a mesma origem bíblica, adotou uma postura mais tolerante ao sexo intragênero, o cristianismo caracterizou-se por empreender perseguições sangrentas ao longo de diversos momentos históricos. A repressão à homossexualidade passou a ser uma pedra de toque da religião. Quando os cristãos castraram, queimaram, enforcaram, afogaram e enterraram vivos todos aqueles que consideravam culpados, foi com a convicção de que cumpriam a vontade de Deus. Uma vontade que, como já veremos, não era a única.

Aceitação ante a condenação esmagadora

Se examinarmos novamente a perseguição em massa aos holandeses que faziam sexo com outros homens na década de 1730, veremos também quão diversa pode ser a abordagem do sexo intragênero em uma sociedade protestante. A perseguição em si dá a impressão de uma relação muito próxima entre Igreja e Estado, pois foram as ideias cristas que fundamentaram todo o processo. A execução de todos os que foram considerados culpados de sodomia nas diferentes cidades teve pouca simpatia das massas urbanas. Como a maioria das execuções naquela época, eram eventos que atraíam grandes multidões, ávidas por entretenimento.

As prisões em Utrecht e de outras cidades, contudo, também revelaram uma subcultura homossexual na qual seus membros, antes de ser presos, pareciam viver em um ambiente de certa tolerância ao que faziam, a despeito das doutrinas da Igreja[165]. Um tipo bem diferente de panorama sexual emerge na cidade de Faan, cujos documentos legais

165 Crompton 2003:467; Van der Meer 2004:79.

não revelam nenhum tipo de subcultura homossexual nem tampouco nenhuma compreensão do sexo entre homens como uma categoria sexual à parte. Tomamos conhecimento apenas de encontros sexuais casuais em edifícios de fazendas e pelos campos[166]. A dimensão severa que a religião deu a esses atos parece ter causado a perseguição das autoridades. Os protestos veementes contra essa perseguição, da parte dos demais moradores, mostra que eles não compartilhavam da visão das autoridades de que o sexo entre homens deveria ser erradicado a qualquer custo. Estes não cederam nem mesmo depois que os julgamentos deixaram claro o que seus compatriotas cristãos, imbuídos de autoridade, pensavam da homossexualidade.

Fazendeiros, autoridades e habitantes das cidades e aldeias da Holanda do século XVIII eram todos cristãos calvinistas. Mas aqui também encontramos grandes variações acerca do modo como diferentes setores da sociedade interpretam e praticam a mesma religião. A rígida compreensão religiosa da homossexualidade, por parte das autoridades, pode muito bem ter influenciado os livros de história, exatamente por conta do alto grau de perseguição e da condenação absoluta — seja no discurso, na escrita ou na prática. Apesar disso, a presença simultânea de visões cristãs alternativas da homossexualidade fica evidente pela existência de uma subcultura urbana homossexual, pela tolerância serena de fazendeiros à presença de homossexuais e pela forte resistência dos cidadãos de Faan à perseguição empreendida. Enquanto a subcultura urbana homossexual indica algum grau de resistência *consciente* às visões religiosas contemporâneas, a homossexualidade rural e a resistência dos aldeões e fazendeiros indica algo diferente. Não reflete nada que se assemelhe aos princípios modernos de igualdade ou direitos humanos para homossexuais, mas testemunha o reconhecimento de que sexo entre homens não era um problema sério e certamente não era visto como uma ameaça nesse ambiente calvinista rural.

Ao longo de toda a história do cristianismo homens e mulheres tomaram parte em atividades homossexuais sem considerá-las uma infração à sua fé cristã. Ao mesmo tempo que tentava evitar a homossexualidade em seus mosteiros, a Igreja ortodoxa russa era mais tolerante

[166] Boon 1989:244-54-5; Crompton 2003:467.

à homossexualidade que outras igrejas naquela sociedade[167]. Inúmeros viajantes e diplomatas na Rússia do século XV em diante deixaram registros de como a homossexualidade aberta era mais dispersa e mais tolerada que na Europa ocidental. O poeta inglês George Turbeville, que visitou Moscou em 1568, por exemplo, ficou mais impressionado com a quantidade de fazendeiros abertamente homossexuais do que com as muitas execuções conduzidas a mando de Ivã, o Terrível[168].

As autoridades russas não proibiam o sexo entre homens antes de 1832, e mesmo depois disso a lei raramente era cumprida. O sexo entre mulheres sempre foi proibido[169], mas a Rússia não era nenhuma exceção. Nos internatos ingleses do século XIX, o sexo entre alunos era tão comum que existiam vários tipos oficiosos de institucionalização desse fenômeno[170]. Em determinadas áreas cristãs havia uma tradicional aceitação de travestis masculinos que faziam sexo com outros homens — como era comum entre os fiéis ortodoxos amáricos na Etiópia, onde eram conhecidos como *wandarwarad*[171]. Em países com um histórico de menor tolerância à homossexualidade encontramos outros padrões de comportamento. A situação mais comum, a exemplo do que vimos no vilarejo de Faan, é a de pessoas praticando atos homossexuais sem considerá-los um dilema do ponto de vista teológico. Também é possível encontrarmos uma defesa expressa da homossexualidade que inclui uma referência religiosa direta. Em Roma, um monge franciscano afirmou, em 1578, que o amor sexual entre homens poderia ser "sagrado e justo", o que o levou a ser açoitado em público e em seguida amargar um ano de prisão[172]. Nesse mesmo ano, o embaixador veneziano no Vaticano relata o caso de um padre católico que oficiava cerimônias de casamento para casais masculinos espanhóis e portugueses em uma Igreja próxima à basílica de Latrão, em Roma. As autoridades prenderam todos os envolvidos nos quais conseguiram pôr as mãos e os queimaram[173].

---

167 Kon 1995:15.

168 Kon 1995:17.

169 Kon 1995:46.

170 Weeks 1981:109.

171 Murray & Roscoe 1998:22.

172 Monter 1990:175.

173 167 Michel de Montaigne *Journal de Voyage en Italie par la Suisse et L'Allemagne en 1580 et*

De diferentes formas, esses indivíduos não viam nenhum tipo de conflito entre o cristianismo e a homossexualidade, e fossem figuras mais importantes e poderosas, teriam se safado com mais facilidade. Muitos governantes cristãos acalentavam um desejo pelo mesmo sexo e viviam para satisfazê-lo, sem temer punição alguma. Entre eles, podemos citar os imperadores bizantinos Nicéforo I, Miguel III, Basílio I, Constantino VIII e Constantino IX; o rei Magnus Eriksson da Noruega, Suécia e Escânia; os reis ingleses Guilherme II, Ricardo Coração de Leão, Eduardo II, Ricardo II, Jaime I e Guilherme de Orange; os reis franceses Henrique III e Luís XIII; os sacro-imperadores romanos Frederico II e Rodolfo II; a rainha Cristina da Suécia, o czar russo Pedro, o Grande, e o rei Frederico III, da Prússia. Em 1617, o rei Jaime VI da Escócia e I da Inglaterra fez a defesa de sua relação com George Villiers, duque de Buckinghan, com as seguintes palavras: "Jesus Cristo fez o mesmo e, portanto, não posso ser culpado. Cristo teve o seu João e eu tenho o meu George"[174]. O rei Jaime não fez por menos, e, na prática, a homossexualidade era incentivada em sua corte[175]. A cunhada de Luís XIV, Elisabeth Charlotte, mencionou em muitas correspondências os romances de seu marido Filipe de Orleans com outros homens, mas reparou também que diversos nobres da corte francesa eram da opinião de que o sexo entre homens seria pecado apenas na época em que a Terra precisava de mais pessoas para habitá-la. Como bem notavam, Deus não havia punido mais ninguém por ser homossexual desde Sodoma e Gomorra[176].

Uma vez que as concepções religiosas forneciam as bases para toda a perseguição homossexual empreendida em terras cristãs, a Igreja católica e muitas ortodoxas serviam como portos de salvação para homens atraídos por outros. O sexo feito com discrição entre clérigos costumava ser tolerado. Durante a Idade Média, até poetas

---

1581. *Tome premier*. Paris: Garnier Frères 1774:120; Antonio Tiepolo, 2 de agosto de 1578 *in* Fabio Mutinelli (ed.) *Storia arcana ed aneddotica d'Italia racontata dai Veneti ambasciatori. Vol I*. Venice: Pietro Naratovich 1855:121; cf. Boswell 1994:264-54-5; Crompton 2003:286.

[174] Bates 2004:73.

[175] Gardiner 1883:98; Bullough 1976:475.

[176] Crompton 2003:344; Elisabeth Charlotte *in* Letters from Paris,1721, citada em Wormeley 1899:174-54-5.

muçulmanos comentavam que o amor entre homens era comum nos mosteiros ortodoxos[177]. Padres católicos suspeitos de práticas homossexuais não podiam ser condenados pelas autoridades a menos que a Igreja lhes revogasse a prelazia, o que frequentemente se recusava a fazer. Em vez disso, preferia enviá-los a mosteiros, locais que também não eram estranhos à homossexualidade[178]. Quando o filósofo Jean-Jacques Rousseau reclamou de um hóspede que o assediava, o diretor do albergue católico onde estava hospedado admoestou-o argumentando que o filósofo não poderia reclamar se alguém o achava atraente, acrescentando que o temor de um assalto sexual seria apenas vaidade da parte de Rousseau[179]. A tolerância tácita à homossexualidade discreta galgava ao topo da hierarquia. O papa Leão IX rejeitou terminantemente a ideia de que os clérigos deveriam ser destituídos do cargo por atos esporádicos de masturbação mútua ou mesmo relações sexuais nos quais o clímax era atingido pela fricção do pênis nas coxas do parceiro[180]. No século XVI, o papa Júlio III era notório por seus relacionamentos sexuais com jovens rapazes e ousou ordenar cardeal seu amante de 17 anos, um rapaz de rua chamado Innocenzo. Como papa, todos os atos e intenções de Júlio III estavam acima da lei, mas fazer de seu amante cardeal foi motivo de escândalo entre católicos e júbilo entre protestantes[181].

A conduta preponderante dentro do cristianismo foi de preconceito e perseguição, mas a história nos mostra que, mesmo assim, havia cristãos que ou não viam a homossexualidade como problema ou a protegiam de suas convicções religiosas. O cristianismo é um bom exemplo de como uma religião notória por sua inflexível hostilidade à homossexualidade conviveu com vozes que se erguiam para dizer algo totalmente oposto.

---

177 Kennedy 1997:67.

178 Crompton 2003:250,345.

179 Bullough 1976:484.

180 Crompton 2003:177.

181 Schleiner 1994:44; Crompton 2003:322-32-3.

Aceitação ou punição

No fim do século XIX e durante a primeira metade do século XX, muitos cristãos europeus ocidentais que se sentiam atraídos por outros homens refugiaram-se no mundo muçulmano. O escritor francês André Gide perdeu sua virgindade aos 28 anos no deserto da Argélia com o jovem muçulmano Ali, em 1894. Como próprio Gide relata: "Seu corpo talvez estivesse quente, mas minhas mãos o sentiam refrescante como uma sombra". Não surpreende que Gide tenha passado a viajar constantemente para o norte da África depois disso[182]. Oscar Wilde também apreciava visitar a região pelas mesmas razões, as inúmeras possibilidades sexuais com outros homens[183]. O autor britânico E. M. Forster encontrou o amor de sua vida em Alexandria, no Egito: o condutor de bondes Mohammad el-Adl[184]. Tânger, no Marrocos, foi um conhecido destino de artistas homossexuais do Ocidente até 1950, e encontros íntimos com muçulmanos foram fonte de inspiração para muitas de suas obras[185]. A fuga de europeus eruditos para terras muçulmanas era influenciada por fantasias sobre a exótica e erótica Arábia, mas, ainda assim, é impossível abordar esse fenômeno sem considerar as grandes e reais possibilidades de encontros sexuais com outros homens sem o preconceito maciço que enfrentavam em seus países de origem.

A razão pela qual as terras muçulmanas constituíam oásis homoeróticos tem pouco a ver com o fato de o islã ser fundamentalmente mais tolerante com a homossexualidade que o cristianismo. Na verdade, não é. O que Gide, Wilde, Forster e os demais cristãos descobriram foi que a maioria os muçulmanos era mais tolerante ao sexo ente homens e a atividade homossexual não era vista como um problema digno de nota à luz da religião. Ao mesmo tempo, a maioria deles talvez tenha percebido que manter uma relação de exclusividade com seus amantes muçulmanos não era tão fácil assim: caso já não fossem casados com mulheres, tinham planos de fazê-lo em breve.

182 Boone 2001:44; Aldrich 2003:337.

183 Copley 2006:131.

184 Aldrich 2003:398.

185 Alcorão 7.81, cf. Alcorão 27.56,29.28.

Contudo, o islã não é homofóbico por princípio, pelo menos não de forma geral. O Alcorão não traz proibições ao sexo entre mulheres; não há nada escrito sobre o assunto. O pouco que existe sobre o sexo entre homens é um tanto depreciativo. Ao contrário da Bíblia, mas em concordância com autores judeus e cristãos que se seguiram, o Alcorão critica os habitantes de Sodoma principalmente pela prática do sexo entre homens. Os sodomitas homens, chamados povo de Ló, são criticados por "cobiçar homens em vez de mulheres"[186]: "De todas as criaturas, ides procurar aos homens e abandonais aqueles que Alá criou para servir como vossas esposas. Não, sois pessoas que não conheceis limites"[187]. O fato de um homem fazer sexo com outro ganha um sentido teológico no que representa a tomada de uma "mentira por verdade"[188] e se configura em um ato ímpio[189]. É por causa da homossexualidade que Alá pune os sodomitas e os liquida com uma chuva "nociva" e "apavorante"[190].

Mesmo considerando a destruição de Sodoma uma punição para a homossexualidade masculina, o Alcorão preconiza sanções bem mais modestas para o sexo entre homens que a centena de chibatadas que o livro prescreve para a infidelidade heterossexual[191]. "Acaso dois homens entre vós sejam culpados de indecência, puni-os a ambos"[192] é a recomendação, sem que seja especificada exatamente a punição. Não há, aqui, nenhum fundamento que indique chicotadas ou pena de morte, já que o versículo vem logo após outro que recomenda a prisão domiciliar para mulheres solteiras indecentes. Além disso, há um trecho posterior que absolve os homossexuais de punição: se os culpados "se arrependerem e seguirem na senda reta, deixei-vos ir em paz, pois Alá é o misericordioso"[193].

Apesar da proibição vigente no Alcorão para o sexo entre homens, parte dos muçulmanos acredita que existe homossexualidade no paraíso.

---

186 Alcorão 26.165-65-6.
187 Alcorão 50.13.
188 Alcorão 21.74, 29.33.
189 Alcorão 26.172-32-3, cf. Alcorão 7.84, 27.59, 53.54.
190 Alcorão 24.2.
191 Alcorão 4.16.
192 Alcorão 4.16.
193 Alcorão 52.24, 56.17-18, 76.19; cf. Miller 1996:26-76-7; Wafer 1997:90.

O relato corânico de "jovens ternos", "formosos como pérolas", que servirão aos homens no paraíso costuma ser visto como uma indicação disso. Eles são mencionados em conjunto com virgens claramente ativas sexualmente, um indício de que esses belos jovens também fazem sexo no paraíso[194].

A possibilidade de sexo eventual entre homens no paraíso não o torna legal nesta vida. Nos *hadiths* encontramos novamente a exigência, feita por Maomé, de punições ainda mais rígidas para o sexo ilegal que aquelas prescritas no Alcorão: "Se encontrardes alguém que age como o povo de Ló, matai aquele que consumar o ato e também o passivo"[195]. O homem que pratica o sexo anal com outro deve ser apedrejado, a mensagem é bastante clara[196], embora algumas vezes essa punição pareça estar restrita a homens solteiros[197].

Ao examinarmos os *hadiths*, veremos que Maomé dá à homossexualidade masculina bem menos importância que à infidelidade conjugal. Os sucessores de Maomé, apesar disso, conceberam novas maneiras de executá-los. Abu Bakr, o primeiro califa, emparedou um homem condenado por homossexualidade, e outro foi queimado vivo. Ali, o cunhado de Maomé, teria mandado empurrar do alto de um minarete um homossexual condenado [198].

Como ponto de partida o Alcorão contém, da mesma forma, punições bem menos severas para o sexo entre homens que para a infidelidade conjugal. Maomé dava bem mais importância a esta última, e apesar de ter cedido à pena de morte para o sexo entre homens, não existe uma unanimidade jurídica sobre o tema. Os muçulmanos sunitas da escola hanafita, majoritários no sul da Ásia, nos Bálcãs, na Turquia, na Síria e no Egito, não acham que o sexo entre homens seja passível da pena de morte[199].

Assim como o sexo heterossexual ilegal, é necessário apresentar provas contundentes da homossexualidade para que alguém seja condenado,

194 Abu Dawud *Sunan Abi Dawud* 28.4447.

195 Imã Malik *Muwatta* 41.1.11.

196 Abu Dawud *Sunan Abi Dawud* 28.4448.

197 Bosworth, van Donzel, Lewis & Pellat 1986:77.

198 Wafer 1997:89.

199 Kennedy 1997:16-16-17.

algo que contribuiu para que os níveis de perseguição sejam menores no islã. Bem ao contrário, a sociedade islâmica, como testemunharam vários homossexuais ocidentais no começo do século passado, costuma ser mais tolerante, em certa medida até aceitando e louvando o sexo intragênero. Abu Nuwas, que viveu por volta do ano 800 e é reconhecido como um dos maiores nomes da poesia árabe clássica, gostava de versar sobre o amor de jovens rapazes em seus poemas[200]. Muitos poetas muçulmanos seguiram sua trilha e escreveram extensas obras sobre o desejo erótico que nutriam por jovens homens[201]. Uma série de governantes muçulmanos, assim como tantos monarcas cristãos, eram notórios por sua predileção por homens: o califa al-Amin, de Bagdá, e os califas Abd al-Rahman III e al-Hakam II, de Córdoba, todos dos séculos nono e décimo, são apenas alguns exemplos[202]. Para tentar demovê-lo de sua atração por rapazes, a mãe de al-Amin vestiu um grupo de cortesãs como homens para entretê-lo — iniciativa que não teve o êxito pretendido, mas estabeleceu um novo padrão de moda feminino que perdurou por mais de um século[203].

O popular poeta tunisiano Ahmad al-Tifashi, autor de conselhos sobre como aproveitar bem as delícias do sexo proibido no século XIII, não se restringia à esfera heterossexual. Ele explica como encontrar e seduzir jovens ávidos, e também oferece conselhos práticos sobre como desfrutar ao máximo dos prazeres do sexo com hermafroditas. Embora o relacionamento lésbico não pertença à categoria de tipos proibidos de sexo, um capítulo inteiro é dedicado a explicar como as mulheres podem aproveitar melhor a companhia sexual de outras[204].

O livro *O jardim perfumado*, escrito pelo xeque Muhammad Al-Nafzawi no século XVI, também traz um capítulo sobre as alegrias do sexo entre homens[205]. É relevante ter em conta que Nafzawi não é uma pessoa qualquer no contexto religioso: xeque (*shaikh*) é um título religioso muçulmano. Adeptos do sufismo, uma tradição mística do

---

200 Murray 1997a:23-43-43-4; Crompton 1997:150.

201 Bosworth, vanDonzel, Lewis & Pellat 1986:777; Murray 1997a:24.

202 Bouhdiba[1975]:143.

203 Parrinder 1996:169. O capítulo sobre sexo entre homens infelizmente é omitido da maioria das traduções europeias.

204 Hidayatullah 2003:274.

205 Duran 1993:196.

islã, referem-se com frequência à beleza dos homens imberbes em sua poesia clássica[206]. Alguns importantes sufistas do século XII são conhecidos pela intensa relação amorosa que mantinham[207].

O sexo entre homens é difundido e aceito em muitas outras comunidades muçulmanas. Diferentes estudos históricos e antropológicos dão conta da existência da homossexualidade quase generalizada entre homens de diferentes faixas etárias em diferentes regiões, desde o Marrocos até a Indonésia, no Oriente; da Albânia ao norte a Zanzibar ao sul[208]. A maioria dos muçulmanos que praticam sexo com homens o faz sem romper o padrão tradicional de gênero, que inclui o casamento heterossexual quando se chega a uma determinada idade. Uma vez que existem regras tão rígidas para contato entre os sexos na maioria dos países islâmicos, a homossexualidade é, portanto, mais comum entre homens solteiros[209]. E como as mulheres costumam ser intangíveis, tampouco surpreende o fato de que a sexualidade masculina assuma o centro das atenções. O jurista hanbalita Ibn al-Gauzi fez a seguinte anotação, no século XII, sobre homens que admiravam jovens rapazes: "Aquele que afirma sentir desejo é um mentiroso, e ele seria um animal, não um homem, caso acreditássemos no que dizia"[210].

Homens que declaravam seu amor por outros costumavam ser respeitados e admirados[211]. Na prática, qualquer coleção de poesia muçulmana da Espanha contém poemas escritos por homens para homens[212]. No poema *Abru*, do início do século XVI, o indiano Najmuddin Shah Mubarak conta como belos rapazes são cortejados por outros na cidade muçulmana de Deli[213]. Miniaturas persas e turcas de séculos recentes retratam homens em atos sexuais explícitos com outros homens[214]. Relacionamentos entre homens e jovens rapazes eram — e ainda são

206 De Martino 1992; Eppink 1992; Khan 1992; MacDonald1992; Murray1997b; Murray 1997c; Murray 1997d.
207 Duran 1993:185; Bouhdiba [1975]:200.
208 Schmitt 1992:5.
209 Crompton 2003:172.
210 Crompton 2003:167.
211 Vanita 2005:9.
212 Murray 1997a.
213 Khan 1997:276; Bromark & Herbjørnsrud 2002:220-20-22,226.
214 Duran 1993:188.

— tradicionalmente aceitos socialmente entre os pashtuns na região onde hoje é o Paquistão ocidental e o sul do Afeganistão[215]. O parceiro sexual passivo ainda é visto com menosprezo, como alguém em conflito com o papel masculino. No norte da África, os parceiros ativos são conhecidos por se jactar de ter tomado "posse" dos passivos, que, por conseguinte, são humilhados[216].

Em várias sociedades muçulmanas existe uma tradição de longa data segundo a qual homens com identidade sexual divergente devem fazer sexo com outros homens[217]. Em Java, por exemplo, é tradicionalmente aceito que tanto travestis homens como jovens rapazes que fazem o papel de mulheres em peças teatrais façam sexo com homens[218]. A cerimônia de cura zaar, do norte do Sudão, só é aberta para mulheres e homens com identidade sexual divergente, a maioria dos quais pratica sexo com outros homens[219]. Nas cidades muçulmanas da costa do Quênia e da Tanzânia, os travestis masculinos, popularmente conhecidos por *mashoga* ou *mabasha*[220], são comuns. Há paralelos entre esses padrões e os chamados *khanitha*, muçulmanos de Omã que vivem à margem do papel sexual masculino comum e fazem sexo com outros[221]. Os *hijra*, um tipo peculiar de homens que se vestem com roupas femininas e fazem sexo com outros homens, são inúmeros entre os muçulmanos do sul asiático[222], embora esse costume pareça ter se desenvolvido no hinduísmo[223]. Entre os povos haussás muçulmanos do Sahel há a tradição dos *k'wazo*, homens mais velhos, masculinos e sexualmente ativos, associados aos *baja*, mais jovens e afeminados, e esses casais chegam a ter uma vida em comum, em relacionamentos que se assemelham a casamentos[224]. No oásis de Siuá, no Egito, o relacionamento entre homens e rapazes chega a ser formalizado com noivados e casamentos[225].

---

215 Murray 1997a:28.

216 Murray 1997d:257-87-8.

217 Murray & Roscoe 1998:25.

218 Murray & Roscoe 1998:30-30-34; Amory 1998.

219 Amory 1998:74,84; Wikan 1977.

220 Naqvi & Mujtaba 1997:264-64-6.

221 Murray & Roscoe 1998:97-87-8; Gaudio 1998:116-28.

222 Murray 1997a:37-47-40.

223 Khan 1997:283-43-43-4.

224 *UK Gay News* 2009.

225 Murray & Roscoe 1998:34-54-5,39; Amory 1998:75-65-6.

Apesar de o Alcorão não trazer proibições ao sexo entre mulheres, os relacionamentos lésbicos são muito menos visíveis, provavelmente em decorrência de o islã dar menos relevância à mulher, quaisquer que sejam os aspectos. O fato de as relações sexuais entre mulheres não terem tanta visibilidade não implica dizer que não ocorram. O sexo reservado entre mulheres paquistanesas é aceito desde que não signifique uma ruptura do papel da mulher como esposa e mãe[226], uma postura que parece ser a mesma em várias outras sociedades islâmicas. Vinte e quatro por cento das mulheres iranianas aceitariam fazer sexo com outras, embora quase ninguém viva abertamente como lésbica[227]. Porém, há outros padrões para o sexo entre mulheres no mundo muçulmano. Nas cidades muçulmanas da costa da África ocidental existem mulheres que levam uma vida exclusivamente lésbica, do ponto de vista tradicional, e são aceitas sem problemas[228]. Há referências do século XVIII ao casamento entre mulheres muçulmanas na Índia, no qual se contavam sementes de cardamomo para decidir a qual das parceiras caberia o papel "masculino" na relação[229].

A grande diversidade é o que melhor caracteriza a postura muçulmana tradicional diante de sexualidade intragênero. O fato de sexo entre mulheres não ter sido banido não levou a um reconhecimento maior desse fenômeno. Por seu lado, as sanções mais brandas — prescritas no Alcorão — e mais severas — segundo os *hadiths* — para o sexo entre homens raramente levaram a uma maior perseguição dos praticantes. A exigência de confissões ou de quatro testemunhas masculinas esvaziou as cortes de acusações, uma vez que essa forma de sexo é praticada com discrição.

Mas não encontramos apenas o contato homossexual discreto na sociedade muçulmana. Muitos muçulmanos já declararam publicamente que não veem problemas no sexo entre pessoas do mesmo gênero em relação ao islã. Parece que a tradicional autopercepção do islã como uma religião tolerante e misericordiosa teve consequências práticas exatamente nesse particular. Um padrão repetido na história

226 Vanita 2005:187.

227 *Ramayana* 7.87.

228 Pattanaik 2001:83.

229 Vanita 2005:74.

muçulmana é a exaltação da beleza de rapazes, conduta que não pode ser analisada sem levar em conta a virtual eliminação da mulher do espaço público. Mas as variações de gênero institucionalizadas e as relações estáveis de pessoas do mesmo sexo em certas sociedades muçulmanas novamente demonstram até que medida a homossexualidade é naturalmente aceita nessa religião.

Ambivalência original, opressão importada

Somente ao longo dos últimos dois séculos é possível analisar o hinduísmo como algo próximo de uma religião unificada. Logo, não é de surpreender o fato de que haja atitudes divergentes em relação à sexualidade intragênero dentro das tradições hindus. A homossexualidade é, ainda assim, encontrada em diversos contextos, e os deuses adoravam praticá-la. Certa vez, Shiva se transformou em uma mulher para ser capaz de desfrutar do amor lésbico de sua esposa Parvati[230]. O deus Krishna tomou a forma de uma bela jovem para seduzir e destruir o demônio Araka, matando-o três dias depois da festa de casamento[231]. Da mesma forma que Shiva e Parvati, o deus Harihara é uma fusão dos deuses masculinos Shiva e Vishnu[232]. A sexualidade quase ilimitada com que os deuses costumam se mostrar é particularmente sagrada para os hindus, às vezes como um exemplo a ser seguido. Portanto, não é desprovido de significância, em relação à moral sexual hindu, que Vishnu se transforme na tentadora Mohini e conceba um filho com Shiva[233]. A homossexualidade em si pode ser sagrada, como podemos testemunhar em uma série de templos como Khajuraho, em Madhya Pradesh, e Konark, em Orissa, onde existem representações de atos homossexuais entre as muitas formas de arte sexual existentes. O sexo entre mulheres é um tema particularmente recorrente na decoração desses templos.

Diversas narrativas míticas mostram que a sexualidade intragênero pode ter a bênção dos deuses. Uma estátua de Orissa, datada do século

---

230 *Brahmanda Purana* 4.10.

231 Vanita 2005:9.

232 Vanita 2005:145-95-9.

233 *Kama Sutra* 2.9.

XI, mostra Kama, deus do amor, atirando suas flechas em duas mulheres[234]. Algumas versões do texto medieval *Padma Purana* descrevem como as duas viúvas do rei Dilipa, que não teve filhos, são aconselhadas ou por um sacerdote ou pelo deus Krishna a fazer sexo entre si para conceber uma criança. Elas o fazem, com a bênção divina, e a criança que concebem recebe o nome de Bhagiratha, ou "nascido de duas vulvas"[235].

Tradicionalmente falando, nem seria preciso admoestação divina para que os hindus praticassem sexo homossexual. O *Kama Sutra* explica detalhadamente como homens que escondem seus desejos homossexuais praticam sexo oral em outros[236]. O mesmo texto inclui recomendações de algumas frutas e vegetais para ser usados como consolos para concubinas que queiram se deitar com outras, ou com suas amigas mais íntimas, ou ainda com criadas[237].

Os *hijra*, homens travestidos e em geral castrados, têm enorme destaque no hinduísmo e tornam o panorama sexual ainda mais diverso. A deusa Bahuchara, que mutila os próprios seios para evitar ser estuprada, é muito importante para os *hijra*. Eles a veem como um reflexo de sua própria condição inspirada em um lendário seguidor da deusa, a quem ela teria ordenado que cortasse o próprio pênis e se vestisse com roupas femininas[238]. O *Kama Sutra* ensina como os *hijra* podem viver como cortesãos e desfrutar do sexo com homens[239].

A reencarnação também desempenha um papel na visão hindu do sexo intragênero ao levar à crença de que a mesma pessoa pode renascer homem ou mulher em vidas sucessivas. Místicos hindus da Idade Média eram vistos como reencarnações de diversas amantes femininas de Krishna[240]. Para o hindu médio, no entanto, a barreira do gênero nunca é ultrapassada na reencarnação, embora, em tese, seja possível mudá-lo de outras formas, e assim, praticar sexo com pessoas de seu mesmo gênero biológico. O lendário sábio Narada certa vez pediu ao

---

234 *Kama Sutra* 5.6.
235 Vanita 2005:75.
236 *Kama Sutra* 2.9.
237 Vanita 2005:84.
238 Vanita 2005:78.
239 *Padma Purana* 5.75
240 *Código de Manu* 8.369-79-70.

Hijras têm um papel fundamental no hinduísmo
Crédito: Vishal Shah/Shutterstock

deus Krishna que lhe explicasse o amor. O deus levou o homem a um lago milagroso cheio do néctar divino, onde Narada se banhou e se transformou, durante um ano, na bela jovem Naradi. Durante esse ano inteiro como Naradi, Narada fez amor com Krsihna[241].

Recorrendo ao *Código de Manu* é possível encontrar diferentes abordagens que, à primeira vista, soam pejorativas em relação ao sexo entre mulheres. Uma mulher solteira que corrompa outra deverá pagar o dobro do valor do dote e ser golpeada dez vezes com um cajado. Uma mulher casada que seduza uma solteira pede uma punição ainda mais rígida: deve ter a cabeça raspada, dois dedos decepados e ser forçada a desfilar pela cidade montada sobre um asno[242]. O *Código de Manu* não se concentra no sexo entre mulheres como tal, e seu propósito é proteger as jovens, preservando sua virgindade até que se casem. Nada consta que possa ser visto como uma condenação ao sexo entre mulheres casadas — as concubinas que recorrem a vegetais, mencionadas no *Kama Sutra*, por exemplo.

O *Código de Manu* também proíbe homens das três castas superiores de fazer sexo anal com outros, mas não diz nada sobre o sexo entre homens. Ele é aparentemente liberado para párias e para homens das castas inferiores. A punição para o sexo anal de homens das castas mais altas é, por sinal, imensamente mais branda que para o sexo anal heterossexual: em vez de um simples banho ritual[243], um homem pertencente a essas castas que fizer sexo anal com uma mulher deverá ingerir diversos produtos de origem bovina: urina, estrume, leite, leitelho e manteiga clarificada, e em seguida jejuar por 24 horas[244].

O sexo entre homens era proibido por lei na Índia até 2009[245]. Em princípio, homossexuais correriam o risco de prisão perpétua, embora a legislação já fosse letra morta. Originalmente, não tinha nada a ver com o hinduísmo: era um trecho de legislação introduzido pelos britânicos em 1860, moldado na tradição legal cristã da Grã-Bretanha. Embora não tivesse relação nenhuma com as tradições locais, contribuiu

241 *Código de Manu* 1.175.

242 *Código de Manu* 1.174.

243 Timmons & Kumar 2009; *Código Penal* (1860) § 377.

244 Mahatma Gandhi *in Yound India (Jovem Índia)*, 26 de julho de 1929, *in* Vanita & Kidwai [2000]:255-65-6; Baird 2001:61-21-2.

245 Fuglehaug 2008; Udjus 2008.

para estigmatizar a homossexualidade entre os hindus. Como tantos japoneses e chineses, os hindus também adotaram a homofobia reinante na Europa. Mahatma Gandhi chamou a homossexualidade e qualquer outra forma de sexo que não levasse à reprodução de "vício desnaturado" e, nas décadas de 1920 e 1930, encabeçou campanhas para eliminar quaisquer referências positivas à homossexualidade e à transexualidade no hinduísmo. Gandhi chegou até a enviar grupos de partidários para destruir imagens homoeróticas retratadas na arte medieval hindu, especialmente em templos[246].

É difícil chegar a conclusões definitivas acerca da visão histórica do hinduísmo sobre a homossexualidade. Se tal prática não era vista como um fenômeno normal, também estava inserida no âmbito religioso. Um dos fatores mais notáveis do hinduísmo é a prevalência de fatores externos, que originalmente nada tinham a ver com a religião, mas contribuíram para o desenvolvimento de uma visão totalmente nova da homossexualidade durante o período de formação de uma identidade religiosa comum. Iniciativas anti-homossexuais, britânicas e cristãs, não foram apenas obedecidas, mas incorporadas pelos hindus em tal medida que pareciam sempre ter feito parte do hinduísmo. Embora fossem condutas importadas, *passaram* a integrar o hinduísmo. Colonialistas homofóbicos europeus tiveram um êxito muito além das expectativas. Não apenas lograram utilizar a lei para estigmatizar e suprimir um comportamento sexual que entrava em choque com suas convicções religiosas, mas fizeram que milhões de hindus também passassem a adotá-las como se *sempre* houvessem pertencido àquela religião.

Religião e homossexualidade hoje em dia

O debate em torno de uma lei comum para casais hétero e homossexuais na Noruega, em 2008, deixou claro que a postura diante do sexo intragênero entre a maioria dos noruegueses cristãos transformou-se completamente ao longo de pouco mais de duas décadas. Essa mudança foi

---

[246] *BBC* 2005a.

parcialmente eclipsada pela defesa, feita por tabloides sensacionalistas, da visão cristã tradicionalmente negativa da homossexualidade. Enquanto a lei da união civil foi instantaneamente chancelada pelo Stortinget (Parlamento norueguês) em 1993, a lei do casamento homossexual foi aprovada em 2008, com uma maioria de 66% dos deputados[247], em uma votação em que quase todos os oposicionistas pertenciam a diferentes comunidades cristãs. Mas, na prática, os parlamentares foram unânimes em dizer que os homossexuais teriam direito a se casar ou a assumir uma vida em comum com uma pessoa do mesmo sexo. Mesmo o Partido Popular Cristão, que em 1993 foi o único a votar contra a lei da união civil — e tentou revogá-la em 1996[248] —, afirmou em 2008 que "a lei da união civil deve prosseguir em vigor para assegurar aos homossexuais, homens e mulheres, um âmbito jurídico para sua vida em comum"[249]. Essa visão foi também formalmente apoiada pelo Partido do Progresso (Fremskrittspartiet, de extremadireita) e pelos líderes do Partido da Direita (Høyre) e do Partido do Centro (Senterpartiet), que não apoiaram a lei do casamento homossexual. Até então, o casamento entre pessoas do mesmo sexo tinha o apoio de 58% da população em geral (dos quais 87% se diziam formalmente cristãos)[250]. Um número ainda maior de pessoas apoiam a união civil, o que também mostra que a maior parte dos cristãos noruegueses não acredita que a homossexualidade representa um problema central do ponto de vista religioso.

E não foi apenas entre os menos versados no tema da religião que opiniões como essas se fizeram ouvir. Organizações cristãs de peso e clérigos proeminentes se pronunciaram publicamente a respeito afirmando que o casamento intragênero estava em perfeita harmonia com o cristianismo. Os bispos de Hamar, Solveig Fiske, e de Sør-Hålogaland, Tor B. Jørgensen, foram mais além e disseram sim ao casamento homossexual — esse último até estendeu a decisão a toda sua diocese[251]. A Faculdade de Teologia da Universidade de Oslo disse que as novas

247 Seis contra um na Câmara Baixa e 26 contra quatorze na Câmara Alta.

248 *Innst. O. n. 41 (1996-16-1997)*.

249 I*nnst. O. n. 63 (2007-2008)*:16.

250 Gillesvik 2008a.

251 *Aftenbladet* 2007; *Conselho da Diocese de Sør-Hålogaland, Igreja Estatal da Noruega*, "Audiência. Sugestões de alterações na lei do casamento e para a promulgação de uma lei comum para casais do mesmo sexo e de sexos distintos", 6 de setembro de 2007.

leis estavam "em concordância tanto com ideia de modernização do casamento quanto com a interpretação da fé cristã"[252]. A Missão Eclesiástica Urbana apoiou-a fundamentada na seguinte premissa: "Com base nos direitos humanos fundamentais, na verdade e na compaixão, que para esta Missão provêm da fé cristã no Deus que a tudo cria e dá a vida, apoiamos totalmente a intenção de 'garantir aos homossexuais masculinos e femininos todos os direitos, apoiá-los em uma vida plena e aberta e trabalhar ativamente contra qualquer forma de discriminação'." [253]. No mesmo contexto, a Igreja Unitária Norueguesa afirmou que "é necessário que o casamento intragênero seja reconhecido legalmente e de todas as maneiras equiparado ao casamento heterossexual"[254]. A União Estudantil Cristã da Noruega apoiou a moção argumentando que "ninguém pode ser discriminado, seja pela Igreja, seja pela sociedade, com base em gênero, inclinação sexual, cor da pele ou origem social"[255]. Os quacres da Noruega submeteram-se à lei apesar dos fundamentos cristãos: "Consideramos que essa forma de vida em comum pode estar em harmonia com o desejo e o amor de Deus [...] Pois para Deus nada é impossível, e assim, seria pouco respeitoso descartar a possibilidade de que o Espírito Santo levasse pessoas do mesmo sexo a contrair matrimônio"[256].

Tão revolucionário como todas essas menções públicas em favor do casamento homossexual foi o apoio de muitas organizações cristãs que em 1993 se opuseram à lei da união civil, e em seguida mudaram de opinião e passaram a apoiar essa nova forma de regulação da vida em

---

[252] *Faculdade de Teologia, Universidade de Oslo*, "Resultados das audiências realizadas pela Faculdade de Teologia à luz da lei do casamento entre pessoas do mesmo sexo", 17 de setembro de 2007.

[253] *Missão Eclesiástica Urbana*, "Resultados das audiências da *Missão Eclesiástica Urbana*. Sugestões para mudanças na lei do casamento à luz da lei do casamento entre pessoas do mesmo sexo", 1º de setembro de 2007.

[254] Associação Unitária *Bét David (Igreja Unitária Norueguesa)*, "Manifesto com sugestões para mudanças na lei do casamento à luz da lei do casamento entre pessoas do mesmo sexo", 31 de agosto de 2007.

[255] *União Estudantil Cristã da Noruega*, "Resultado das audiências da Associação Estudantil Cristã da Noruega para a proposta governamental de alteração da lei para permitir o casamento de pessoas do mesmo sexo", sem data, protocolado pelo Departamento (Ministério) da Infância e da Igualdade Social, 3 de setembro 2007.

[256] *Sociedade dos Amigos dos Quacres*, "Audiência. Lei comum para o casamento de pessoas do mesmo sexo", 15 de setembro de 2007.

comum. “Consideramos que a união civil ou parceria entre pessoas do mesmo sexo deve ser apoiada”, resumiu-se a dizer o movimento pentecostal[257]. A diocese de Oslo “reconhece a necessidade coerente que os casais homossexuais têm de querer que sua vida em comum seja enquadrada em um molde jurídico”, e as dioceses de Agder, Telemark, Bjørgvin, Borg, Hamar e Stavanger pronunciaram-se de maneira semelhante[258]. A diocese de Tunsberg, por sua vez, disse que via “o casamento e a parceria homossexual com igual valor”[259]. A Congregação das Missões Norueguesas, de forma alguma conhecida por suas tendências liberais, enfatizou “a necessidade social de regular os relacionamentos homossexuais masculinos e femininos”, considerando “a discriminação que esses grupos sofrem na sociedade”[260], enquanto a Faculdade Eclesiástica argumentou que “a lei da união civil estende, em nossa opinião, uma abrangência jurídica aos casais do mesmo sexo”[261]. De maneira idêntica, o Círculo de Proteção à Família, a Igreja Metodista Norueguesa, a Rede Nórdica de Defesa do Casamento, o Conselho Cristão da Noruega, a Associação de Escolas de Catecismo e a Igreja dos Marinheiros se manifestaram a favor da antes tão condenada lei da união civil[262]. A

---

257 *Conselho de Líderes do Movimento Pentecostal*, “Resultado das audiências do Movimento Pentecostal sobre as sugestões do Departamento da Infância e da Igualdade Social relativas às mudanças na lei do casamento com vistas à inclusão do casamento de pessoas do mesmo sexo”, 19 de setembro de 2007:3.

258 *Diocese de Oslo, Igreja Estatal da Noruega*, “Audiência. Sugestões para mudanças na lei do casamento com vistas à inclusão do casamento de pessoas do mesmo sexo”, 20 de setembro de 2007; *Diocese de Agder og Telemark, Igreja Estatal da Noruega*, “Resultado das audiências com sugestões à lei comum do casamento”, 23 de agosto de 2007:2; *Diocese de Bjørgvin, Igreja Estatal da Noruega*, “Sugestões para mudanças na lei do casamento à luz da lei do casamento entre pessoas do mesmo sexo”, 31 de agosto de 2007:4; *Diocese de Borg, Igreja Estatal da Noruega*, “Sugestões para mudanças na lei do casamento etc.”, 22 de agosto de 2007:3; *Diocese de Hamar, Igreja Estatal da Noruega*, “Sugestões para mudanças na lei do casamento à luz da lei do casamento entre pessoas do mesmo sexo”, 6 de setembro de 2007:6; *Diocese de Stavanger, Igreja Estatal da Noruega*, “Resultado das audiências com sugestões para mudanças na lei do casamento à luz da lei do casamento entre pessoas do mesmo sexo”, 12 de setembro de 2007.

259 *Diocese de Tunsberg, Igreja Estatal da Noruega* “Resultado das audiências para mudanças na lei comum do casamento”, 28 de agosto 2007.

260 *Congregação das Missões da Noruega*, “Resultados das audiências da Congregação das Missões da Noruega com sugestões para a lei de casamento para pessoas do mesmo sexo”, 20 de setembro de 2007.

261 *Faculdade Eclesiástica de Teologia* “Audiência. Sugestões para mudanças na lei do casamento etc.”, 3 de setembro de 2007:5.

262 *Círculo de Proteção à Família*, “Audiências para sugestões de mudanças à lei do casamento”, 20 de setembro de 2007; *Igreja Metodista da Noruega*, “Resultado das audiências da Igreja

Igreja Evangélica Luterana Livre deixou claro que, embora entenda que "a lei permite uma relação que não está em concordância com a doutrina cristã", considera "relevantes as contribuições para o ordenamento jurídico que essas mudanças trarão para aqueles que escolheram uma vida homossexual em comum". Mesmo essa aceitação extremamente restrita representa uma ruptura radical com a tradicional ideia cristã de que era preciso fazer tudo para combater a homossexualidade no seio da sociedade. Ao enfatizar que "a compaixão pelo semelhante não deve ser limitada apenas àqueles que seguem as doutrinas da Igreja",[263] essas instituições agiram em consonância com o mandamento fundamental do cristianismo, de ajudar a todos que se encontrem em necessidade. "Compaixão" pelos homossexuais implicando também um reconhecimento de "relevantes contribuições para o ordenamento jurídico" representa igualmente uma novidade assaz radical, pois tradicionalmente a "compaixão" por homossexuais limitava-se a todos os meios possíveis, jurídicos inclusive, para *evitar* a homossexualidade.

O processo cujo final resultou na lei de união civil na Noruega oferece um panorama das mais importantes correntes religiosas em relação à sexualidade intragênero. Encontramos, aqui, a resistência tradicional *vis a vis* a uma objeção mais recente, de um novo tipo, segundo a qual a homossexualidade parece constituir o setor mais importante dentro da religião; nela encontramos tanto a tolerância mais secular — tal como é mais frequente entre aqueles que menos se atêm aos aspectos da religião — como aquela formulada em bases teológicas, própria dos fiéis mais liberais. Ao mesmo tempo, percebemos que as posturas mais radicais vêm passando por um processo muito nítido de transformação,

---

Metodista da Noruega referentes às sugestões para as mudanças da lei do casamento. Uma lei comum para o casamento hétero e homossexual", 15 de setembro de 2007; *Rede Nórdica de Defesa do Casamento*, "Comentários às notas das audiências da lei do casamento homossexual do Ministério da Infância e da Igualdade Social", de 20 de setembro de 2007:5; *Conselho Cristão Noruega*, "Resultado das audiências. Sugestões para mudanças na lei do casamento à luz da lei do casamento entre pessoas do mesmo sexo", 17 de setembro de 2007; *Associação de Escolas de Catecismo da Noruega*, "Sobre os resultados das audiências e sugestões para mudanças na lei do casamento à luz da lei do casamento entre pessoas do mesmo sexo", 20 de setembro de 2007; *Igreja dos Marinheiros*, "Resultado das audiências, lei do casamento", 25 de setembro de 2007.

[263] *Igreja Evangélica Luterana Livre*, "Lei de casamento para pessoas do mesmo sexo. Resultados das audiência da Igreja Evangélica Luterana Livre para o Departamento da Infância e da Igualdade Social sobre mudanças na legislação etc.", 5 de setembro de 2007:3.

resultando em uma aceitação parcial da homossexualidade pelos religiosos mais devotos.

Casamentos e uniões civis entre pessoas do mesmo sexo estão entre os temas mais visíveis na relação que existe hoje entre a homossexualidade e as religiões. São também um dos indicadores mais significativos da grande mudança de atitude que está em curso, particularmente no judaísmo e no cristianismo, já que um número cada vez maior de países majoritariamente cristãos e judaicos está adotado tais medidas. Em 2010, o casamento entre pessoas do mesmo sexo já estava implantado nos seguintes países (por ordem cronológica): Holanda, Bélgica, Espanha, Canadá, África do Sul, Noruega, Suécia, Portugal, Islândia, Argentina e México, bem como em uma séries de estados e regiões administrativas dos EUA. Inúmeros outros países ocidentais passaram a adotar outras modalidades de união civil. Israel, onde só é permitido o casamento religioso, reconhece matrimônios entre pessoas do mesmo sexo realizados em outros países, e, efetivamente, dá-lhes um *status* equivalente ao de casamento. O mesmo ocorre em Aruba, nas Antilhas Holandesas, no estado de Nova Iorque e na França.

Essas mudanças não ocorreram sem confrontar uma grande resistência de cristãos e outros fiéis conservadores. Na campanha do plebiscito que estendeu aos homossexuais os mesmos direitos matrimoniais na Noruega, em 2009, deputados do Parlamento recebiam telefonemas, mensagens de texto e *e-mails* com ameaças de morte de cristãos devotos[264]; a Igreja católica da Espanha organizou protestos arregimentando centenas de participantes em 2005[265]; em 2008, evangélicos na Califórnia fizeram uma greve de fome de quarenta dias (como Jesus no deserto) em apoio à moção para abolir o casamento entre pessoas do mesmo sexo[266]; judeus ortodoxos costumam radicalizar e não poupam de críticas aos demais judeus que apoiam a iniciativa nos EUA[267].

O que chama a atenção é a intensidade da resistência cristã a esse movimento. É motivada, entre outras razões, pela convicção religiosa de

[264] Fuglehaug 2008; Udjus 2008.

[265] BBC 2005a.

[266] *365gay* 2008c.

[267] Rabino Tzvi Hersh Weinreb "Orthodox response to same-sex marriage (Resposta ortodoxa ao casamento entre pessoas do mesmo sexo)", 5 de junho de 2006, http://www.ou.org/public_affairs/article/ou_resp:same_sex_marrriage/.

que o casamento é uma instituição eterna e imutável que será destruída se for aberta para novos grupos. Examinando mais de perto, é possível reconhecer as mesmas convicções anti-homossexuais, os mesmos argumentos religiosos que foram usados no passado e ainda estão em voga hoje para justificar a discriminação, a proibição total ou mesmo a pena de morte. Na verdade, o debate não acrescentou nada de novo a esse contexto.

Um grande número de organizações judaicas e cristas já apoiavam a ideia do casamento entre pessoas do mesmo sexo bem antes de a legalização figurar na agenda de debates. A Igreja Unida em Cristo dos EUA vem patrocinando cerimônias para casais homossexuais desde 1972[268]. Em 1997, a União pelo Judaísmo Reformista fez intensa pressão para a realização de casamentos religiosos judaicos para pessoas do mesmo sexo e por uma legislação comum para o casamento hétero e homossexual[269]. A United Church of Canada (Igreja Unida do Canadá), maior congregação protestante daquele país, adotou o casamento homossexual em 2003[270]. Em 2009, 68% dos pastores da Svenska Kyrkan, antiga Igreja Estatal da Suécia, diziam que eles mesmos gostariam de presidir cerimônias de casamento entre homossexuais[271].

Na África do Sul, tanto a Igreja anglicana como a SACC, congregação de todas as Igrejas do país, validaram o reconhecimento legal do casamento intragênero, ressalvando, no entanto, que seu apoio político não significava um reconhecimento religioso de tal união[272]. Por acaso, foi um evento religioso — a cerimônia de casamentos de Kevin Bourassa e Joe Varnell e Elaine e Anne Vantour, na Igreja Comunitária Metropolitana de Toronto, em 14 de janeiro de 2001 —, o fator determinante para pôr em marcha o processo jurídico que levou à legalização do casamento entre pessoas do mesmo sexo no Canadá[273].

---

268 Holben 1999:182.

269 *General Assembly Union of American Hebrew Congregation* (Assembleia Geral da União das Congregações Hebraicas Norte-Americanas) "Civil marriage for gay and lesbian Jewish couples" ("Casamento civil para casais de judeus gays e lésbicas"), de 2 de novembro de 1997, http://urj.org/Articles/index.cfm?id=7214&pge_prg_id=29601&pge_id=4590.

270 Cline 2003.

271 *Svenska Dagbladet* 2009a; *Svenska Dagbladet* 2009b.

272 *Afrol News* 2005.

273 Thompson 2003.

Em países majoritariamente católicos e protestantes há uma maioria favorável ao casamento entre pessoas do mesmo sexo, caso da Noruega, como vimos. Uma pesquisa em países da União Europeia mostrou uma tendência semelhante na Holanda, Suécia, Dinamarca, Bélgica, Luxemburgo, Espanha, Alemanha e República Tcheca, com índices que variavam de 52% a 82%[274].

A convicção de que os homossexuais têm o direito de casar entre si não é limitada a países judaico-cristãos. A Corte Suprema do Nepal, país de maioria hindu, já decidiu que homossexuais têm o direito de se casar, mas as autoridades ainda não cumprem a sentença[275]. O rei budista do Camboja, Sihanouk, também já se disse favorável ao casamento de homossexuais, sem que isso tenha tido alguma repercussão no sistema jurídico do país, no entanto [276].

Uma série de fatores parece influenciar o desenvolvimento de uma visão mais positiva da homossexualidade. É possível, entre outras coisas, identificar argumentos que têm sido utilizados para estabelecer leis de direitos humanos que consideram crime a discriminação contra homossexuais, ou ainda traçar paralelos com outros grupos tradicionalmente oprimidos, ou mesmo aprofundar a discussão sobre temas como impostos, herança, bem-estar e demais peculiaridades que afetam duas pessoas do mesmo sexo que têm uma vida em comum e são legalmente impedidas de casar. A comparação, um tanto imprecisa, que o historiador John Boswell fez entre o casamento intragênero e a maneira como a Igreja medieval dava suas bênçãos a duplas de amigos do mesmo sexo parece ter sido um dos fatores que influenciou o debate sobre o tema entre cristãos liberais na década de 1990, pelo menos na América do Norte, onde esse assunto está em pauta há mais tempo[277].

Nos países nos quais o debate sobre a igualdade de direitos matrimoniais entre héteros e homossexuais ainda é incipiente, fiéis de religiões diferentes costumam ser mais pragmáticos, ou então recorrer a tradições bem estabelecidas. Um jornal de Kano, no norte da Nigéria, afirmou que o casamento intragênero era um fenômeno ocidental;

---

274 *Angus Reid* 2006.

275 *365gay* 2008d.

276 Vanita 2005:233.

277 Boswell 1994.

causou a revolta da comunidade homossexual local, que contestou a informação afirmando que casais homossexuais eram comuns entre os muçulmanos haussás[278]. Casais homossexuais masculinos do Paquistão têm recorrido a ritos muçulmanos desde a década de 1980, embora esses casamentos não sejam reconhecidos pelas autoridades[279]. Os *hijra*, castrados ou não, às vezes desposam outros homens, novamente em cerimônias muçulmanas[280]. Sacerdotes hindus na Índia casaram várias pessoas do mesmo sexo em rituais tradicionais, tanto no interior como no exterior de templos, durante as décadas de 1990 e 2000. A reação dos familiares variou da desaprovação completa ao apoio total, neste último caso com a participação ativa nas festividades[281].

Do ponto de vista histórico, sempre houve posturas mais favoráveis à sexualidade intragênero em todas as grandes religiões mundiais, mas é difícil identificar o que contribuiu para o aumento dessa tolerância nos níveis atuais. Mesmo religiões relativamente menos homofóbicas, como o budismo e o hinduísmo, não foram resistentes o bastante para evitar uma invasão estrangeira da homofobia. Em alguns países essa invasão se deu até pela proibição legal da homossexualidade, ofuscando um comportamento historicamente bem mais liberal. A histórica tolerância muçulmana da homossexualidade discreta foi minada tanto pela homofobia cristã como pelo estilo de vida dos homossexuais ocidentais contemporâneos, sendo difícil de conciliá-la com a vida em família muçulmana tradicional. É, portanto, necessário examinar os fatores não religiosos — seja no caso das religiões que se tornaram mais homofóbicas em consequência de um maior intercâmbio com o Ocidente, seja no caso daquelas que sempre foram homofóbicas — para compreender o porquê de tantas pessoas nessas religiões terem se tornado mais tolerantes à homossexualidade hoje em dia.

Em 1791 a França descriminalizou a homossexualidade junto com qualquer outra forma de sexo consensual sustentando que proibições

---

278 Murray & Roscoe 1998:97-87-8.

279 Vanita 2005:60; *BBC* 2005b.

280 Naqvi & Mujtaba 1997:264-64-6.

281 Vanita 2005:1, 5, 6, 23, 37, 64, 68, 100, 162, 234-7.

desse tipo criavam crimes artificiais[282]. Transcorreram duzentos anos para que o sexo entre pessoas do mesmo gênero fosse legalizado em toda a Europa, mas a lei francesa foi de extrema importância porque anteviu que a proibição desse tipo de sexo, longe de ser uma necessidade, provinha de convicções religiosas e de preconceitos pseudorreligiosos comuns à maioria das pessoas. Essa lei teve consequências diretas imediatas, pois foi difundida por meio das guerras napoleônicas, e assim, copiada em muitos outros países cristãos. E a lógica que a fundamentou é a mesma utilizada por organizações de defesa dos direitos dos homossexuais ao longo dos séculos XX e XXI. Crenças religiosas ou preconceitos derivados delas não podem ser utilizados para proibir ou punir relacionamentos tão nitidamente pertinentes à esfera privada. O mesmo princípio repetidas vezes foi empregado pela Corte Europeia de Direitos Humanos e pelo Comitê de Direitos Humanos da ONU[283].

As décadas recentes, que mudaram a conduta religiosa em relação à homossexualidade, também podem ser analisadas à luz de um crescimento generalizado da liberdade e da igualdade em diversos setores da sociedade moderna. A reiterada objeção de conservadores religiosos a qualquer um desses projetos de progresso social é um padrão facilmente observável, a despeito de a questão se tratar de igualdade de gênero, etnia ou *status* social, seja para héteros ou homossexuais. Ainda assim, um contingente maior de fiéis de tendência mais liberal rapidamente se adaptou para incorporá-los à sua visão de mundo. E, como cada vez mais pessoas assumem sua homossexualidade abertamente, isso também influenciou as religiões sob uma perspectiva interna.

O discurso religioso não era particularmente importante no início da luta para promover a aceitação da homossexualidade, porém, é essencial para aqueles que querem *manter* a perseguição e a discriminação de homossexuais, e têm como base a interpretação conservadora de autoridades religiosas. Ao longo das últimas décadas, é possível constatar que outros argumentos também foram utilizados na defesa da

282 Sibalis 1996:82.

283 Na Corte Europeia de Direitos Humanos, por exemplo, os casos de *Dudgeon vs. Reino Unido*, de 22 de outubro de 1981, *Norris vs. Irlanda*, de 26 de outubro de 1988, *Modinos vs. Chipre*, 22 de abril de 1993, *Smith & Grady vs. Reino Unido*, de 27 de setembro de 1999, e *S.L. vs. Áustria*, de 9 de janeiro de 2003. Também no Comitê de Direitos Humanos da ONU, no caso de *Toonen vs. Austrália*, de 4 de abril de 1994.

perseguição e discriminação, mas, ainda assim, vemos que os protagonistas nesse cenário são indivíduos e instituições associados ao conservadorismo religioso. Quando examinamos de perto os argumentos laicos de que se valem — afirmações sobre a natureza humana, a família como núcleo da sociedade e o contraste entre os direitos infantis e paternos —, percebemos que só são utilizados com o propósito de limitar os direitos de homossexuais. O discurso laico é, portanto, empregado com o mero propósito de substituir o anterior, deixado de lado porque o controle religioso da vida alheia não é mais tolerado na maioria das sociedades judaico-cristãs de hoje. Quase todos os esforços empreendidos para preservar, reforçar ou reintroduzir proibições de sexualidade intragênero ou para discriminar homossexuais estarão, em última análise, fundamentados na objeção religiosa. O mesmo vale para a resistência à homossexualidade que surgiu, nas décadas mais recentes, em países onde predominam outras religiões. A tolerância mais generalizada a arranjos familiares para homossexuais impossibilita, hoje em dia, que fiéis homofóbicos vejam refletidos na sociedade seus ideais religiosos. Claro está que isso também vale para outras formas de comportamentos que vão ao encontro dos ideais religiosos de grupos conservadores; mas como esses grupos costumam dar tanta atenção à homossexualidade — e também devido à projeção recente que os homossexuais conquistaram —, a homofobia sobressai nesse contexto.

Como todas as proibições legais contra a homossexualidade direta ou indiretamente têm como ponto de partida uma visão religiosa de mundo, não chega a surpreender o fato de que a oposição à sua legalização também seja de cunho eminentemente religioso. Fiéis de todos os tipos defendem suas convicções religiosas para que continuem a ter força de lei. A Igreja Calvinista da Escócia apoiou a manutenção da proibição, contribuindo para uma vasta minoria na votação contra a descriminalização, em 1980[284]. Na Irlanda do Norte, as Igrejas Católica e Presbiteriana queriam manter o veto e a homossexualidade só foi descriminalizada em 1981, depois de um julgamento na Corte Europeia de Direitos Humanos, em Estrasburgo[285]. Ian Paisley, ministro presbiteriano

---

[284] Davis 2006:152-3.

[285] *Dudgeon vs. Reino Unido*, julgamento da Corte Europeia de Direitos Humanos, de 22 de outubro de 1981, §25.

e líder unionista de um país que então sofria com as consequências de um conflito que mais se assemelhava a uma guerra civil, afirmou: "O crime da sodomia é um crime contra Deus e contra o homem, e sua prática é um passo na direção da desmoralização total de qualquer país; portanto, levará inevitavelmente ao colapso de qualquer decência remanescente nesta província"[286]. Quando a Suprema Corte da Irlanda do Norte manteve a condenação da homossexualidade em 1983, o argumento foi de que ela "sempre foi considerada uma conduta moralmente errada pela doutrina cristã"[287]. Na Romênia, a Igreja Ortodoxa liderou a campanha pela manutenção da condenação da homossexualidade, muito embora o país tenha assumido o compromisso de abolir a lei ao se tornar um membro do Conselho da Europa, em 1993[288]. A liderança da Igreja e a população em geral agiam em grande consonância nesse particular, e uma pesquisa realizada em 2000 revelou que 86% dos romenos não gostariam de ter vizinhos homossexuais, masculinos ou femininos que fossem[289]. A despeito da oposição total da Igreja, o Parlamento romeno derrotou a proibição em 2000 depois que ficou claro que a medida era um pré-requisito absolutamente necessário para o país ingressar na União Europeia. A União de Estudantes Cristãos Ortodoxos encabeçou, então, uma campanha maciça contra os parlamentares, acusando-os de ateísmo e imoralidade[290], enquanto o líder da Igreja Ortodoxa Romena, o patriarca Teoctist Arapasu, conhecido pelo apoio incondicional que deu até o último minuto ao ditador comunista Ceausescu, alertou que "o mal ameaça alastrar-se pelo mundo"[291]. Durante o governo do Partido dos Trabalhadores, em 1954, quando primeiro se sugeriu a revogação do parágrafo 213 da lei penal norueguesa, que proibia o sexo entre homens, a moção foi derrotada pelo Parlamento, cuja maioria à época pertencia ao mesmo partido. A Igreja Estatal da Noruega participou ativamente dos debates e trabalhou para que a moção fosse derrotada. No pronunciamento

---

[286] Davis 2006:154.

[287] *Norris vs. Irlanda*, julgamento da Corte Europeia de Direitos Humanos, de 26 de outubro de 1988.

[288] Ramet 2006b:167.

[289] Ramet 2006b:168.

[290] Stan & Turcescu 2007:177.

[291] Ramet 2006b:171.

do concílio de bispos realizado sobre o assunto, afirmou-se que a alteração legal constituir-se-ia na "legalização de uma conduta perversa e depreciativa, que entra em choque tanto com os interesses sociais como com a visão moral cristã". Em vez de abolida, a lei deveria passar a proibir também o sexo entre mulheres[292], de forma que "condutas homossexuais" sejam encaradas "como os atos perversos e abomináveis que de fato são". Segundo a Igreja, a Noruega estava "diante de uma questão social de dimensões mundiais"[293]. Mesmo assim, em 1971 os bispos apoiaram a revogação da lei, uma decisão que provavelmente foi influenciada pela nova compreensão em vigor de que a homossexualidade era inata, e os homossexuais não podem ser culpados por sua situação[294]. Esse apoio não pode ser visto como uma aceitação da homossexualidade como tal, algo que afinal emergiu muito claramente na tomada de posição da Igreja da Noruega em relação à questão da união civil, em 1993. Nem mesmo os cristãos estavam de acordo com a estratégia de legalização, levada a termo pelos bispos, de uma condição percebida como própria dos "pobres homossexuais" e de sua trágica "marca de nascença". Quando a revogação da lei que criminalizava a homossexualidade foi novamente levada à votação do Stortinget, em 1972, o Partido Popular Cristão votou em bloco por sua manutenção.

Embora muitos cristãos tenham consistentemente encetado campanhas almejando uma maior liberalização social em relação à homossexualidade, há também aqueles que desejam o retorno de antigas restrições legais. Quando a Nicarágua reintroduziu a condenação da homossexualidade, em 1992, a medida foi encabeçada por conservadores cristãos e recebeu o apoio expresso do cardeal Miguel Obando y Bravo[295]. Imediatamente depois da legalização do sexo entre homens na Índia, em 2009, o Comitê Mizoram Kohhram Hruaitute — organização que congrega várias igrejas — exigiu que a condenação fosse reintroduzida no estado de Mizoram[296]. Na

---

292 Moxnes 2001:61.

293 *Concílio Episcopal*, 1954, citado no *Boletim do Storting (Parlamento) nº 25 (2000-20-2001)*:10.3.

294 Aqui, o relatório holandês Speijer, de 1969, desempenhou um papel central. O relatório concluiu que seria pouco provável que a sedução de crianças e jovens tivesse implicações que conduzissem à homossexualidade na idade adulta. Cf. Moxnes 2001:61; Kjær 2003:59.

295 *Envío Team*, 1992.

296 Hmar 2010.

Polônia, o Partido da Liga da Família Polonesa sugeriu, em 2004, a criação de campos de aprendizado, modelados de acordo com a revolução cultural chinesa, para homossexuais masculinos e femininos[297]. Uma pesquisa de opinião realizada em 2003 nos EUA, país majoritariamente católico, mostrou que 37% da população acreditavam que a homossexualidade deveria ser considerada ilegal[298]. Bispos anglicanos da Nigéria propuseram a adoção da pena de morte para homossexuais[299], e em 2006 o arcebispo Peter Akinola deu seu apoio a uma proposta de lei que não apenas proibiria o sexo intragênero, mas também revogaria uma série de direitos humanos assegurados, proibindo afirmações de identidade e revogando o direito de reunião de homossexuais masculinos e femininos — neste último caso, seria considerado ilegal se um casal de pessoas abertamente homossexuais fosse junto a um restaurante ou cinema[300]. Em 2012, a Igreja anglicana de Uganda apoiou uma proposta de lei que significaria a pena de morte para a homossexualidade, a despeito da condenação de outros cristãos, dentro e fora de Uganda[301]. Alguns cristãos levam a questão para o lado mais pessoal. Otto Odongo, membro do Parlamento de Uganda, declarou que mataria seu filho se soubesse que era homossexual[302]. Jimmy Swaggart, tele-evangelista norte-americano e certamente irmão espiritual de Odongo, declarou o seguinte à sua audiência, em 2004: "Em minha vida inteira, nunca vi um homem com quem eu quisesse me casar. E vou ser bem direto agora: se alguém me olhar com essa intenção, vou matá-lo e dizer isso a Deus"[303]. Nesse ponto, a plateia o aplaudiu.

---

297 Ramet 2006a:127.

298 Newport 2003.

299 Bates 2004:137; Pritchard 2007.

300 Osodi 2006. Parcialmente devido à imensa pressão internacional, a proposta foi congelada em 2007.

301 Arcebispo Henry Luke Orombi, "Church of Uganda's position on the antihomosexuality bill 2009" ("Posição da Igreja de Uganda sobre a lei contra a homossexualidade de 2009"), 9 de fevereiro de 2010, http://churchofuganda.org/wp-content/uploads/2010/02/COU-official-position-on-the-AntiHomosexuality-Bill-2009..pdf.

302 Garcia 2010.

303 *Canadian Broadcast Standards Council (Conselho de Padrões de Comunicação Social do Canadá). Ontario Panel,* 2005.

Religiosos de outras crenças empreenderam esforços de maneira semelhante para manter ou introduzir proibições e discriminações ao sexo intragênero. Nacionalistas hindus indianos defenderam ativamente a proibição vitoriana ao código penal da Índia, alegando pressões da opinião pública. Segundo a visão de mundo dos nacionalistas hindus, não exatamente a mais correta, a homossexualidade não existia no hinduísmo original, mas foi trazida por muçulmanos e pelos imperialistas cristãos durante as épocas medieval e moderna[304].

Sempre que puderam, fundamentalistas islâmicos também tentaram, por todos os meios, restringir os diretos humanos para homossexuais. No Irã, sob o regime pouco democrático do xá, pessoas abertamente homossexuais podiam viver em paz, mas a revolução islâmica de 1979 levou novamente à adoção da pena de morte e a uma perseguição sistemática que talvez não tenha nenhum paralelo na história. Homens foram enforcados por ser homossexuais em todas as cidades iranianas[305] e outros foram fuzilados nas ruas após um breve interrogatório[306]. A organização muçulmana homossexual Al-Fatiha suspeita que quatro mil indivíduos foram condenados por ser homossexuais desde a revolução, a maioria deles em primeira instância[307], mas ninguém é capaz de dizer a quantidade exata. De maneira semelhante, a reintrodução da *sharia* no Afeganistão sob o Talibã, no Sudão e em províncias do norte da Nigéria, resultou na pena de morte para o sexo entre homens. No Afeganistão, a execução costumava ser feita derrubando-se um muro sobre o acusado. Depois da queda do regime talibã, as cortes afegãs passaram a condenar à prisão perpétua homens que faziam sexo com outros, embora, em princípio, a conduta ainda seja passível da pena capital.

Completamente novo nesse quadro é um fenômeno que começou a surgir no final do século XX: o crescimento constante do ativismo de homossexuais no seio de suas respectivas religiões. Esse ativismo costuma tomar a forma de movimentos próprios, como o Grupo Eclesiástico

---

304 Kapur 2005:84.

305 Seliktar 2000:135-65-6.

306 Millett 1982:109.

307 Baird 2001:68.

Aberto da Noruega, um movimento ecumênico. O grau de impacto desses grupos varia bastante entre os fiéis. Nos EUA, homossexuais batistas estabeleceram suas próprias organizações em 1972; episcopais, em 1974, adventistas em 1976; evangélicos em 1975, anabatistas em 1976 e mórmons em 1977. Existem organizações ativas também entre luteranos, ortodoxos, batistas do sul, católicos, quacres, unitários e devotos da ciência cristã[308]. De maneira idêntica, judeus homossexuais estabeleceram sinagogas próprias em Nova Iorque, São Francisco e Los Angeles na década de 1970[309]. Esses movimentos, porém, não implicam necessariamente um aumento da aceitação homossexual pelas religiões às quais pertencem. Na década de 1980, o grupo homossexual católico Dignity obteve permissão para realizar seus encontros em igrejas dos EUA, mas uma decisão superior pôs um fim a isso logo em seguida[310].

A organização homossexual muçulmana Al-Fatiha foi fundada nos EUA em 1998, e desde então já se estabeleceu também na Grã-Bretanha, Canadá e na África do Sul[311]. Paralelo ao trabalho de estabelecer comunidades e parcerias relativas aos direitos humanos em geral, o grupo argumenta, junto com os demais muçulmanos liberais, que a homossexualidade é compatível com o islã, da mesma forma que fazem cristãos e judeus liberais em relação às suas crenças. Na Noruega, homossexuais muçulmanos se reuniram em torno da organização Skeiv Verden (Mundo Bizarro), participaram de paradas *gays* e deram visibilidade à causa. Organizações homossexuais em países predominantemente muçulmanos como Bósnia, Cazaquistão, Líbano e Turquia, assim como as paradas *gays* de Istambul e Sarajevo, também contribuíram para aumentar a consciência do islã em relação aos homossexuais muçulmanos. Eles embasam seus argumentos no Alcorão e nos *hadiths* e chamam a atenção para os séculos de tolerância muçulmana em relação à homossexualidade[312]. Dada essa longa tradição, chega-se a afirmar que a homofobia só é predominante, hoje, em países

308 Wilcox 2003:337-87-8.

309 Alpert 2003:189.

310 Holben 1999:112.

311 Goldman 1999.

312 Ver, por exemplo, Manum 2007.

muçulmanos por influência ocidental, e não em decorrência das tradições do islã[313]. O sexo entre mulheres jamais chegou a ser proibido, nem pelo Alcorão nem pelas tradições, ainda que os muçulmanos de hoje o equiparem ao sexo entre homens e condenem a ambos. E mesmo no tocante à questão de viver uma vida exclusivamente homossexual, existe uma série de exemplos nem sempre tão conhecidos assim, aos quais os muçulmanos contemporâneos podem recorrer, como vimos no decorrer deste capítulo.

Embora o hinduísmo tenha historicamente uma postura mais relaxada em relação à sexualidade intragênero, esse não é mais o caso. A influência legal e secular exercida pelo poder colonial cristão resultou em uma atitude negativa da maioria dos hindus em relação à homossexualidade. Portanto, a homofobia agora faz parte do credo hindu — o que de forma alguma implica a existência de um consenso entre os fiéis. Em 2004, ao entrevistar sacerdotes que participavam do festival *kumbha mela* sobre sua posição acerca da homossexualidade e do sexo intragênero, um repórter do *Hinduism Today* ouviu opiniões que variavam bastante. Alguns pensavam que tudo estava ligado à influência ocidental, outros consideravam a homossexualidade "desnaturada, incomum e inusitada", sem apresentar justificativa teológica para tanto; outros diziam que o assunto dizia respeito somente ao indivíduo, enquanto outros mais argumentavam a favor do tema[314].

Ativistas pró-homossexualismo hindus cada vez mais citam as tradições hinduístas dos tempos anteriores à colônia, bem mais favoráveis à sua causa, na crítica que tecem aos nacionalistas hindus, insistindo para que simpatizantes da extrema direita leiam antigos textos sagrados e estudem mais detidamente a história da Índia para perceber até que ponto a homofobia dos dias de hoje é, em grande parte, resultado da importação de valores e legislação britânicos, afora os eventos históricos mais recentes[315]. As reações que sucederam ao documentário *Fire*, de 1996, de Deep Mehta, que aborda um caso de amor entre duas cunhadas, dá um bom exemplo das contradições existentes hoje nessa religião. Militantes do partido nacionalista hindu Shiv Sena atacaram

---

313 Abu Khalil 1993:32.

314 Malik 2004.

315 Vanita 2005:30.

cinemas e acusaram o filme de ser contrário à cultura indiana. Outros hindus, por sua vez, defenderam o filme exatamente por exaltar a tradicional aceitação que o hinduísmo tem da homossexualidade[316].

As atitudes mais liberais presentes na sociedade hindu moderna também resultam da luta internacional pelo estabelecimento de direitos homossexuais, bem como do reconhecimento, por parte de um crescente número de hindus, de que a homofobia decorre da influência britânica. Em 2007, a Suprema Corte do Nepal hindu, por exemplo, decidiu que a homossexualidade deveria ser legalizada, e hétero e homossexuais passaram a ter direitos iguais[317]. E em 2009 um tribunal indiano revogou a proibição legal ao sexo entre homens[318].

As mudanças nas atitudes do hinduísmo são particularmente notáveis entre as classes médias, o que também é o caso em outras comunidades religiosas. Uma pesquisa realizada com hindus no sul da Flórida mostrou que 20% aceitam relações entre pessoas do mesmo sexo, 20% as consideram "imorais" e os 60% restantes as consideram "pessoalmente inaceitáveis, mas as pessoas devem ter o direito viver a vida que desejam"[319].

O reconhecimento religioso do casamento homossexual, o clamor pela pena de morte, uma liberalização maior dos costumes sociais, o surgimento de grupos religiosos homossexuais e um esforço crescente empreendido pelas religiões na manutenção da discriminação formam um quadro bastante complexo. A maioria dos fundamentos em relação ao sexo intragênero encontrados na origem das diversas religiões perdura até os nossos dias. Mas, mesmo as pessoas oriundas dos setores religiosos mais conservadores tiveram que se adaptar a costumes mais novos e mais liberais, principalmente diante da existência de outros fiéis da mesma religião dotados de outra visão, mais tolerante, em relação à homossexualidade. Simultaneamente, a homossexualidade passou a ser considerada uma ameaça maior que qualquer outra à religião no contexto atual. Essa postura extrema, por vezes até colérica, comum a tantos meios religiosos, é também uma novidade

316 Vanita 2005:29.

317 *BBC* 2007c.

318 Timmons & Kumar 2009.

319 Mishra 2000:184.

em si. Longe de que isso possa ser compreendido como uma forma de aceitação, a homossexualidade sempre foi um "não assunto" nos círculos religiosos. Simplesmente era um tema sobre o qual não se deveria falar. Hoje em dia, não é mais assim em lugar nenhum. Uma mídia puramente homossexual disputa espaço com os meios de comunicação mais conservadores.

Não existe uma abordagem totalmente abrangente da relação entre homossexualidade e religião, tampouco uma compreensão igualmente abrangente da relação entre homossexualidade e uma religião específica. Mas, examinando individualmente cada uma das religiões, é possível identificar tendências bem diversas.

O budismo é uma religião com uma vasta gama de tendências mais novas. No Japão, com sua mistura de budismo e xintoísmo, onde a aceitação original do sexo entre homens foi desaparecendo à medida que o país foi se modernizando, novamente é possível identificar uma tolerância crescente. É um fenômeno que resulta da luta pelos direitos humanos para os homossexuais que tem origem no Ocidente, mas também tem a ver com o reconhecimento de antigas concepções religiosas locais. Países budistas como Tailândia e Camboja sediam suntuosas paradas *gays*, cada vez mais populares, e a própria Tailândia converteu-se em um paraíso do turismo homossexual devido à sua postura mais tolerante em relação ao tema, aliada a uma adoção cada vez maior de um padrão de vida em que é possível viver exclusivamente como homossexual. Melhores condições econômicas e a consciência do que representa o estilo de vida homossexual moderno têm contribuído para que um número crescente de *gays* leve uma vida de forma independente de suas famílias. Surgiram várias organizações homossexuais próprias em países como Tailândia, Japão, Taiwan e muitos outros[320]. Nos países ocidentais, o budismo é geralmente muito tolerante. Alguns dos primeiros abrigos para pacientes soropositivos foram, por exemplo, instituídos por zen-budistas de São Francisco[321].

---

320 Cabezón 1993:94.

321 Wilson 2003:167; Conkin 1998.

De maneira bastante semelhante ao que ocorreu no Japão, mas na direção oposta, a modernização contribuiu também para a instalação da homofobia e o aumento do antagonismo aos homossexuais nos demais locais. Fica a impressão de que o Dalai Lama, o divino rei do Tibete no exílio, esquece como o comportamento homossexual é comum entre os monges tibetanos; em várias ocasiões, afirmou que a homossexualidade se choca contra os princípios budistas, pois a vagina seria o único orifício apropriado para fins sexuais. A despeito disso, o Dalai Lama não faz uma clara distinção entre a conduta sexual que considera correta para os budistas e os direitos humanos que protegem homossexuais e sua vida privada. Ao passo que crê que os ensinamentos budistas proíbem o comportamento sexual, o rei divino não deseja ver esse mesmo comportamento incorporado à legislação de país nenhum[322].

No Ocidente foram criados também grupos homossexuais budistas. Uma rápida pesquisa na internet mostra que é possível encontrar nos maiores países ocidentais diversos desses grupos, identificados com as principais tendências do budismo.

Em geral, a homossexualidade é bem tolerada pelos judeus liberais de hoje. Ao longo da década de 1980, homossexuais assumidos passaram a ser aceitos pelos judeus reformados, seja como fiéis ou rabinos[323]. Mesmo entre os ortodoxos, uma mudança na direção de uma aceitação mais abrangente está em pleno curso. Judeus conservadores concordaram, a partir de 2006, em adotar duas posturas distintas. A primeira, a mesma do judaísmo rabínico durante séculos, é uma rejeição geral a toda forma de homossexualidade. A segunda dá o mesmo *status* a héteros e homossexuais no que diz respeito ao casamento e permite que *gays* se tornem rabinos. Essa posição é, contudo, baseada em uma interpretação absolutamente literal da Torá e admite a homossexualidade, mas exclui a possibilidade do sexo anal entre homens, por ser a única atividade expressamente proibida pela Bíblia judaica[324]. O filme *Trembling before G-d*, sobre judeus homossexuais ortodoxos, foi exibido para um grandes comunidades ortodoxas. Sinagogas liberais e conservadoras dos EUA já se manifestaram oficialmente demonstrando

322 Alpert 2003:189.
323 Spence 2006.
324 Dorff 2005:226.

seu apoio incondicional à defesa de direitos humanos integrais para homossexuais e condenando qualquer forma de homofobia[325]. Ao longo dos últimos anos, Israel tornou-se o país mais liberal do Oriente Médio para com homossexuais, tanto no que diz respeito à legislação como nas atitudes dos cidadãos comuns. O país abriga também a maior comunidade homossexual da região.

Ao mesmo tempo, ainda é possível constatar um forte preconceito contra os homossexuais no judaísmo. Em 2007, Nissim Ze'ev, rabino ultraortodoxo e deputado do Knesset (Parlamento israelense), sugeriu que todos os homossexuais do país fossem enviados à força para campos de reabilitação especialmente construídos com esse fim[326]. Três participantes da parada *gay* de 2005 em Jerusalém foram esfaqueados por um extremista judeu e outros foram alvos de fezes e urina arremessadas por judeus radicais que protestavam contra o evento[327]. Em 2006, extremistas judeus distribuíram panfletos prometendo uma recompensa de 3 mil libras esterlinas para qualquer pessoa que matasse um homossexual durante a parada. O panfleto ensinava também, passo a passo, a manipular um coquetel molotov para ser arremessado nos participantes[328].

A exemplo do que ocorre em outras religiões, um número crescente de muçulmanos que vivem no Ocidente ou em um ambiente de classe média em países muçulmanos opta por viver exclusivamente como homossexuais. Em países ocidentais em particular, e em grandes cidades de países muçulmanos, encontramos adeptos dessa religião adotando uma identidade *gay* masculina ou feminina, e no documentário *A Jihad for Love* debatem a própria condição face ao crescimento da tolerância e do antagonismo à sua opção ou condição sexual. Mesmo em sociedades muçulmanas como vilarejos costeiros da África oriental, onde havia uma típica tolerância às pessoas que adotavam uma vida totalmente homossexual, existe uma tendência crescente de que as categorias de gênero anteriormente aceitas deem lugar a uma concepção mais

---

325 Meranda 2007.

326 Peters 2005.

327 *365gay* 2006b.

328 Sharma 2007.

ocidental da homossexualidade[329]. O anonimato das cidades grandes, nas quais o nível de controle social não é tanto, significa que mesmo homens de menos posses podem viver juntos como casais. É esse o caso nas grandes metrópoles do Paquistão, embora, em muitos casos, os próprios homens não se considerem homossexuais[330].

Muçulmanos exclusivamente homossexuais ainda são a minoria dos que praticam esse tipo de sexo entre os fiéis dessa religião, assim como é o caso também em outros grupos religiosos. O panorama geral em países majoritariamente muçulmanos foi pouco afetado pelo pensamento moderno e padrões mais tradicionais continuam prevalecendo: isto é, desde que um homossexual não abandone publicamente o papel do "homem ativo", e desde que mantenha sua sexualidade estritamente privada, não haverá problemas quanto ao sexo que pratica. Por causa das regras rígidas de contatos entre os gêneros no Paquistão muçulmano, é mais fácil para os solteiros levar jovens amantes do que garotas para seus dormitórios[331]. Mesmo em países como o Irã, onde o sexo entre homens é punido com a morte, esse é um costume extremamente comum, e 16% dos iranianos admitem já ter tido experiências homossexuais[332]. O antropólogo norte-americano Jerry Zait, homossexual que não faz segredo de sua promiscuidade, disse o seguinte sobre os quatro anos que passou em Teerã, na década de 1990: "O Irã foi para mim, e para outros como eu, um paraíso sexual. Em termos de quantidade e qualidade, foi a época mais estimulante de minha vida"[333]. No sul do Afeganistão, homens solteiros que fazem sexo com outros homens explicam que as mulheres não são apenas inacessíveis, mas também ficam inteiramente cobertas: "Não conseguimos saber se são bonitas. Mas podemos observar os garotos e saber quais deles são atraentes"[334]. A maioria desses homens é casada apesar disso, ou ainda vai se casar, a exemplo dos motoristas de caminhão paquistaneses[335]. Mesmo homens que vendem sexo a outros não são exatamente

---

329 Amory 1998:86.

330 Mujtaba 1997:270.

331 Mujtaba 1997:273.

332 *UK Gay News* 2009.

333 Zarit 1992:55.

334 Reynolds 2002.

335 Agha 2000: tab. 1, cf. Khan & Hyder 1998.

incomuns na história de alguns países muçulmanos[336]. Embora não seja condenado nem pelo Alcorão nem pelos *hadiths*, o sexo lésbico, por outro lado, acha-se hoje em uma condição bastante discreta ou mesmo invisível — como sempre foi ao longo da história[337].

A resistência enfrentada pelos muçulmanos que praticam sexo homossexual é geralmente voltada contra um padrão mais recente de comportamento, de inspiração ocidental, de homens que vivem exclusivamente como homossexuais — e não contra a homossexualidade em si, sobretudo se ela se dá em paralelo a uma vida familiar nos moldes mais tradicionais. Aqui também percebemos algumas mudanças em curso. Muitas famílias muçulmanas passaram a aceitar a homossexualidade de seus filhos, e encontros discretos entre homossexuais são cada vez mais aceitos. O político muçulmano Afshan Rafiq, membro da direita norueguesa, critica seus irmãos de fé que não condenam a discriminação e a perseguição aos homossexuais: "Se você tem uma tendência homossexual, essa é uma questão que diz respeito a você e a Deus [...] Somente Deus [...] pode nos julgar"[338]. Na Turquia, uma aliança política estabeleceu-se entre travestis homossexuais e mulheres devotas que defendem o direito de usar o *hijab* em público[339].

Nos círculos mais íntimos, em países onde a homossexualidade é mais tolerada, o preconceito pode se manifestar de maneira ainda mais forte — por exemplo, quando um jovem muçulmano exterioriza o desejo de não se conformar à tradicional estrutura familiar heterossexual. Jovens muçulmanos homossexuais na Noruega sofrem desde ameaças de morte até espancamentos — perpetrados por parentes próximos. Não é incomum familiares quebrarem os braços de jovens adolescentes homossexuais[340]. Essa postura varia muito conforme o país do ocidente onde os muçulmanos residam. Uma pesquisa de 2008 entre os muçulmanos residentes em Berlim, Paris e Londres mostrou que,

---

336 Mujtaba 1997:267-68.

337 De Martino 1992:25,27; Schmitt 1992:7; Murray 1997a:16-16-17; Eder, Hall & Hekma 1999:7-87-8.

338 Afshan Rafiq & Bente Bakken, *Utfordringer og muligheter (Desafios e possibilidades)*. Oslo: Cappelen Damm 2008:118.

339 *Economist* 2008.

340 Lecomte 2007.

respectivamente, 26, 18 e 4% dos entrevistados consideravam a homossexualidade "moralmente aceitável"[341].

O regime xiita do Irã criou uma situação singular para os homossexuais. Já vigorava a pena de morte para o sexo entre homens quando, em 1979, o aiatolá Khomeini editou uma fátua reconhecendo o direito a cirurgias de mudança de sexo para pessoas com diagnóstico clínico de transexualismo. Após a cirurgia, é feito o reconhecimento formal, legal e religioso, do novo sexo e assegurado o pleno direito de contrair matrimônio com qualquer um que pertença ao seu mesmo sexo biológico anterior[342]. Como mostrou o documentário *Be Like Others*, de 2008, muitos homossexuais se submeteram à cirurgia para que lhes fosse garantido o direito legal de ter uma relação com pessoas do gênero a que pertenciam[343].

A questão da homossexualidade ocasionou rupturas mais profundas no mundo cristão. A Igreja anglicana é um bom exemplo das profundas discordâncias internas no cristianismo atual. De um lado estão os bispos da Nigéria e de Uganda defendendo a pena de morte e a proibição de homossexuais em restaurantes. Do outro está Gene Robinson, ordenado bispo em New Hampshire (EUA), que é casado com outro homem. Essa cisão é refletida na maioria dos países onde o anglicanismo é difundido.

A oposição mais ferrenha é encontrada hoje em lugares que até pouco tempo sediavam missões cristãs, particularmente em grandes partes da África. Uma objeção extrema à sexualidade intragênero é, todavia, bem mais rara nos demais países. Mesmo aqueles grupos religiosos que realizam um trabalho consistente contra a equiparação de héteros e homossexuais são capazes de reagir de forma diferente a ataques mais violentos. Em 1995, Robert Mugabe, presidente do Zimbábue, afirmou que homossexuais eram inferiores a animais, e imediatamente a Comissão Católica para Justiça e Paz do país sustentou que o respeito pela vida privada do indivíduo também valia para os homossexuais[344].

---

341 Rheault & Mogahed 2008.

342 Harrison 2005; Eshaghian 2008.

343 Eshaghian 2008.

344 Afshan Rafiq & Bente Bakken *Utfordringer og muligheter*. Oslo: CappelenDamm 2008:118.

Certos argumentos adotados por cristãos têm nítidas semelhanças com os utilizados anteriormente por defensores da segregação social nos EUA, segundo os quais a aspiração de igualdade que os negros nutriam seria irrelevante porque já existia — por meio da segregação. A organização lobista *Focus on the Family*, de cunho fundamentalista, assim como outros grupos cristãos norte-americanos conservadores, diz não ser contrário à equiparação de direitos entre heterossexuais e homossexuais: alega apenas que estes não deveriam ter "direitos especiais". Com isso, referem-se ao direito de contrair matrimônio, ao fim da discriminação nas forças armadas e à abolição de leis discricionárias remanescentes em alguns estados, que proíbem o sexo entre homens[345].

Durante a maior parte de sua história o cristianismo defendeu a perseguição implacável a homossexuais, mas os argumentos vigentes no passado são raramente vistos hoje em dia. Na verdade, a maioria dos cristãos homofóbicos fecha os olhos a essa trajetória sangrenta. Como os países majoritariamente cristãos de hoje não mais consideram adequado punir o sexo consensual recorrendo a métodos como fogueira, forca e afogamento, tornou-se muito mais importante dissociar a perseguição de hoje daquela empreendida no passado, muito embora ambas se baseiem nas mesmíssimas passagens bíblicas.

Os poucos versículos bíblicos que abordam a homossexualidade são uma fonte de enorme controvérsia entre cristãos. A condenação, por são Paulo, da homossexualidade como algo contrário aos "costumes naturais" destaca-se nesse particular[346], pois muitas pessoas são da opinião de que ele não condena os relacionamentos homossexuais monógamos, e, portanto, a passagem deveria ser interpretada como uma mensagem de Paulo acerca das relações amorosas como um todo. Raramente recorre-se hoje em dia ao Pentateuco para embasar a condenação ao sexo entre homens, uma vez que as leis constantes naquele Evangelho foram há muito revogadas e o Velho Testamento não mais constitui fonte relevante, para a maioria dos cristãos, de normas e proibições. Embora seja preciso exercitar bastante a criatividade para interpretá-lo com o objetivo de dar sustentação à homofobia, o relato

---

345 *Economist* 2008.

346 Taneja 2010.

bíblico da criação é utilizado com frequência para condenar a homossexualidade, da mesma maneira como foi utilizado tantas vezes no passado para evitar o casamento entre pessoas de diferentes tons de pele.

No que se refere à postura da Igreja católica em relação à homossexualidade, existe um enorme hiato entre o que dizem os clérigos e as atitudes da maioria dos fiéis, bem semelhante ao que ocorre na questão da contracepção. Em países da Europa e das Américas, os católicos estão entre os setores mais liberais da população em termos de sua atitude para com a homossexualidade. Mesmo no âmbito da hierarquia católica não encontramos uma correspondência total entre a vida prática e a doutrina, uma vez que boa parte do clero é integrada por homossexuais. Diversos estudos sugerem que esse número varia entre 25% e 50%[347]. Além disso, há um grande contingente de eminências decanas na Igreja católica que se opõem vigorosamente à política oficial. José Policarpo, cardeal e arcebispo português, não apenas externou seu apoio à extensão de alguns direitos para casais homossexuais, como também foi acusado de ter feito um pacto de silêncio com o governo de Portugal quando da legalização do casamento entre pessoas do mesmo sexo no país, em 2010[348].

Em vários países onde o cristianismo é a religião principal, as mudanças em relação à homossexualidade chegaram a um ponto em que a aceitação e a tolerância parecem naturais para a maioria das pessoas. Alguns líderes cristãos conservadores — como Espen Ottosen, da Congregação de Missões Luteranas da Noruega —, manifestam, provavelmente com razão, certa preocupação pelo fato de que pessoas que ainda condenam a homossexualidade possam ser alvo de discriminação por fazê-lo[349]. Novamente, podemos associar isso à habitual postura discriminatória desses religiosos, que já não conseguem mais propagar suas crenças sem produzir uma reação negativa a elas.

Na Noruega, manifestações de cristãos conservadores costumam resultar em uma mobilização que mexe até com a grama dos cemitérios da Igreja estatal. Foi o caso em 2008, quando a missão do condado de Nordmøre og Romsdal organizou uma semana de boicote à comuna

347 Rheault & Mogahed 2008.

348 Harrison 2005; Eshaghian 2008.

349 Eshaghian 2008.

de Fræna e a seu pastor simpatizante da causa homossexual, e, em vez disso, no domingo seguinte as igrejas locais ficaram lotadas de fiéis[350].

Até a década de 1980, homossexuais estavam virtualmente ocultos dos espaços públicos e privados em países cristãos. Desde então, criou-se um movimento que se revigora à medida que mais pessoas se juntam a ele, o que contribuiu também, é claro, para um aumento da tolerância entre amigos e conhecidos — e, portanto, fez que ainda mais pessoas simpatizassem com a causa. Não é possível ignorar o quanto tudo isso influenciou a postura da doutrina cristã. Quando aquilo que é condenado não são mais meras figuras abstratas, mas sim nossos próprios vizinhos, amigos, filhos e irmãos, o tradicional preconceito cristão deixa de ser assimilado tão facilmente.

Existe uma série de normas sexuais utilizadas para regular a sexualidade *gay*. Quando alguém condena a homossexualidade, em princípio não o faz porque se trata de sexo entre pessoas do mesmo gênero, mas porque é um tipo de sexo que não leva à procriação, ou porque é uma atividade extraconjugal por definição. Em religiões mais hostis à procriação, percebe-se uma visão mais favorável da homossexualidade. Já em outros casos, somente certos tipos de conduta homossexual são condenados, porque se enquadram na interdição geral do emprego de certos orifícios com fins sexuais. Outras tantas vezes é difícil perceber até que ponto se pode identificar normas religiosas específicas para a homossexualidade; em vez disso, há regras para a sexualidade masculina e feminina em um contexto mais genérico. Também constatamos que a apropriação do relato da criação e de outros mitos religiosos para defender ou condenar diversas formas de sexualidade pode ter repercussões positivas ou negativas no que concerne a qualquer postura religiosa frente à homossexualidade.

Tendo de um lado a aceitação religiosa do casamento intragênero e a liberalização da sociedade, e do outro a exigência contínua da pena de morte e o foco reiterado na manutenção da discriminação homossexual, o cenário das posturas religiosas atuais diante da homossexualidade é muito complexo. A maioria das atitudes fundamentais em relação à homossexualidade existentes no passado nas diversas

---

350 Nedrelid & Søråsodd 2008.

religiões ainda perdura nos dias de hoje. Mas, mesmo quem transita nos círculos religiosos mais conservadores teve que se adaptar às condutas liberais adotadas mais recentemente, se não por outro motivo, ao menos pelo fato de que sua crença passou a incluir outros fiéis que encaram a homossexualidade de maneira mais tolerante. Ao mesmo tempo, testemunhamos o crescimento de uma concepção da homossexualidade que a toma como a principal, senão a única, ameaça à visão de mundo religiosa.

O leque de atitudes religiosas em relação à homossexualidade é mais amplo hoje do que jamais foi. Enquanto alguns acreditam que sua religião aceita esse tipo de sexo sem restrições, outros interpretam suas fontes de maneira diferente e criam uma visão negativa da homossexualidade sem paralelo na história da religião. O que é novo nesse fenômeno é que a homossexualidade ocupa agora uma posição única na visão de mundo de muitas religiões — apesar das queixas em contrário. Para muitos fiéis, é uma importante *profissão de fé* o fato de suas religiões sempre terem considerado a homossexualidade a *principal* forma de sexo a ser combatida, acima de qualquer outra. Como vimos, não há nada na religião enquanto fenômeno que justifique uma hostilidade à homossexualidade: a religião pode muito bem ter uma atitude positiva ou mesmo até considerar a homossexualidade superior à heterossexualidade. Por fim, a única conclusão possível é a de que não existe nenhuma visão da homossexualidade que não possa ser defendida sob uma perspectiva religiosa.

7

Racismo sexo-religioso e outras formas de discriminação

Em 1963, Harry S. Truman, presidente que aboliu a discriminação racial no exército dos EUA, foi questionado por um jornalista se considerava que o casamento entre pessoas de diferentes tons de pele se tornaria comum no país. "Espero que não", respondeu ele. "Acho que não. Você gostaria que sua filha se casasse com um negro?". A convicção de Truman tinha um bom lastro. Ele acreditava que o casamento inter-racial contrariava os ensinamentos bíblicos. Para ele, a separação sexual por meio da raça era uma verdade cristã fundamental. Como bem afirmou: "Deus criou o mundo assim. Vá ler sua Bíblia e você verá"[1].

Sabemos muito bem que o racismo é um fenômeno disseminado, mas poucas pessoas conhecem o papel central que desempenha na história das religiões, especialmente no cristianismo e no hinduísmo. Da mesma forma que classificam as pessoas pelo gênero, as religiões também dão uma enorme importância à cor da pele e à etnia dos fiéis. Esse tipo de seleção religiosa é um fator que muito contribui para a crença de que uma raça é "naturalmente" superior a outra, da mesma forma como tantas pessoas não consideram a homossexualidade "natural".

O racismo sexual, a convicção de que pessoas de diferentes cores ou etnias não deveriam fazer sexo entre si, é um dos aspectos mais

---

[1] Zabel 2000:54; Leuchtenburg 2005:223.

prevalentes do racismo religioso. Como o sexo é a forma mais íntima de uma pessoa se relacionar com outra, não é difícil compreender o porquê. Se não houvesse regras determinando que grupos religiosos ou étnicos se abstivessem do sexo com outros pertencentes a etnias ou religiões diferentes, a irreversível mistura de identidades decorrente da reprodução humana produziria uma catástrofe do ponto de vista de uma concepção racista de mundo. Quando se tem em mente que o controle do sexo é uma das maneiras mais efetivas de controlar a sociedade, não surpreende que o sexo desempenhe um papel central no racismo religioso.

Por vezes, os limites entre o racismo sexo-religioso e restrições para o sexo com indivíduos de religiões distintas se confundem. Outras vezes, como originalmente era o caso do islã, as restrições só dizem respeito à religião em si. Ao mudar de credo o indivíduo automaticamente altera as categorias de pessoas com as quais poderá ou não fazer sexo.

O racismo sexo-religioso foi reduzido, em diversos segmentos da sociedade, a um nível inferior ao da resistência religiosa à homossexualidade, igualmente por ser menos tolerado no mundo atual. Talvez tenhamos nos tornado menos atentos a ele porque muito do debate sobre o tema concentra-se na questão da homossexualidade. Mas não deveríamos ignorá-lo de todo, assim como os reflexos que teve e ainda tem na vida de milhões de pessoas.

O que Deus separou o homem não deve unir

Embora a maioria dos cristãos de hoje possa discordar das convicções religiosas de Truman de que as raças não deviam se misturar, sua postura era compartilhada pela maioria dos cristãos norte-americanos quando dessa afirmação, em 1963 (em 1958, 94% dos habitantes dos EUA pensavam assim)[2]. O racismo religioso exerceu um papel fundamental no controle da vida sexual durante milhares de anos, e ainda continua exercendo. A afirmação de Truman sobre a proibição do sexo inter-racial na Bíblia não reflete apenas as crenças cristas de

[2] Carroll 2007.

então: está bem fundamentada nos textos sagrados. Na Bíblia, Deus está constantemente proibindo os israelitas de desposar cônjuges que pertençam aos povos vizinhos[3]. Aqueles nascidos de casamentos miscigenados não ingressarão no reino dos céus, nem mesmo "até a décima geração"[4]. Claro está que isso está relacionado com o temor de que os judeus adotem os deuses dos vizinhos, mas ao mesmo tempo existe um claro elemento racista na proibição do culto a Javé pelos filhos e descendentes de tais casamentos miscigenados, proibição que reflete também uma necessidade de manter o sangue da "descendência sagrada" isento de qualquer outro[5].

Ao contrário de tantas outras proibições encontradas no Pentateuco, as normas de racismo sexo-religioso ecoam em inúmeros outros livros da Bíblia. Ao afirmar que "se tinham casado [alguns judeus] com mulheres de Azoto, de AmonAmon e de Moab", o profeta Neemias imediatamente os amaldiçoou, e não se limitou a isso: "até bati em muitos, arranquei os cabelos de alguns"[6]. A um sacerdote casado com uma gentia Neemias também censurou por ter profanado o sacerdócio e os deveres sagrados dos sacerdotes e dos levitas[7]. Quando soube que os judeus da Babilônia estavam se casando com gentias "e a raça santa misturou-se com a dos habitantes dessas terras", o profeta Esdras se exasperou: "Ouvindo essas palavras, rasguei minha túnica e a capa, arranquei os cabelos da cabeça e da barba"[8]. Esdras tinha boas razões para se preocupar, uma vez que as "transgressões" ocasionadas por esses matrimônios podiam muito bem causar a ira de Deus, que exterminaria a todos"[9]. Havia, porém, uma saída para essa tragédia: que os homens celebrassem "uma aliança com nosso Deus: proponhamo-nos a mandar de volta todas essas mulheres e seus filhos"[10]. Esdras ordenou a todos os judeus que haviam contraído

[3] Êxodo 34:15-15-16; Deuteronômio 7:2-4; Josué 23:12-12-13,1 Reis 11:2; Esdras 9:12, cf. Juízes 3.6-76-7.

[4] Deuteronômio 23:2.

[5] Esdras 9:2.

[6] Neemias 13:23-53-5.

[7] Neemias 13:28-28-29

[8] Esdras 9: 2-33.

[9] Esdras 9:14.

[10] Esdras 10:3.

matrimônios miscigenados: "compenetrai-vos de vossa falta diante do Senhor" e "separai-vos dos povos desta terra e das mulheres estrangeiras"[11]. Às vezes, o divórcio não é apenas uma possibilidade, mas uma necessidade religiosa.

É interessante notar que a proibição contra tais casamentos miscigenados apenas parece ser relevante quando ocorre de forma pacífica. Regras diferentes valem para "Quando fores à guerra contra os teus inimigos e o Senhor, teu Deus, os entregar em tuas mãos, se os fizeres cativos": se, como homem, "e vires entre eles uma mulher formosa da qual te enamores e a queiras tomar por esposa, tu a conduzirás à tua casa. Ela rapará os cabelos, cortará as unhas, deporá o vestido com que foi aprisionada e permanecerá em tua casa, chorando o seu pai e a sua mãe durante um mês", poderá muito bem fazer sexo com ela depois desse período. "Depois disso, irás procurá-la, serás seu marido e ela será tua mulher." Caso, eventualmente, haja se cansado e ela deixar de agradá-lo, "Se ela cessar de te agradar, tu a deixarás partir como lhe aprouver, mas não poderás vendê-la por dinheiro, nem maltratá-la, pois fizeste dela tua mulher."[12]

Nesse ínterim, os vários autores bíblicos ignoram essas proibições e passam a escrever como se não existissem. No Livro de Rute, não só homens judeus desposam mulheres moabitas sem que isso configure um problema[13], mas a protagonista moabita, Rute, termina sendo amante do lendário Rei Davi[14]. Um sem-número de outros casamentos miscigenados é mencionado *en passant*[15]. Os personagens mais poderosos os contraíam mesmo a contragosto. Moisés casou-se com Zípora, uma mulher cuchita da terra de Madiã[16]. Quando Aarão e Miriam, irmãos de Moisés, o admoestaram por essa união, Deus imediatamente tomou o partido deste, castigou seus irmãos e fez de Miriam uma leprosa[17]. O rei Davi também tinha uma esposa gentia[18],

---

11 Esdras 10:11, cf. Esdras 10:16-46-44

12 Deuteronômio 21:10-10-14.

13 Rute 1:4,4.10.

14 Rute 4:13–22.

15 2 Samuel 11:3; 1 Reis 7:13-14; 1 Crônicas 2:17.

16 Êxodo 2:15-21.

17 Números 12:1-11-15.

18 2 Samuel 3:2-32-3.

e seu filho Salomão desposou mulheres do Egito, Moab, Amon, Edom, Sidônia e da terra dos hititas[19].

Ao longo da história, é fato que os judeus se casaram entre si com maior frequência, mas as sociedades cristãs e muçulmanas nas quais viviam não lhes davam alternativas. Na Índia também era impossível para os judeus se casar com outros que não os seus, mas, mesmo assim, a partir do século XVI eles também interiorizaram as práticas sexo-religiosas racistas: judeus indianos de pele mais clara recusavam-se a casar com judeus mais escuros e condenaram o casamento entre ambos[20].

Hoje em dia, os judeus que vivem fora de Israel talvez sejam o grupo que mais se casa com pessoas de outras religiões — nos EUA, esse número é de cerca de 50%. Ao mesmo tempo, muitos judeus condenam justamente esse tipo de casamento, não somente devido à norma que determina que só é considerado judeu aquele que nasceu de um ventre judeu. Muitos judeus ortodoxos e sionistas em Israel e nos EUA comparam a grande incidência de casamentos inter-raciais a um "genocídio autoperpetrado" e referem-se ao assunto como "holocausto silencioso"[21].

Quase nada há no Novo Testamento que possa embasar as teses sexo-religiosas racistas existentes no Velho Testamento, e tanto Jesus como seus discípulos exortavam o contato com pessoas de diferentes etnias. Mesmo isso não impediu que muitos cristãos persistissem na crença de que o sexo só deveria ser feito entre pessoas com o mesmo tom de pele, da mesma etnia ou, pelo menos, que compartilhassem o mesmo credo. Tampouco há no Novo Testamento algo que anule as proibições racistas do Velho Testamento. A exortação ao contato com as pessoas de etnias diferentes não vai além da cortesia, prestimosidade e hospitalidade. Nem mesmo a afirmação um tanto forçada de são Paulo — "Já não há judeu nem grego [...] pois todos vós sois um em Cristo" — pode ser vista como uma revogação das proibições do Velho Testamento. Se assim fosse, teríamos também que interpretar outra de suas máximas — "[Não há] nem homem nem mulher" — como um

19 1 Reis 3:1,11:1.

20 Israel 1984:34–35.

21 Brook 2006:311; Shapiro 2006:125.

estímulo à homossexualidade. E não há um cristão sequer que interprete dessa forma o que são Paulo disse.[22]

Relações sexuais entre cristão e não cristãos eram passíveis de severas punições durante a Idade Média. Muitas mulheres cristãs que haviam feito sexo com judeus ou muçulmanos foram condenadas à morte. Não era incomum que cristãos fossem punidos por fazer sexo com gentias[23]. O mais importante era seguir os princípios, como deixa claro a lei inglesa do final do século XIII, ao estabelecer que "aqueles que tiverem relações (sexuais) com judeus ou judias [...] devem ser enterrados vivos"[24], uma proibição que se estendia muito além do temor da mistura de credos. Em 1268, o papa Clemente IV recriminou o rei Afonso III de Portugal por permitir que cristãos se casassem com mulheres de ascendência sarracena ou judia[25]. No Reino de Aragão do século XIV, o sexo entre cristãos e judeus — mesmo marranos — era punido com a pena de morte[26]. Nesse ínterim, os leitores dos romances medievais deparavam-se com um formidável milagre racista nesse contexto. No romance inglês *The King of Tars*, um sultão muçulmano se converte ao cristianismo depois de desposar uma princesa cristã. Ao ser batizado, Deus trata de branqueá-lo para que os leitores não mais tenham que se preocupar com as complicações teológicas do casamento entre pessoas de tons de pele diferentes[27].

Com a Reforma surgiram novas regras. Por um lado, uma nova norma mais abrangente estipulava que as princesas prometidas em casamento a príncipes herdeiros de credos diferentes deveriam se converter. Por outro, esse tipo de casamento não era tão acessível à população comum. Em 1631, um conselho municipal luterano em Estrasburgo determinou o pagamento de uma multa para que alguém pudesse se casar com um calvinista. Uma mulher luterana perderia sua cidadania se desposasse um calvinista[28].

---

[22] Gálatas 3:28.
[23] Wiesner-Hanks 2000:41.
[24] *Fleta* 37.3.
[25] Kruger 1997:169.
[26] Kruger 1997:169.
[27] Kruger 1997:164.
[28] Wiesner-Hanks 2000:75.

Assim como aos cristãos da Espanha não era concedido casar-se com judeus ou muçulmanos, a proibição básica do casamento entre cristãos e não cristãos também foi exportada para a América hispânica[29]. Novamente a religião não era a única questão. A expansão europeia implicava um maior número de relacionamentos sexuais entre brancos e mulheres não brancas, porém, muitos missionários também os condenavam e tentavam o quanto podiam fazer que as autoridades coloniais os proibissem[30].

De qualquer forma, as autoridades cristãs ficavam mais que satisfeitas ao criar leis desse tipo, sem que fosse preciso nenhum incentivo da parte dos missionários. Autoridades protestantes holandesas na África do Sul proibiram o casamento ente pessoas de diferentes tons de pele em 1685[31]; no Brasil, as autoridades católicas introduziram proibição semelhante em 1726[32]. Na colônia dano-norueguesa de Trankebar, na Índia, a Igreja luterana procurou coibir o sexo entre brancos e mulheres indianas recusando-se a batizar os filhos que tinham. O resultado foi que as mães os levavam para batizar em uma Igreja católica, menos racista, localizada alguns metros adiante na mesma rua[33].

Missionários alemães nas colônias do sudoeste africano, por volta do ano 1900, dividiam-se em sua concepção teológica de mundo em relação ao racismo sexual. Enquanto alguns consideravam o sexo entre brancos e negros "um pecado contra a consciência racial", outros eram mais pragmáticos e achavam que o casamento era preferível à disseminação do sexo extraconjugal entre homens brancos e mulheres negras[34]. Missionários cristãos na Austrália tendiam a condenar qualquer forma de sexo entre brancos e aborígines[35].

Alguns dos exemplos mais abrangentes e duradouros de racismo sexo-religioso encontramos nos EUA. As primeiras leis norte-americanas contra o sexo entre pessoas de diferentes tons de pele foram

29 Wiesner-Hanks 2000:149.
30 Scammel 1989:183-83-89.
31 Samson 2005:22.
32 Wiesner-Hanks 2000:150-51.
33 Wiesner-Hanks 2000:208.
34 Walther 2002:41.
35 Johnston 2003:18; Kociumbas 2004:98.

promulgadas na Virgínia, em 1662[36]. A proibição do casamento inter-racial tinha o apoio majoritário das comunidades cristãs dos EUA. Na prática, os proprietários tinham direitos de usufruto sexual sobre seus escravos, sem despertar reação nem das autoridades nem das instituições religiosas[37]. O estupro de escravas negras por homens brancos não era previsto em lei, logo, não era ilegal[38]. Uma quantidade crescente de escravos com sangue branco nas veias atestava essa prática[39]. Escravos de pele mais clara alcançavam melhores preços no mercado[40], e as leis escravocratas da Virgínia, entre outros estados, autorizavam a lucrativa tomada de posse da prole dos escravos por seus donos. Os filhos de uma mulher negra e de um homem branco seriam "escravos ou libertos com base somente no *status* da mãe"[41].

Antes da abolição da escravatura, a extensa oposição ao sexo entre pessoas de cor diferente deve ser compreendida no contexto da defesa que a religião também fazia da escravidão, baseada na existência dessa instituição nos tempos do Velho e do Novo Testamentos. Além disso, muitos cristãos brancos consideravam importante o fato de que os negros provavelmente eram descendentes de Caim, que Deus havia amaldiçoado[42], ou de Cam, a quem o pai, Noé, amaldiçoara e condenara a servir como escravo de seus irmãos por toda a eternidade[43].

Depois da abolição da escravatura, o foco passou a ser outro. Durante o cativeiro, não era comum que escravos tivessem o direito a se casar, mas, uma vez libertos, havia a urgência legal de evitar que negros e brancos se casassem[44]. Nos anos que se seguiram à Guerra Civil, os EUA viveram um ligeiro declínio no número de casamentos inter-raciais nos estados onde esse tipo de casamento era proibido, mas o número voltou a subir entre 1897 e 1913, quando o casamento entre raças diferentes era ilegal em trinta estados da União. As autoridades

---

36 Johnson 2006:10.
37 Bullough 1976:518.
38 Higginbotham & Kopytoff 2000:82; Nagel 2003:102.
39 Bullough 1976:518.
40 Nagel 2003:107.
41 Nagel 2003:107.
42 Gênesis 4:11-11-15.
43 Gênesis 9:24-7.
44 Wiesner-Hanks 2000:234.

do país continuavam a usar argumentos teológicos genéricos na defesa dessa proibição. A Corte Suprema da Geórgia demonstrou, já em 1869, que um casamento miscigenado seria impossível pelas graças de Deus, e "nenhuma lei dos homens" jamais poderia mudar esse estado de coisas[45]. Em 1871, a corte do Tennessee reportou-se ao Velho Testamento para manter a proibição do casamento inter-racial no Estado[46]. Como o casamento é "uma instituição pública estabelecida por Deus", a suprema corte do Texas considerou, em 1877, impossível a celebração do matrimônio entre pessoas de cores diferentes[47]. Um matrimônio assim deveria ser proibido, avaliou a suprema corte do Alabama no mesmo ano, já que Deus "criou duas raças (branca e negra) separadas"[48]. Após um julgamento unânime, a suprema corte de Indiana declarou, em 1871: "A lei natural provém nitidamente de Deus e proíbe o casamento inter-racial e a mistura que leva à corrupção das raças, e eis a razão da natureza distinta de cada uma delas"[49].

A segregação geral, principalmente nas escolas, era muito importante do ponto de vista sexo-religioso, para evitar que crianças considerassem a discriminação racial um fenômeno bizarro e insolente[50]. Na prática, a proibição era voltada primeiramente ao sexo entre homens negros e mulheres brancas, e contra o reconhecimento *legal* de qualquer relação entre pessoas de etnias diferentes. Da mesma maneira como senhores de escravos tinham livre acesso ao corpo de suas escravas negras, homens brancos continuavam a ter assegurada a possibilidade de fazer sexo com suas empregadas domésticas[51]. Dessa forma, a convicção religiosa e racista mostrava que não era assim tão consistente.

Mesmo diante do argumento frequente de que as relações sexuais que extrapolavam as barreiras cromáticas não faziam bem a nenhuma das raças envolvidas, é evidente que a regulação cristã do sexo miscigenado objetivava preservar a pureza da raça branca. O simples

45 *Scott vs. Estado* in Geórgia, 1869.
46 *Lonas vs. Estado* in Tennessee, 1871.
47 *Frasher vs. Estado* in Texas,1877.
48 *Green vs. Estado in Alabama*, 1877.
49 *Estado vs. Gibson* in Indiana,1871.
50 Ross 2002:268–69.
51 Ross 2002:260.

fato de alguém trazer um pouco de sangue negro nas veias era o bastante para que essa pessoa fosse considerada negra do ponto de vista cristão ou segundo uma lei influenciada por essa mesma visão. Afinal de contas, era a pele negra a marca visível da maldição divina que recaiu sobre Caim e Cam.

A certeza do desejo divino de manter as raças separadas manteve-se inabalável. Até 1958, 94% de todos os habitantes dos EUA ainda se diziam contrários ao casamento de pessoas de diferentes tons de pele[52]. Em 1961, enquanto Barack Obama nascia no Havaí, o casamento de seus pais constituía um crime em 22 outros estados norte-americanos.

Em 1959, Mildred (negra) e Richard Loving (branco) casaram-se e foram condenados a um ano de prisão ou à expulsão, por 25 anos, do estado da Virgínia. A sentença tinha uma explicação teológica: "Deus todo-poderoso criou as raças branca, negra, amarela, malaia e vermelha e as colocou em continentes separados. O fato de ter separado as raças mostra que ele não desejava que se misturassem". Foi exatamente essa argumentação que a Corte Suprema dos EUA considerou irrelevante em 1967, quando afirmou que as proibições racistas de casamento que ainda vigoravam em dezesseis estados não tinham embasamento constitucional[53]. De forma alguma essa decisão teve apelo popular. Em 1968, um ano depois de revogada a proibição, 73% dos norte-americanos eram contrários à legalização de tais casamentos. Seriam necessários mais dezesseis anos para que esse índice caísse para metade da população[54], mesma porcentagem existente quando o casamento entre pessoas do mesmo sexo foi legalizado no primeiro estado norte-americano, em 2004[55]. Ainda há uma expressiva oposição ao casamento que extrapola fronteiras cromáticas: em 1994, 37% dos norte-americanos eram contra o casamento entre negros e brancos[56], e 20% ainda se declaravam contrários em 2009[57].

Muitos cristãos viam, e ainda veem, o racismo sexual como uma pedra de toque de sua religião. A Convenção Batista do Sul, maior

---

52 Carroll 2007.

53 *Loving et ux. vs. Virgínia*, 12 de junho de 1967.

54 Carroll 2007.

55 *Harris Poll* 2004.

56 Carroll 2007.

57 *Princeton Survey Research Associates* 2009.

comunidade religiosa dos EUA, foi fundada em 1845 em consequência de divergências com os batistas dos estados setentrionais sobre o nível de importância do racismo no núcleo da fé cristã. Até a década de 2000, os líderes dos Batistas do Sul utilizavam argumentos teológicos em sua luta para manter a segregação racial nos mais variados setores da sociedade[58]. Mesmo batistas liberais e muitos outros cristãos que desejavam igualdade racial diziam que Deus, apesar disso, não queria o sexo entre negros e brancos[59]. Em 1965, o influente teólogo presbiteriano John Edwards Richards escreveu uma carta a todas as igrejas presbiterianas dos EUA, na qual dizia: "Deixemos que os que querem eliminar a diversidade racial da criação divina sofram as consequências de seus desatinos na vida de seus filhos"[60]. Em 1958, quando foi lançado o livro infantil *The Rabbit's Wedding*, uma narrativa sobre o casamento de um coelho branco com uma coelha preta, sobrevieram protestos de cristãos enfurecidos contra tamanha perversão da obra do Criador[61].

Em parte pelo fato de a proibição contra o casamento miscigenado ser tão relevante para um grande contingente de fiéis, alguns estados resolveram manter a restrição em seus códigos civis mesmo depois de revogada pela Suprema Corte, em 1967, embora não houvesse mais maneiras de levá-la a efeito. Somente em 1998 e 2000 os últimos dois estados — Carolina do Sul e Alabama, respectivamente — a suprimiram após um referendo popular. Mesmo assim, ainda havia uma significativa minoria que desejava o contrário: 38% na Carolina do Sul votaram pela continuação da proibição, e 41% queriam mantê-la no Alabama[62]. Considerando que ambos os estados têm uma grande população de descendentes africanos, e os afro-americanos opõem-se ao racismo sexual legalizado com muito mais vigor que os brancos, a resistência à revogação da proibição foi claramente muito forte entre os eleitores brancos desses dois estados sulistas[63].

A convicção religiosa é, até hoje, um critério fundamental para o racismo sexual norte-americano. Algumas pessoas percebem isso melhor

[58] Leonard 1999; Manis 1999.
[59] Willis 2004:160.
[60] Snoke 2004.
[61] Clapp 1972:319-29-21.
[62] Altman & Klinkner 2006.
[63] Martin 1999.

que outras. O deputado estadual da Carolina do Sul Lanny Littlejohn, que tentou manter a proibição no plebiscito de 1998, fez a seguinte declaração a respeito: "Não era isso que Deus tinha em mente quando fez a separação das raças nos tempos da Babilônia"[64]. Sua justificativa para a segregação racial no casamento era, portanto, o relato do Gênesis sobre como Deus separou os povos na Torre de Babel[65]. Littlejohn também deixou claro de onde vinham suas convicções: "Fui educado na fé batista [...] Minha família me ensinou tudo isso com o passar dos anos". Kenneth Wayne Hagin, uma figura central do movimento pentecostal norte-americano e filho de um dos fundadores dos Centros Bíblicos Rhema, existentes em quinze países, tem a declarar o seguinte sobre o sexo entre pessoas de cores diferentes: "Somos amigos. Jogamos e brincamos juntos. Somos um grupo, mas não namoramos uns aos outros... Não acho que deveríamos misturar as raças"[66]. Em 1998, a Universidade Bob Jones, uma instituição fundamentalista cristã e o maior centro privado de ensino superior da Carolina do Sul, deu a seguinte resposta ao pedido de matrícula de um estudante casado com uma mulher negra: "A Universidade Bob Jones não possui, entretanto, uma regra que proíba o namoro inter-racial entre seus estudantes. Deus separou os povos por Sua própria vontade [...] Embora não haja na Bíblia nenhum versículo que diga dogmaticamente que as raças não devam se casar entre si, o plano divino que mostra como Ele lidou com as raças ao longo das eras indica que o casamento inter-racial não é a melhor escolha para o homem". Ao mencionar a expressão "ao longo das eras", a universidade incluía a narrativa bíblica e indicava que a Torre de Babel era o exemplo primordial do plano de Deus de manter as raças separadas[67].

A Igreja mórmon, que surgiu em meados do século XIX, refletiu também o racismo de sua época e dedicou à segregação sexual um posto

---

64 Gênesis 11:1-91-9.

65 Lowery-Smith 2003:69.

66 Jonathan Pait, coordenador de Comunicação, Bob Jones University, '"Letter to James Landrith", 31 de agosto de 1998, in Martin 1999.

67 Brigham Young, "The persecutions of the Saints. Their loyalty to the Constitution. The Mormon battalion. The laws of God relative to the African race. Remarks by President Brigham Young, made in the Tabernacle, Great Salt Lake City". Relato de G. D. Watt, 8 de março de 1863, http://journalofdiscourses.org/Vol_10/refJDvol10-24.html.

central em sua doutrina. Em 1863, por exemplo, o profeta mórmon Brigham Young explicou "a relação de Deus com a raça africana": "Se o homem branco, que pertence à descendência escolhida, mistura seu sangue com o dos descendentes de Caim, a pena é, segundo a lei divina, a morte imediata"[68]. Durante a migração que fez a caminho do oeste desde o estado de Illinois, em 1847, Young ouviu falar de um homem negro pertencente à Igreja que havia se casado com uma mulher branca em Massachusetts, e declarou que mandaria matar o casal se estivessem por perto[69]. Como os mórmons se consideram o novo povo escolhido, baseiam sua condenação à miscigenação racial diretamente na ordem que Deus deu aos israelitas para que praticassem o racismo sexual. Em 1954, um dos mais proeminentes membros da Igreja alegou que brancos que faziam sexo com negros incorriam em "morte espiritual". E que é essencial que pessoas brancas estejam vigilantes, porque "os negros procuram se imiscuir à raça branca. Eles não descansarão até conseguir isso por meio do casamento inter-racial"[70]. O racismo fundamentalista dos mórmons perdurou até Spencer W. Kimball, então presidente da Igreja, receber uma revelação divina, em 1978[71].

Ao passo que o antissemitismo de Hitler foi construído com base em centenas de anos de preconceito cristão contra os judeus, seus ideais de pureza racial foram diretamente inspirados nas leis norte-americanas, que, por sua vez, resultavam do racismo cristão[72]. Muitos nazistas acreditavam que agiam em pleno acordo com o cristianismo ao proibir o sexo entre pessoas de etnias diferentes e não permitir que deficientes físicos tivessem filhos, mesmo que isso implicasse o assassinato em massa. Nazistas cristãos diziam que a lei de Deus os obrigava a lutar contra quaisquer formas de miscigenação e bastardia[73]. Evitar que alguém considerado um ser humano inferior se reproduzisse era

[68] Quinn 1997:246-76-7.

[69] Irmão Mark E. Peterson, "Race problems as they affect the Church", 27 de agosto de 1954.

[70] Embry 2005:60.

[71] Kühl 1994: *passim*.

[72] Montagu 1997:53.

[73] Kühl 1994: *passim*.

considerado uma expressão "do mais alto respeito pelas leis naturais concedidas por Deus"[74].

A Igreja Reformista Holandesa na África do Sul também recorreu a argumentos bíblicos para defender tanto a segregação racial quanto o apartheid em geral. A divina separação das raças era equiparada à maneira como Deus havia separado a luz as trevas ou as águas da terra. A mistura de pessoas de cores diferentes seria, portanto, um ato de rebelião contra o próprio Deus. Não foi Ele quem apartou os povos que tentavam construir a Torre de Babel[75]? Os racistas sul-africanos não recebiam apoio moral apenas dos cristãos norte-americanos. Em 1960, várias organizações religiosas suecas independentes faziam uma defesa total do apartheid, exatamente porque o relacionamento sexual entre brancos e negros devia ser encarado como uma desgraça.

A ampla condenação social do racismo que se tem hoje é o único aspecto que faz que o racismo sexual baseado em fatores religiosos se sobressaia como um fenômeno estranho. Na realidade, deveria ser visto como um exemplo típico de como as regras religiosas para a vida são baseadas na maneira como a religião classifica e hierarquiza os seres humanos. Uma regra religiosa para definir quem pode fazer sexo com quem é uma das formas mais poderosas de reforçar identidades diferentes.

O racismo sexual cristão consiste em um fenômeno singular em outro sentido. Da posição central e evidente que ocupava, foi rapidamente marginalizado e, por fim, quase esquecido. Em poucas dezenas de anos, a transformação foi tamanha que muitas pessoas nem mais se dão conta da relevância que essas percepções tiveram ao longo dos séculos, e em vários setores do cristianismo, do papel fundamental que desempenhavam até poucos anos atrás.

Racistas ou não, todos os cristãos pertencem à mesma religião. Sua crença está embasada nas mesmas escrituras e na mesma tradição. Assim como os costumes cristãos em relação ao sexo intragênero, a maioria das passagens bíblicas que abordam o sexo inter-racial o condena, ainda que algumas narrativas apontem na direção oposta.

---

[74] Montagu 1997:206, cf. Gênesis 11:1-91-9.

[75] Sellström 1999:221-3.

Ao observar a história da Igreja, vemos um maior ou menor grau de homofobia e racismo sexual se alternando, com uma inclinação marcadamente negativa a partir da Idade Média. Se considerarmos que ambos gradualmente vêm perdendo terreno dentro do cristianismo, perceberemos que a homofobia cristã diminuiu de intensidade ainda mais rápido que o racismo tão logo se passou a problematizar a questão com maior rigor. Ambos os pontos de vista contaram, e ainda contam, com defensores de peso, mas a velocidade com que a homofobia cristã perdeu sua aura de obviedade foi justamente o que mais deu visibilidade à defesa dessa causa. Mas não resta dúvida de que a defesa do racismo sexual, baseada em princípios bíblicos, está viva e é extremamente resistente.

Atenha-se à sua casta

No início de 2008, a jovem Premala Jadhav, pertencente a uma casta superior, fugiu com seu namorado Chandrakant Gaikward, um pária, da aldeia de Sategaon, a leste do estado de Maharashtra, na Índia. Eles cruzaram a fronteira estadual e encontraram abrigo na casa de um amigo de Chandrakant, em Khamareddy, Andra Pradesh. Em 5 de janeiro foram descobertos por parentes de Premala e levados de volta à aldeia. Enquanto Premala retornou à sua família, Chandrakant e seu amigo foram algemados e espancados durante toda a noite. “Quando desmaiávamos de tanto apanhar, eles jogavam água em nosso rosto para nos despertar e nos batiam novamente”, contou o jovem depois. Homens das castas superiores cegaram os dois olhos de Chandrakant, enquanto seu amigo teve apenas um olho perfurado[76].

A história da jovem Premala e do pária Chandrakant é apenas um de muitos relatos semelhantes sobre o que ocorre com jovens hindus que ousam desafiar a tradicional proibição contra o sexo e o casamento entre castas diferentes. Quando se trata de uma jovem pertencente a uma casta superior e um jovem de uma casta inferior, é comum que ambos sejam assassinados como punição.

[76] *The Tribune* 2008.

Em Nova Deli, em 2012, uma garota de 19 anos chamada Aisha Saini se apaixonou por Yogesh Kumar, seu vizinho, de 22 anos. Quando a família dela descobriu, fizeram tudo para impedi-la. Yogesh era inaceitável como namorado porque sua família pertencia a uma casta inferior à da garota. Aisha foi imediatamente prometida a alguém de uma casta adequada, morador de uma aldeia vizinha, mas como ela se recusava, foi mandada a viver na casa de um tio. Como continuasse a manter contato com Yogesh, sua família convidou o garoto a ir à casa do tio de Aisha para discutir a questão. Lá chegando, Yogesh e Aisha foram amarrados e surrados durante horas com bastões de ferro, até serem finalmente eletrocutados[77].

Não é de todo incomum se fazer o que fez a família Saini: matar uma filha e seu namorado por este pertencer a uma casta inferior. Somente em maio de 2008, houve relatos de cinco assassinatos de casais assim nos estados de Haryana, Punjab e Uttar Pradesh[78]. Todos os dias, multidões de jovens casais se dirigem à Corte Suprema dos estados de Punjab e Haryana para pedir proteção contra suas próprias famílias[79]. O que faz o caso de Aisha e Yogesh tão especial é o fato de a família publicamente defender o crime. O tio de Aisha, que se revelou o principal responsável pelo feito, declarou: "Não me arrependo [...] Teria feito a mesma coisa se tivesse outra oportunidade". Nem mesmo o pai de Aisha demonstrou arrependimento por seu envolvimento no assassinato da filha. Um primo comentou: "O que faria um pai que visse sua filha em uma situação comprometedora com um homem? O que você faria se estivesse na mesma situação? Foi por isso que meus tios os mataram". Outro tio, que não estava diretamente envolvido nas mortes, fez a mesma defesa: "Como é possível que ele se casasse com alguém de outra casta? Isso não pode ser tolerado [...] as mortes foram justificadas". As mortes foram justificadas especialmente como uma maneira de evitar outras rupturas semelhantes no seio da família: se não houvessem matado Aisha e Yogesh, os parentes teriam aberto um mau precedente para os outros filhos, que iam querer fazer o mesmo [...] Foi melhor assim". Até a família de Yogesh compreende o desejo

---

[77] Ghosh 2010; Pandey 2010.

[78] Overdorf 2008

[79] Sengupta & Siwach 2010.

dos familiares de Aisha de puni-la por envergonhá-los daquela forma: "Se eles quiseram matar sua filha, tudo bem. Mas não deviam ter matado nosso garoto"[80].

Fazer tudo o que for possível para manter intactas as regras de castas sobre o sexo é visto como um assunto de vital importância religiosa. Quando a Corte Suprema indiana julgou, em 2007, que os pais não tinham direito de bater, ameaçar ou confinar suas filhas maiores de dezoito anos caso desejassem se casar sem o consentimento paterno, o que se viu foi uma enorme gritaria e alegações de um golpe fatal contra a cultura indiana. Isso tem a ver com um contexto em que muitas dessas filhas que se casam sem o consentimento paterno o fazem com noivos de castas inferiores às suas[81]. Não é apenas o casamento que extrapola as fronteiras das castas que é considerado um tabu: muitos hindus foram mortos por se casar dentro da mesma subcasta, ou *gotra*. Mortes desse tipo são executadas por ordem dos *khat*, ou clãs, tradicionais no norte da Índia. Em 2010, cinco membros desse tipo de tribunal foram condenados à morte por terem assassinado Manoj e Babli Banwal. O tribunal do clã sequer demonstrou remorso. Ao contrário, organizou um *lobby* para alterar a Lei de Casamento Hindu e a iniciativa recebeu o apoio imediato de políticos conservadores e partidos regionais[82].

O original sistema de castas hindu tem paralelos óbvios com outras formas de racismo religioso, ao confinar seus habitantes em grupos diferentes que não podem nem devem se misturar. É impossível para alguém libertar-se da casta na qual nasceu. Há também percepções, profundamente enraizadas, de que indivíduos pertencentes a castas diferentes têm aparência diferente, inclusive no que se refere ao tom da pele. Tradicionalmente, a proibição de casamentos hindus para além do perímetro delimitado pelas castas é incondicional. Homens não podem fazer sexo com mulheres de castas superiores, mas homens de castas mais altas podem fazer sexo com mulheres de castas inferiores, contanto que não se casem com elas[83]. O *Kathasaritsagara*, epopeia do

80 Pandey 2010.

81 Johri 2007.

82 *Indo-Asian News Service* 2010.

83 *Kama Sutra* 1:5.

século XI, conta a trágica história de um pária que se apaixona por uma princesa. O homem se desespera, pois seu amor é tão impossível quanto contrário à natureza, e chega a ser comparado a um corvo que quisesse se unir a um cisne. Tomado de cólera, ele decide atear fogo ao próprio corpo, mas, antes de subir à pira funeral, pede aos deuses em oração que reencarne com a princesa em uma mesma casta, para que possam ser marido e mulher em outra vida[84].

O antigo *Código de Manu* refere-se não apenas de forma genérica ao mandamento de casar-se com um de sua própria casta, mas também mostra quais consequências pode trazer o não cumprimento dessa norma. Um homem pertencente a uma das três castas principais que se case com uma mulher da casta mais inferior, *sudra*, rebaixa a si mesmo, a sua família e sua prole àquela casta[85]. Um *brahmin* que se case com uma *sudra* acabará no inferno[86]. Apenas por uma questão de segurança, o *Código de Manu* recomenda que um homem de uma casta superior não despose nem mesmo uma mulher cujo sobrenome seja de uma casta inferior. Da mesma forma, deve-se evitar uma mulher cujo pai seja desconhecido[87]. Em termos gerais, tanto homem quanto mulher correm o risco de ter seu *status* rebaixado se casarem com alguém de uma casta inferior. Não obstante, em algumas partes da Índia, uma mulher de casta superior que tenha dado à luz o filho de um pai de casta inferior pode ser reconduzida ao seu antigo *status* caso abandone a criança[88]. No sul do país, o casamento entre diferentes subcastas era aceito somente se os noivos tivessem *status* equivalentes[89].

Apesar de o sistema de castas ser primeiramente uma expressão da convicção hindu de que o ser humano tem a condição que merece em função das ações e condutas que teve em uma vida anterior, os sistema de castas costuma perdurar mesmo quando os hindus adotam outros credos. O texto budista *Kalacakra Tantra*, provavelmente da época do nascimento de Cristo, qualifica homens de castas superiores que amam mulheres de castas inferiores de assassinos, mentirosos,

---

84 *Kathasaritsagara* 112, cf. Vanita 2005:109.
85 *Código de Manu* 3:15.
86 *Código de Manu* 3:17.
87 *Código de Manu* 3:6-16-11.
88 Böck & Rao 2001:17.
89 Den Uyl 2005:143.

ladrões e adúlteros[90]. Muçulmanos no Sul da Ásia, assim como seus descendentes, muitos deles na Noruega, também conservaram o sistema de castas e, idealmente, não mantêm relações sexuais com pessoas de castas diferentes. Mas, no que se refere ao casamento, é entre muçulmanos do sul da Ásia e alguns outros grupos que existe a tendência crescente de dar mais importância à situação econômica, à educação e à condição social[91].

Nas colônias portuguesas da Índia, os convertidos ao catolicismo deram seguimento ao sistema de castas, incluindo a proibição de casamentos entre castas diferentes, enquanto os pioneiros da Igreja síria no sul da Índia jamais se casavam com convertidos oriundos das castas mais baixas. Pela maneira como cresce o número de casamentos entre castas diferentes entre os cristãos de hoje, depreende-se que ocorre principalmente entre pessoas posicionadas proximamente no sistema de castas cristão[92]. Párias hindus convertidos ao cristianismo reclamam que os cristãos indianos os discriminam, da mesma maneira que os hindus[93]. Católicos do Sri Lanka também se submetem ao sistema de castas, mas toleram o sexo sendo praticado fora desses limites — normalmente, a criança passa a pertencer à mesma casta do pai[94].

A proibição geral ao casamento entre castas distintas perdura no hinduísmo de hoje. Dada uma maior mobilidade geográfica hoje em dia, tornou-se mais provável que o casamento entre hindus ocorra fora do grupo étnico original[95], algo que, novamente, tem relação com as castas, na medida em que muitas delas são limitadas do ponto de vista étnico. O desejo de evitar o casamento entre castas sobressai de outras maneiras, como, por exemplo, por meio de anúncios em jornais ou na internet, nos quais homens hindus solteiros e seus pais procuram parceiras adequadas dentro de suas próprias castas[96]. O fato de que certo número de imigrantes oriundos do sul da Ásia, mais liberais, encara isso com mais tolerância, não implica uma condenação a essa proibição

90 Broido 1993:71.
91 Werbner 2001:421-3.
92 Robinson 2003:78-9.
93 *Times of India* 2007.
94 Stirrat 1982:14-14-15.
95 Mani [1993]:932; Rye [1993]:732.
96 Therborn 2004:108-9.

sexual em particular, mas uma conduta mais relaxada em relação ao sistema de castas como um todo[97]. Muitos dos que agem assim, entretanto, dizem-se preparados para retornar às rédeas curtas das famílias de onde vieram, caso necessário. Uma pesquisa com jovens de origem sul-asiática em Londres, por exemplo, revelou que o índice dos que tinham uma visão mais positiva do casamento miscigenado era muito maior que daqueles que não entrariam em uma relação assim sem a bênção dos pais[98]. Entre as castas vizinhas na hierarquia, o casamento misto passou a ser mais comum, ao mesmo tempo que fatores como salário, riqueza e educação ganharam importância na tomada de decisão[99]. Em comunidades de imigrantes mais pobres, estabelecidas mais recentemente, onde existem poucos parceiros sul-asiáticos para escolher, a casta costuma ser ignorada: nesse caso, o mais importante é não se casar com alguém de uma etnia diferente[100]. E há casos em que o que fala mais alto é o dinheiro, não as castas. Já que a mobilidade econômica se tornou independente da filiação a esta ou àquela casta, é mais atraente casar-se com um emergente pertencente a uma casta inferior que com um pobre de sua mesma casta.

Em termos práticos, é possível traçar um paralelo com o racismo cristão branco, no qual é menos aceitável uma mulher fazer sexo com um homem de uma casta inferior que o contrário. Embora um relacionamento extremamente discreto entre uma mulher de casta superior e seu empregado possa ser tacitamente tolerado[101], homens de castas superiores aberta e frequentemente recorrem a prostitutas. Tampouco é incomum estuprarem mulheres de castas inferiores para humilhá-las e a seus semelhantes[102].

O controle do sexo por meio do sistema de castas é um bom exemplo de como uma característica que surgiu como franca proibição se dilui quando se torna possível evitá-la, ou ainda quando fatores mais importantes entram em jogo. Essa proibição ganhou outro contexto e passou a vigorar principalmente para o sexo com endosso religioso. É,

---

97 Hollup 2001:221.

98 Baumann 1996:151-21-2.

99 Hollup 2001:231.

100 Mani [1993]:932.

101 Kannabiran & Kannabiran 2002:66.

102 *BBC* 2004; Nelson & Hasnain 2006.

sobretudo, em relação ao matrimônio que as antigas regras de castas devem ser respeitadas, cabendo uma maior tolerância no caso do sexo extraconjugal e de encontros sexuais mais discretos. Homens de castas superiores podem fazer o que bem entenderem com mulheres de castas mais baixas, inclusive humilhá-las, recorrendo, para tanto, até ao estupro e à prostituição. Com isso, também reforçam as diferenças entre castas, e assim, tornam essa prática mais palatável para aqueles que estão no topo do sistema.

A maneira como o sistema de castas e suas respectivas regras sexuais foram importados por setores do budismo, cristianismo e islã talvez seja um indício de como essas condutas ainda fascinam tanta gente. As castas são estruturas profundamente enraizadas na sociedade, extremamente difíceis de contornar. Não devemos subestimar a segurança e a autoconfiança que resultam da possibilidade de inferiorizar outros seres humanos com base no que são e com quem fazem sexo.

Sexo ortodoxo e nem tanto

Como vimos, a Bíblia condenava o sexo entre povos de origem diferente, enquanto judeus homens que faziam sexo com mulheres cristãs eram queimados pela Igreja na Idade Média. Enquanto no judaísmo e no cristianismo as proibições sexuais baseiam-se na religião, etnia ou cor, o islã simplificou as regras e regula o comportamento sexual tomando como base somente a crença.

O Alcorão estipula limites bem claros nesse aspecto. Tanto o homem quanto a mulher muçulmana não devem se casar com idólatras, mas caso estes abracem o islamismo, passam automaticamente a ser muçulmanos e instantaneamente se tornam aptos para o matrimônio[103]. Além disso, homens muçulmanos podem se casar com mulheres castas filhas daqueles "a quem foi revelado o Livro antes de vós", ou seja, judeus ou cristãos[104]. Em princípio, as mulheres não possuem um direito equivalente, o que deve ser observado no contexto no qual

[103] Alcorão 2:221.

[104] Alcorão 5:5.

os homens é que devem protegê-las e mantê-las (*qawwamun*)[105]. Caso uma muçulmana tivesse o direito de se casar com um não muçulmano, haveria um problema inusitado para a religião — um muçulmano estaria em uma condição inferior em relação a um não muçulmano —, mas, mesmo assim, há entre os praticantes do islã quem defenda que as muçulmanas possam se casar com judeus ou cristãos.

O debate sobre como os muçulmanos deveriam se relacionar ou não sexualmente com os infiéis assumiu contornos mais instigantes. O antigo poeta muçulmano Abu Nuwas e alguns juristas da escola malik sustentaram que se um muçulmano penetrar um cristão ou um judeu, estará demonstrando a supremacia do islã. Nesse caso, isso deveria ser considerado mais uma obrigação que um pecado[106]. Na prática, porém, os relacionamentos eróticos dos homens muçulmanos indicam um caminho de duas vias: muçulmanos escreveram poemas de amor para jovens rapazes judeus e cristãos, mas judeus também se declararam em prosa e verso para rapazes muçulmanos[107].

Com o crescimento do intercâmbio também aumentou a quantidade de casamentos entre muçulmanos e infiéis. Tais relacionamentos não eram exatamente raros já na antiga Iugoslávia, enquanto nos EUA cresce sistematicamente, a cada nova geração, o número de muçulmanos que se casam com não muçulmanas. Em 2001, 21% dos muçulmanos norte-americanos eram casados com mulheres não muçulmanas, o mesmo índice de católicos casados com não católicas[108].

Muitos países ainda proíbem que muçulmanas se casem com homens não muçulmanos, e Israel sequer celebra casamentos entre cônjuges de religiões diferentes — tais uniões só são reconhecidas se realizadas no exterior. Na Malásia, qualquer um que não seja muçulmano, não importa se homem ou mulher, deve se converter se desejar desposar um(a) muçulmano(a)[109]. Não se pode atribuir apenas às restrições tradicionais o fato de que pessoas pertencentes a uma de-

---

105 Alcorão 4:34.

106 Murray & Roscoe1997:304.

107 N. Roth 1982:29-30,44-45; Crompton 2003:169.

108 K. McCarthy 2007:134.

109 "Procedimentos matrimoniais entre muçulmanos e não muçulmanos", em inglês em www.malaysia.gov.my, http://www.malaysia.gov.my/en/Relevant%20Topics/Society%20and%20Life/Citizen/Family/Marriage/ProcedureMarriageMuslimandNonMuslim/Pages/Marriag eBetweenMuslimandNonMuslim.aspx.

terminada religião costumem se casar com outras também do mesmo credo. É assim a dinâmica das relações sociais, principalmente entre aqueles que se dizem muito religiosos. Portanto, não surpreende que um cônjuge geralmente tenha a mesma religião do outro. Mas, para outros, a religião é tão importante que a perspectiva de dividir a vida com alguém que não compartilhe da mesma crença nem chega a ser uma alternativa considerável.

As regras religiosas que proíbem o sexo entre pessoas de diferentes credos nos conduzem de volta ao ponto de partida da regulação sexual. Quando a vida de alguém está sujeita a um controle tão estrito, todos os seus relacionamentos sociais também estão, com repercussões na vida de seus descendentes em um futuro remoto. Quando alguém faz sexo com uma pessoa de outra religião — e sobretudo quando desposa um cônjuge que professa outro credo —, não apenas tem que conviver cotidianamente com uma visão de mundo distinta, mas provavelmente tem sua vida sexual confrontada com regras diferentes daquelas estabelecidas por sua crença de origem. Um dilema central costuma ser a religião na qual os filhos deveriam ser educados. Há, também, a questão do que ocorre após a morte, já que muitas religiões acreditam que o casamento e as relações familiares se perpetuam no além. O que acontecerá caso seu cônjuge e seus filhos não compartilhem seu mesmo credo?

O controle religioso da vida sexual e o racismo sexual compartilham a mesma origem histórica — sobretudo porque religiões e etnias se entremeiam —, mas são duas coisas bem distintas. O controle sexual pela religião depende de uma segmentação bem nítida do estilo de vida de uma pessoa. Já o racismo sexo-religioso nasce de uma compreensão muito peculiar que as religiões têm das identidades humanas.

Regras religiosas que definem quem pode fazer sexo com quem, sejam elas baseadas em gênero, cor, etnia, casta ou religião, têm um ponto em comum: reforçam o princípio, vital para tantas religiões, de que existem diferenças essenciais entre pessoas; reforçam a percepção de que essas diferenças são necessárias, e de que os seres humanos têm um valor vinculado à identidade que têm, ou aparentam ter. Gênero, cor da pele, etnia, casta ou religião são atributos que determinam o valor de alguém com base em uma perspectiva religiosa; regras sexuais contribuem para a manutenção desses atributos e valores. Quem quer que ouse desafiá-las não apenas causará uma ruptura dessas diferenças sagradas, mas também se excluirá desse sistema, extrapolando os limites de uma identidade que lhe é atribuída de antemão.

8

Sexo de outro mundo

Na Troia da Antiguidade, Ganimedes, herdeiro do rei, era famoso por sua beleza. Dizia-se que ele nascera "o mais belo dos mortais". Certo dia, ele desapareceu. Todos tentaram encontrá-lo, seu pai estava inconsolável, até que o deus Hermes apareceu e disse não haver motivo para preocupação. Ganimedes se tornara imortal e recebera o dom da eterna juventude. Porém, essa é apenas metade da história. O próprio rei dos deuses, Zeus, raptou Ganimedes "movido por sua beleza"[1]. Aqui os relatos divergem: uns dão conta de que Zeus se transformou em águia para raptá-lo, outros dizem que Zeus manteve sua aparência humana. De qualquer forma, o apaixonado rei dos deuses levou Ganimedes para o Olimpo não apenas para servi-los em suas festas. O jovem troiano, como Sófocles escreveu sem rebuços, "com suas coxas inflamava a divina realeza de Zeus"[2].

Deus, anjos e demônios, que habitam paragens variadas em relação a nós, seres humanos, jamais podem ser ignorados em uma discussão sobre religião. Essas criaturas sobrenaturais são sexualmente ativas de diferentes maneiras, entre si ou em conúbio com meros mortais, assim como Zeus fazia com Ganimedes. As esferas sobrenaturais onde

---

[1] *Hino homérico a Afrodite*, 5.206-16-14; *Ilíada*, 20.232-5.

[2] Sófocles, segundo Ateneu, *Deipn.* 3.602e, cf. *Iíada* 20.232-32-35; *Hino Homérico a Afrodite* 5.202-6; Píndaro, *Ol.* 1.43-43-43-45; Pseudo-Luciano, *Charidemus* 7; várias ânforas pintadas.

normalmente habitam deuses e quejandos, e para onde nós mesmos iremos ao morrer, não são zonas em que o sexo é inexistente. Mas não é apenas a presença do sexo nessas circunstâncias sobrenaturais que naturalmente enseja uma investigação desse fenômeno relacionado ao sexo e à religião. O comportamento sexual dos deuses e as regras em vigor nessas outras esferas podem ser analisados como uma representação ideal das normas sexo-religiosas vigentes na Terra. Além disso, também há as condutas específicas que os seres humanos deveriam adotar em um primeiro encontro sexual com essas criaturas sobre-humanas. Deuses, anjos e demônios não são exatamente pessoas comuns.

Sexo entre divindades

Em muitas das religiões não monoteístas a própria criação do mundo era o resultado de um ato sexual. Nos relatos egípcios, mesopotâmicos, gregos e de outros povos o mundo nasce após a cópula de um casal de deuses, cujos filhos são os elementos fundamentais. Mesmo quando há um único Deus no princípio, o sexo ainda é um elemento importante no contexto, caso, por exemplo, da narrativa heliopolitana de Aton-Rá, no Egito, que cria seus descendentes ao se masturbar: "Antes de expelir Shu, antes de expectorar Tephnut [...] Eu sou aquele que se masturbou de próprio punho, eu me excitei com minha própria mão"[3]. Porém, muitos deuses não se limitam ao sexo com fins de procriação, e, em vez disso, têm vida sexual extremamente ativa.

Talvez as aventuras sexuais dos deuses gregos sejam mais conhecidas no Ocidente, mas a sexualidade dos deuses hindu é o exemplo mais importante de divindades sexualmente ativas nas religiões correntes. A maior parte dos deuses está inserida em relacionamentos heterossexuais, embora seja muito complexo traçar um panorama desses relacionamentos, pois as referências variam de lugar a lugar e por que, entre outros fatores, alguns deuses têm identidades muito fluidas. Assim como os deuses superam os homens na maioria das tarefas, também o fazem no âmbito sexual. O sexo entre deuses é formidável. O primeiro

---

[3] The Bremner-Rhind-Papyrus, *Museu Britânico* 10188.

intercurso sexual entre Shiva e Parvati é, por si, um belo exemplo: dura a eternidade inteira e é tão intenso que o todo o cosmo treme e os demais deuses ficam apavorados[4]. O casal de deuses amantes costuma ser representado como um único ser amalgamado[5].

O fato de os deuses poderem fazer sexo implica uma visão positiva daquela religião em relação ao assunto. Mas seus inúmeros feitos sexuais não se prestam automaticamente como modelo para os seres humanos. Quando deusas como Parvati e Afrodite traíram seus maridos, isso não foi considerado um comportamento exemplar, mas uma transgressão divina[6]. A infidelidade de tantos deuses masculinos, embora não fosse ideal, era um problema menor, a exemplo de como a sexualidade masculina é mais liberada que a masculina no mundo dos mortais. A relação incestuosa de Ísis e Osíris refletia-se nos casamentos dos faraós, e pelo menos no helenismo, inspirou o comportamento das famílias mais abastadas do Egito[7]; mas uniões incestuosas de inúmeros outros deuses primitivos de outras religiões não eram exemplos a ser seguidos. O casamento incestuoso entre os irmãos Zeus e Hera, no panteão, não era comportamento a ser imitado na Grécia antiga e, na verdade, por vezes era criticado por estar longe do ideal.

Embora um sem-número de divindade se conserve virgens, o Deus judaico-cristao-muçulmano destaca-se em sua sexualidade. Como se tratam de crenças monoteístas, ele é o Deus do universo e sua abstinência significa que simplesmente não há deuses sexualmente ativos. Há, contudo, certas ocasiões em que Deus se encontra em situações que facilmente poderiam se tornar sexuais; mas, examinando de perto, servem apenas para enfatizar Sua abstinência. O esperma está entre os ingredientes que Deus utiliza para criar seres humanos, segundo o Alcorão, mas o ato em si não é descrito como sexual. O esperma parece ser *necessário* para a criação do homem, mas nem se trata do esperma divino, e sim de uma substância extraída do barro[8]. O mais próximo que Deus chega do sexo, segundo o cristianismo, não diz respeito a

---

[4] Kinsley 1988:43.
[5] Vanita 2005:74.
[6] Doniger O'Flaherty 1981:150; *Odisseia* 8:266-366.
[7] Scheidel [2004]:93.
[8] Alcorão 22.5,23.12-12-14.

nenhuma criação divina, e sim ao contato com Maria. Assim lhe é orientado, segundo o Evangelho de Lucas: "O Espírito Santo descerá sobre ti, e a força do Altíssimo te envolverá com a sua sombra"[9]. O ponto em questão é que *não* se trata de um ato sexual. Deus consegue engravidar Maria sem copular com ela.

O Deus assexual monoteísta é igualmente um bom exemplo de como a mesma concepção doutrinária pode ter consequências completamente diferentes. Enquanto no judaísmo e no islã a virgindade eterna de Deus é o que o *distingue* dos homens, para o cristianismo a abstinência divina é um *exemplo* a ser seguido. No contexto cristão, a ausência de uma sexualidade divina tornou-se um padrão, e é reforçado futuramente, por meio de seu filho Jesus, que também é abstinente sexual. Visto assim em perspectiva, existe um paralelo entre as figuras sagradas do cristianismo e os deuses sexualmente ativos dos hindus, dos gregos antigos e de outras religiões tradicionais. Em todos esses casos, o comportamento sexual dos deuses oferece um modelo a ser seguido pelos mortais.

Sexo entre humanos e seres sobrenaturais

Embora o Deus dos cristãos tenha se mantido abstinente mesmo ao engravidar Maria, um sem-número de outros deuses fez sexo com humanos. Muitos até são notórios em suas manobras para seduzir homens e mulheres, uma conduta que jamais se tornou lugar-comum em religião alguma, mas revela outra dimensão da sexualidade: o sexo com os deuses pode ser parte da realidade sagrada humana.

A história do relacionamento entre o divino Zeus e o jovem Ganimedes não é a única. A religião grega dispõe de uma enorme quantidade de narrativas de deuses e homens que praticam sexo entre si. Várias deusas e quase todos os deuses masculinos eram conhecidos por seu assédio incessante a homens e mulheres. Como prova concreta, temos o enorme número de heróis e heroínas que resultavam do relacionamento entre seres divinos e humanos. O número expressivo

[9] Lucas 1:35, cf. Mateus 1:18.

de filhos divinos na Antiguidade também estava relacionado à ideia da enorme potência sexual dos deuses, que resultava em um rebento a cada ato sexual realizado. Às vezes, Zeus se transformava em animal, quando queria copular com um ser humano, algo que *per se* já é exemplo de uma transgressão, uma vez que seres humanos não deveriam fazer sexo com animais. Quando Zeus quis seduzir a princesa Europa, transformou-se em um touro[10], e em um cisne quando desejou a princesa Leda. Ilustrações antigas retratam uma ave tão excitada que mais parece estuprar a princesa[11].

Nesse contexto, é importante ter em mente que, para os gregos, esses seres míticos e heroicos representavam figuras reais. Embora haja uma grande discussão sobre o papel que de fato Héracles, Odisseu e a bela Helena de Troia tiveram em vida, quase ninguém duvida de sua existência[12]. Uma das ideias geralmente aceitas como autênticas era que muitas dessas figuras que hoje vemos como míticas fizeram sexo com os deuses. Júlio César, por exemplo, fazia troça da crença de que sua própria família, segundo algumas fontes gregas, descendia de um caso amoroso entre o guerreiro troiano Anquises e a deusa Afrodite, a Vênus romana. Já que os deuses fizeram sexo com humanos ao longo da história, não haveria por que duvidar de sua atividade sexual no passado mais remoto. A mãe de Alexandre, o Grande, por exemplo, insistia que fora engravidada por Zeus na forma de uma serpente[13]. Certamente, porque não queria parecer diminuído diante de seu inspirador macedônio, o imperador Augusto fez circular boatos de que sua mãe fora engravidada por Apolo, que também teria assumido a forma de uma serpente[14]. Muitas pessoas acreditavam que deuses na forma de serpentes eram os pais do tirano messênio Aristômene[15] e do general Arato de Sicião[16], ao passo que Euthymus de Locros, campeão olímpico de boxe em 427 a.C., seria supostamente filho do deus aquático

10 Pseudo-Apolodoro *Bibl.* 3.1.1.

11 Eurípedes *Helena* 16-16-19; Pausânias *Descr.* 3.16.1; Pseudo-Apolodoro *Bibl.* 3.10.7.

12 Veyne [1983]:112.

13 Ariano *Anábase* 151, cf. Plutarco *Alexandre* 2:4.

14 Suetônio 94:4.

15 Pausânias *Descr.* 4:14.7.

16 Pausânias *Descr.* 2:10.3.

Francesco Melzi (a partir de pintura perdida de Leonardo da Vinci). 1508-1515

Crédito: Galleria degli Uffizi, Florença

Carcinus[17]. Embora pairassem dúvidas, muitas pessoas acreditaram em uma jovem pôntica, no século IV a.C., que disse ter engravidado após uma noite de amor com Apolo[18].

O hinduísmo é outra religião com vários testemunhos de sexo entre deuses e homens, o mais conhecido deles sendo, talvez, o relacionamento entre Krishna e as belas pastoras conhecidas como *gopis*. Esse relacionamento costuma ser ilustrado na arte hindu pelo Deus azul tocando uma flauta, enquanto a jovem o escuta enlevada. A relação segue adiante, e Krishna faz amor com cada uma delas, "abraçando, tocando suas mãos, o olhar terno e um largo sorriso; assim ele desfruta das jovens mulheres". Ele se multiplica na mesma quantidade existente de *gopis*, de forma a satisfazer a todas[19]. Os números não são modestos. As fontes não são unânimes sobre a quantidade de parceiras com quem Krishna copulou nesse dia, mas parece que o número aumenta a cada vez que se conta a história. Por fim, costuma-se dizer que Krishna fez sexo com 900 mil parceiras.

Tantas *gopis* não conseguem aplacar o desejo sexual do Deus azul e ele se casa com 16 mil virgens que salvou do cativeiro do demônio Bhaumas[20]. Em outra ocasião, Krishna se transforma em mulher para poder se casar com o filho de Arjuna, Aravan, que prometera se imolar em homenagem à deusa Kali no dia seguinte[21], um episódio que as *hijra* tâmeis consideram um ideal divino de sua própria vida[22].

Nessas narrativas de amor consumado entre deuses e seres humanos podemos perceber que o hinduísmo nem sempre distingue claramente o mundano do divino. Nas eras míticas, existe um contato constante e íntimo entre deuses e homens, e mesmo hoje em dia algumas pessoas são consideradas encarnações de deuses. As diferenças existentes entre os povos são por vezes comparadas às diferenças entre deuses e homens. O *Kama Sutra*, por sinal, exorta as mulheres a tratar seus maridos como deuses[23].

---

17 Pausânias *Descr.* 6:6.4.

18 Plutarco *Lísandro* 1-41-4.

19 *Bhagavatam Purana* 10:33.

20 *Bhagavatam Purana*10:59.

21 Nas versões tâmeis do *Mahabharata*. Ver Vanita 2005:75.

22 Vanita 2005:75-65-6.

23 *Kama Sutra* 4:1.

Apesar de o Deus de Abraão se abster do sexo, não está excluída a possibilidade de que judeus, cristãos e muçulmanos copulem com seres sobrenaturais. O Pentateuco narra a história de como "os filhos de Deus viram que as filhas dos homens eram belas, e escolheram esposas entre elas", Disse então Javé: "Meu espírito não permanecerá para sempre no homem, porque todo ele é carne, e a duração de sua vida será só de cento e vinte anos. Naquele tempo viviam gigantes na Terra [...] Estes são os heróis tão afamados dos tempos antigos".[24] Esses "filhos de Deus" costumam ser identificados como anjos caídos. O conúbio sexual entre homens e seres sobrenaturais foi a razão do dilúvio universal[25], e essa relação também é associada a outras catástrofes. Em alguns textos judeus e cristãos, considera-se o pecado inicial dos sodomitas o desejo de fazer sexo com os visitantes porque eram *anjos*. Homens não deveriam fazer sexo com seres sobre-humanos[26].

Certos muçulmanos acreditam que os gênios (*djins*) também se interessavam pelo sexo com humanos. Gênios são criaturas sobrenaturais, nem deuses nem homens, cujo exemplo mais conhecido é provavelmente o espírito que habita a lâmpada mágica de Aladim. O Alcorão faz referência às virgens intocadas por homens e por gênios[27]. Era tema de debate entre os muçulmanos se uma mulher poderia se casar com um gênio, e a conclusão mais comum era que sim, poderia, uma vez que não se conheciam proibições contra isso[28]. Embora no islamismo atual tenham perdido a relevância de outrora, os gênios ainda são considerados seres sexualmente ativos, por exemplo, pelas mulheres egípcias[29]. Demônios islâmicos também podem fazer sexo com humanos; anjos, entretanto, são abstinentes[30].

Segundo a tradição cristã, os anjos deixaram os homens em paz depois dos tempos do Velho Testamento. Mas outras tentações, tão perigosas quanto, continuaram entre nós. Assim que Antão o Grande

---

[24] Gênesis 6:2-4.

[25] Jubileus 7:20-20-21; 2 Pedro 2:4-54-5.

[26] Jubileus 20:5; Test. Naph. 3:4-54-5; 2 Pedro 2:4, 2:6-8, cf. Gênesis 19:5; Bailey 1955:12-12-13, 16.

[27] Alcorão 55:56,55:74.

[28] Bouhdiba [1975]:69.

[29] Sengers 2003:243.

[30] Bouhdiba [1975]:58.

iniciou sua trajetória rumo ao ascetismo — no terceiro século d.C., porém, antes de começar a vagar pelo deserto —, o diabo o tentou. Certa noite, assumiu a forma de uma bela mulher e utilizou todos os subterfúgios para seduzi-lo[31], mas deve ter percebido que o sexo feminino não atraía a atenção de Antão, e logo se transformou em um jovem negro[32]. O truque também não logrou êxito diante do asceta. Quando partiu para o deserto, os demônios, ainda mais irrequietos, insistiram nas tentações sexuais que usam de praxe, segundo as tradições antigas. Antão jamais se desviou de seu ascetismo, apesar disso.

Uma vez que o controle sexual tem um papel tão importante no cristianismo, não surpreende que os inimigos sobrenaturais de Deus se valessem do sexo para levar os homens à perdição. A história nos mostra que nem todos os homens tiveram a força de Antão para resistir às tentações demoníacas, que não eram poucas nem irrisórias. Em sua obra-prima *A cidade de Deus*, Agostinho relaciona os relatos bíblicos de anjos que faziam sexo com mulheres mortais com as tradicionais narrativas gregas e romanas de seres humanos que faziam sexo com faunos, sátiros e silvanos, entes metade animais, metade humanos que habitavam as florestas da Antiguidade. Ele chama esses seres pagãos de *incubi* (plural de *incubus*), denominando, assim, os demônios sexualmente ativos que continuariam a fazer sexo com seres humanos até a era moderna[33]. Os íncubos logo tiveram a companhia dos súcubos, sexualmente passivos, mas nem por isso menos perigosos. No século XIII, o monge cisterciense Cesário de Heisterbach contou que súcubos na forma de mulheres abusavam de monges de tal maneira que alguns até pereciam[34]. Quase na mesma época, Tomás de Aquino detalhou como os demônios utilizavam seus parceiros sexuais para se reproduzir. Primeiro, assumiam a forma de um corpo feminino e roubavam o sêmen do homem ao se deitar com ele. Em seguida, assumiam uma forma masculina e se deitavam com uma mulher, que assim, engravidava[35]. No século XV, o teólogo e bispo castelhano

---

31 Atanásio *Vita Antonii* 5:5.

32 Atanásio *Vita Antonii* 6:1.

33 Agostinho *De civitate Dei* 15:23.

34 Elliott 1997:14-14-15.

35 Tomás de Aquino *Summa Theologiae* 1:51-3.

Alonso Tostado assegurou que os demônios também se valiam de métodos mais simples. A simplicidade consistia em recolher o esperma de homens que se masturbavam e engravidar as mulheres com ele[36]. Nem todos se preocupavam com especulações desse gênero. Uma mulher interrogada por Gianfrancesco Pico dela Mirandola contou animadamente que os demônios lhe davam mais prazer sexual do que seu marido jamais lhe dera[37].

No *Martelo das feiticeiras*, ou *Malleus Maleficarum*, de 1847, o mais influente livro cristão sobre bruxaria, o inquisidor e monge dominicano Henrich Kramer retomou o tema das mulheres que fazem sexo com demônios[38]. Kramer era versado na Bíblia e associou o sexo demoníaco de sua época àquele dos filhos de Deus com as filhas dos homens antes do dilúvio[39]. Na opinião de Kramer, a destruição de Sodoma também decorreu do sexo que seus habitantes praticavam com demônios[40]. Quando são Paulo insistia que a mulher "deve trazer o sinal da submissão sobre sua cabeça [...], por causa dos anjos"[41], Kramer acreditava que isso evitaria que os anjos caídos fossem tentados, como ocorrera nos tempos do Velho Testamento[42]. Kramer também secundava as teorias de Tomás de Aquino sobre como os demônios engravidavam as mulheres, mas, ao mesmo tempo, notava que os bebês gerados eram filhos dos homens cujo esperma havia sido utilizado. Ainda assim, por meio daquele método de inseminação, os demônios haviam tido a chance de infestar o corpo e a alma daquelas crianças[43]. De acordo com o *Martelo*, somente feiticeiras seriam capazes de copular com demônios[44]. Tradicionalmente, acreditava-se que íncubos, em sua luxúria, também penetravam o ânus de homens[45], mas Kramer acha que os

---

[36] Stephens 2002:69-79-70.

[37] Stephens 2002:106. 290

[38] Com o objetivo de chamar mais atenção para a obra, Kramer cita Jacob Sprenger, chefe da Inquisição Católica na Alemanha, como coautor do livro.

[39] Heinrich Kramer & Jacob Sprenger *Malleus Maleficarum* 1.3, cf. Gênesis 6:2,6:4.

[40] Heinrich Kramer& Jacob Sprenger *Malleus Maleficarum* 1.4.

[41] 1 Coríntios 11:10.

[42] Heinrich Kramer & Jacob Sprenger *Malleus Maleficarum* 1:3.

[43] Heinrich Kramer & Jacob Sprenger *Malleus Maleficarum* 1:3.

[44] Heinrich Kramer & Jacob Sprenger *MalleusMaleficarum* 1:6.

[45] Stephens 2002:54.

demônios se limitavam às mulheres: ele também insistia que recusavam qualquer outra forma de sexo que não o vaginal[46].

Valendo-se dos "poderes do ar", os demônios se transformavam nos amantes mais belos e ousados. Mas quem quisesse ter sexo com um demônio deveria se ater a certas regras. Kramer conta sobre uma jovem ansiosa por fazer sexo com uma legião de demônios transformados em jovens robustos, mas seus corpos se dissolveram assim que ela se persignou[47]. Kramer não constrói suas teorias sobre o sexo entre mulheres e demônios sobre especulações de antigos autores apenas, mas também pelo que dizia ser "testemunhas oculares, relatos e afirmações de testemunhas fiáveis" de uma quantidade de inquéritos judiciais a cargo do inquisidor em Como, em 1485, que resultou na queima de 41 acusadas de bruxaria[48]. A postura de Kramer era tida na mais alta conta pela Igreja católica, e já em 1484 o papa Inocêncio VIII editou uma bula na qual dizia que "teve sua atenção voltada para o fato de que [...] em algumas regiões do norte da Alemanha, a saber, em províncias, cidades, territórios, distritos e dioceses de Mainz, Colônia, Trier, Salzburgo e Bremen, muitas pessoas de ambos os sexos, sem nenhuma consideração pela própria salvação, estão se desviando da fé católica e se entregando aos demônios, íncubos e súcubos"[49].

Outros teriam feito sexo com o diabo em pessoa. O caso entre o diabo e a criada Walpurga Hausmännin, em Dillingen, nos arredores de Augsburg, começou quando ela concordou em encontrar um homem com quem havia trabalhado, para fazer sexo. Eles se encontraram na mesma noite, no local combinado, mas Walpurga deduziu que havia feito sexo com o diabo ao notar que os pés do homem eram cascos e suas mãos pareciam ser feitas de madeira. Quando pronunciou o nome de Jesus, o diabo desapareceu imediatamente. Walpurga deve ter sido ludibriada pelos encantos do diabo, já que deu sequência aos encontros em ocasiões futuras, e também se entregou a ele espiritualmente. Cônscia desses atos, Walpurga foi finalmente queimada em 20 de setembro de 1587[50].

---

[46] Heinrich Kramer & Jacob Sprenger *Malleus Maleficarum* 1:4.
[47] Heinrich Kramer & Jacob Sprenger *Malleus Maleficarum* 2:1-4.
[48] Heinrich Kramer & Jacob Sprenger *Malleus Maleficarum* 2:1-4.
[49] papa Inocêncio XVIII, "Summis desiderantes", 5 de dezembro de 1484.
[50] Stephens 2002:2.

Enquanto Walpurga parece ter se deixado cair na sedução quase por vontade própria, havia outros que se enredavam em situações bem mais complexas. Em 1628, certo Johannes Julius admitiu ter feito sexo com um demônio que primeiramente parecia ser uma mulher comum. Depois do êxtase, a bela jovem se transformou em uma cabra falante e ameaçou quebrar as costas de Johannes, a menos que ele negasse a Deus. Embora ludibriado e ameaçado pelo demônio, Johannes acabou executado em Bamberg, na Bavária[51].

Alguns satanistas modernos têm tentado reanimar a crença de que o homem pode fazer sexo com demônios, mas de ponto de vista mais positivo. Não somente é possível obter uma experiência sexual fantástica, mas os demônios "são ótimos para ouvir todo tipo de reclamações, queixas e problemas e normalmente estão disponíveis para castigar inimigos e resolver assuntos para você"[52]. Podem ser simplesmente os amantes perfeitos. Parece uma perspectiva maravilhosa, mas ainda resta a dúvida: o texto se baseia em convicções reais ou meramente expressa uma vontade ainda por realizar?

As histórias de tantas pessoas que acreditam ter feito sexo com entes extraterrestres, de preferência a bordo de óvnis, guardam um bom paralelo com os antigos e populares relatos de sexo demoníaco e divino. Quando visitou o longínquo planeta Elohim, o profeta ufólogo francês Raël foi entretido por dançarinas nuas, que também estavam disponíveis sexualmente[53]. Mais desconfortáveis que esse são os repetidos relatos de pessoas abduzidas e violentadas ou utilizadas como cobaias para experimentos sexuais[54].

O contato com seres divinos é uma preocupação central em muitas religiões, e fiéis tentam arduamente obtê-lo por meio de orações, sacrifícios e sortilégios. Os deuses respondem de diferentes formas: fazem-se ouvir, manifestam-se fisicamente, proveem fortuna ou adversidade manipulando o destino ou os elementos da natureza. Na pior das hipóteses, se particularmente ressentidos, abatem-nos e liquidam

---

51 Stephens 2002:5.

52 *Joy of Satan Ministries*, http://www.angelfire.com/empire/serpentis666/Incubus.html.

53 Chryssides 2003:54.

54 Denzler 2003:304-54-5; Partridge 2003:28; Rothstein 2003:269.

instantaneamente. Logo, o sexo com entes sobrenaturais é plenamente compreensível.

O fato de tais concepções de sexo entre seres humanos e anjos ou demônios não serem hoje tão populares quanto foram no passado tem pouco a ver com as mudanças relacionadas à condição sexual. Têm a ver, sim, com o fato de que as religiões estão menos espiritualizadas, e poucas pessoas creem hoje que anjos, demônios e entidades semelhantes têm alguma conexão física com nossa vida. Em vez disso, exercem uma influência mais indireta e vaga. Vista assim, a noção de sexo com esses seres deixa de ser plausível.

A certeza da conexão entre o sexo sobrenatural e uma compreensão geral da fé dá-se apenas na única religião em que os fiéis ainda creem nessa possibilidade: nas seitas que acreditam em óvnis, as divindades integram uma visão dita científica de mundo, e assim sendo, não há nada que as impeça de fazer sexo conosco.

Sexo por toda a eternidade

Os testemunhos de pessoas que voluntária ou involuntariamente fizeram sexo com demônios, deuses ou outros seres sobrenaturais costumam ser dramáticos, mas ao mesmo tempo são exceções. Esse tipo de sexo jamais foi experimentado pela maioria das pessoas, embora tenha tido grande projeção no debate público mais recente. Já o que acontece depois da morte nos afeta de uma maneira totalmente diversa. Experiências sexuais *post-mortem* são algo que pode se referir a qualquer fiel, quer implique a abstinência ou a cópula por toda a eternidade.

Segundo o islã, não há razão para o sexo se extinguir quando alguém morre. O Alcorão promete aos muçulmanos a companhia de virgens ardentes de olhos copiosos no paraíso[55]. São as *houris*, mulheres que Deus criou apenas para habitar o paraíso e jamais pisaram na Terra, o que reforça o fato de jamais terem sido tocadas nem por homens nem por gênios[56]. Segundo a tradição, as *houris* esperam impacientes pela

[55] Alcorão 37:40-49, 44:54, 52:17-20, 55:56-8, 55:72-6, 56:22-40, 78:31-41-4.
[56] Alcorão 55:56, 55:74.

chegada dos maridos que lhes foram prometidos, e Ridwan, o anjo-mor, às vezes as conduz ao topo do paraíso para que possam admirar seus futuros esposos na Terra[57].

Nos *hadiths,* Maomé explica melhor que nenhum homem estará solteiro no paraíso; na verdade, terá duas esposas[58]. Serão virgens de olhos grandes, e os três, marido e mulheres, terão 27 metros de altura[59]. Como esposas devotas também ingressarão no reino dos céus[60], algumas dessas virgens serão muçulmanas comuns que rejuvenescerão ao chegar lá [61]. No século XIV, o exegeta corânico sírio Ismail ibn Kathir afirmou que todas as mulheres do paraíso automaticamente voltariam a ser virgens após cada relação sexual que praticassem[62]. Ainda assim, Kathir dizia, um homem poderia fazer sexo com uma centena de virgens todos os dias. Isso seria fisicamente possível porque um único indivíduo teria a força de cem homens[63]. Em um *hadith* visto com ceticismo pela maioria dos eruditos muçulmanos, diz-se que haveria 72 esposas por marido no paraíso, conforme prometeu Maomé[64].

A narrativa corânica de "rapazes de eterna juventude", "belos como pérolas", que servirão as bebidas mais maravilhosas nas mais refinadas taças, costuma ser interpretada pela tradição islâmica como uma indicação de que o sexo entre homens também existiria no paraíso, especialmente porque eles costumam ser apresentados ao lado de virgens sexualmente ativas, e dá-se bastante ênfase à beleza e à disposição de servir de ambos[65]. Esse é, ainda, um ponto controverso, e no início da década de 1990, no Egito, os mais proeminentes acadêmicos do país reuniram-se em um evento para debater se homossexualidade e ereções perpétuas existiriam no paraíso[66].

Em contrapartida, o paraíso cristão, repleto de bem-aventuranças, é bem mais moderado em relação ao islâmico. Como explica Jesus,

---

[57] Bouhdiba [1975]:85.
[58] Muslim Ibn al-Hajjaj *Sahíh Muslim* 40:6793, 40:6707.
[59] Muslim Ibn al-Hajjaj *Sahíh Muslim* 40:6795-95-96.
[60] Alcorão 13:23, 40:8.
[61] Tirmidhi *Sunan* 1:35.6.
[62] Ibn Kathir *Tafsír* no comentário que faz a Alcorão 56.
[63] Ibn Kathir *Tafsír* no comentário que faz a Alcorão 56.
[64] Tirmidhi *Sunan* 4:21.2687.
[65] Miller 1996:26-76-7.
[66] Alcorão 52:24, 56:17-18, 76:19, cf. Wafer 1997:90.

"mas os que serão julgados dignos do século futuro e da ressurreição dos mortos não terão mulher nem marido [...] pois são iguais aos anjos"[67]. Levando em conta que a abstinência sexual é o ideal cristão original, não chega a ser uma surpresa que a ausência de sexo no paraíso seja a norma. Mas nem todos os cristãos estão de acordo com isso. Os mórmons, que dão muita ênfase à salvação por meio do chamado casamento celestial, asseguram que o sexo conjugal persistirá por toda a eternidade[68].

Como o cristianismo tem um viés geralmente mais negativo em relação ao tema, tampouco surpreende que haja sexo no inferno. O que não significa, de forma alguma, que os pecadores que lá acorrem possam se deleitar como o que fazem nesta vida. Ao contrário. No inferno, os atos sexuais são utilizados como punição. As inúmeras representações do inferno feitas por artistas medievais e renascentistas mostram com detalhes como os demônios torturam suas vítimas sexualmente. Empalações ou penetrações anais parecem ser os métodos preferidos. A tortura é a única atividade sexual a merecer uma representação iconográfica na concepção cristã de eternidade, desta forma reforçando a visão depreciativa que essa religião tem do sexo. Idealmente, o sexo continua sendo uma atividade da qual o ser humano deveria se abster por completo; quem achar o contrário poderá sentir na própria carne as consequências terríveis que o sexo acarreta.

A única forma de sexo consentida para os vivos, o sexo vaginal matrimonial, está absolutamente excluída tanto do inferno como paraíso em todas as variantes da cristandade. Nenhuma outra forma de sexo consensual ocupa seu lugar, e outras formas tão frequentemente condenadas pelo cristianismo são representadas indiretamente por meio de estupros demoníacos de vítimas agonizantes.

Não é possível explicar a ausência do sexo no além apenas alegando que a religião se tornou mais espiritual com o passar do tempo. Afinal, as concepções religiosas de sexo não se limitam ao que fazemos com nosso corpo físico. O fato de os fiéis raramente relacionarem o sexo a uma vida após a morte não é uma obviedade. Quando o sexo

[67] Lucas 20:35-6; Marcos 12:25; Mateus 22:30.
[68] Forrest 1999:31.

inexiste, até mesmo no ideal de eternidade dos poucos escolhidos, uma convicção religiosa específica está sendo perpetuada: a de um paraíso cristão claramente isento de sexo, correspondendo a um imaginário de humanidade do qual o sexo jamais fará parte. O sexo corresponde à nossa condição imperfeita de seres mortais e transitórios. Quando nos tornarmos perfeitos, de acordo com tantas concepções religiosas, não mais o praticaremos e sequer sentiremos falta dele. À luz dessas premissas, as noções de sexo, deuses e vida após a morte nos revelam muito mais que uma compreensão geral entre o sexo e a religião.

Porém, essa abordagem não dá conta do panorama completo. Há várias religiões cujos fiéis estão convencidos de que terão direito ao sexo depois que morrerem. Uma convicção que implica uma compreensão religiosa do sexo inteiramente diferente.

9

Porque você merece

Deus amaldiçoou a Suécia e derramou Sua ira sobre os suecos em sucessivas ocasiões, segundo a Igreja Batista de Westboro, nos EUA. Isso porque a Suécia "abraçou" a homossexualidade de tal maneira que passou a ser "um dos países mais 'homófilos' da Europa e quiçá do mundo". A legalização da homossexualidade em 1944, leis antidiscriminação em 1987, lei de união civil em 1995, direito de adoção para pais homossexuais em 2002, a parada *gay* anual em Estocolmo, todos esses são fatores que provocaram a ira divina. Ostentar uma das maiores taxas mundiais de divórcio também contribuiu para que Deus tenha voltado as costas aos suecos, e Ele certamente não terá ficado nada satisfeito por terem permitido a legalização do casamento de homossexuais em 2009. As consequências do "nefasto" governo e da tolerância dos suecos diante de toda essa sexualidade "pecaminosa" são visíveis, diz a Igreja Batista de Westboro. O tsunami de dezembro de 2004, que tirou a vida de mais de quinhentos suecos em férias no Pacífico, foi um dos castigos, assim como as tempestades de agosto de 2008, que inundaram mais de 11 mil residências no país; a tempestade na costa oeste, em 2008, que matou seis pessoas; a tempestade de janeiro de 2005, que matou sete, e também o incêndio em uma discoteca em Gotemburgo, em outubro de 1998, quando pereceram 63 pessoas[1].

---

[1] Igreja Batista de Westboro, "God hates Sueden", em http://www.godhatessweden.com/sweden/godswrath.html e http://www.godhatessweden.com/sweden/government.html.

Embora se portem de forma idêntica em relação à sexualidade intragênero, as vizinhas Noruega, Dinamarca e Islândia não mereceram a mesma atenção daquela comunidade religiosa norte-americana. A lógica deveria ser a mesma, e as muitas inundações, avalanches, incêndios e outras catástrofes que se abateram sobre esses outros países nórdicos deveriam, portanto, ser interpretadas como um sinal de que Deus condena posturas liberais em relação à homossexualidade. A Igreja Batista de Westboro considera até mesmo que os EUA, apesar do nível bem mais baixo de tolerância à homossexualidade, provocaram a ira de Deus pelo mesmo motivo. Como resultado, "Deus enviou os aviões" que se chocaram contra o World Trade Center em 11 de setembro de 2001. O furacão Katrina e a desastrosa guerra do Iraque também foram castigos divinos[2]. A fim de despertar os norte-americanos para a gravidade do tema, membros da Igreja viajam pelo país e realizam protestos defronte a cerimônias fúnebres de soldados mortos no Iraque empunhando cartazes em que se lê "Deus odeia bichas", "Deus odeia os EUA" e "Obrigado, Senhor, pelo 11/9!".

A Igreja Batista de Westboro é uma congregação pequena que emprega uma estratégia midiática de enorme sucesso. A maneira como consegue associar condutas sexuais inaceitáveis com desastres naturais, catástrofes e outros eventos graves, porém, está longe de ser uma marca registrada. Dada a intensidade com que as religiões se debruçam sobre o tema, não causa nenhum espanto que o sexo tenha consequências, nem que seja ao menos para afetar o clima do dia seguinte, caso você não seja o tipo de fiel que obedeça ao que diz sua Igreja. Como não existe uma única religião que não tenha algum tipo de norma sexual, o sexo tem consequências virtualmente em todas elas. A convicção, levada adiante pela Igreja Batista de Westboro, de que inundações, tempestades e guerras resultam de uma conduta sexual imprópria, não representa uma diferença qualitativa importante diante de outras religiões, mas uma mera diferença de gradação. Enquanto algumas pessoas acham que a conduta sexual de um ser humano basta para defini-lo como um bom judeu, cristão ou hindu, a pequena e piedosa Igreja batista dá um passo à frente e também crê que a conduta

---

[2] Sermão de Fred Phelps, líder da Igreja Batista de Westboro, em 16 de março de 2008, em http://www.westborobaptistchurch.com/written/sermons/outlines/Sermon_20080316.pdf.

sexual individual tem consequências no mundo material, às vezes na forma de desastres naturais ou eventos de grandes proporções. O grande hiato entre essa Igreja batista e demais Igrejas de outras denominações não é a crença de que o sexo tem consequências, mas a convicção de que fenômenos naturais e o próprio rumo da história podem ser considerados eventos manipulados diretamente por forças divinas.

Consequências do sexo depois da morte

A avaliação que fazem as religiões sobre as consequências de nossa conduta sexual não é um assunto que mereça as manchetes dos telejornais noturnos. A maioria das concepções sobre as implicações do sexo se relaciona a uma vida após a morte. Nossa conduta sexual está intrinsecamente ligada à nossa possível redenção ou — para quem crê na reencarnação — a uma existência melhor quando renascermos. A existência de vida após a morte é um tópico jamais contestado por nenhuma concepção religiosa (bem como jamais comprovado), e, portanto, reflete algumas das mesmas ideias sexo-religiosas sobre as quais se fundamentam vários credos. Se o sexo não tivesse repercussões em uma área sobre a qual se diz que as forças divinas detêm controle absoluto, de que serviriam tantas normas religiosas criadas para regular nossa vida nesse particular?

A doutrina segundo a qual o sexo acarreta consequências eternas é vital para o cristianismo. O próprio Jesus deixou muito claro que todos que fazem sexo antes ou fora do casamento vão parar no inferno: "Ouvistes que foi dito aos antigos: Não cometerás adultério. Eu, porém, vos digo: todo aquele que lançar um olhar de cobiça para uma mulher, já adulterou com ela em seu coração. Se teu olho direito é para ti causa de queda, arranca-o e lança-o longe de ti, porque te é preferível perder-se um só dos teus membros, a que o teu corpo todo seja lançado na geena"[3]. De acordo com Jesus, uma ínfima e decrescente parcela dos habitantes deste planeta, sobretudo no Ocidente, terá chance de não acabar seus dias inferno. Não é sem razão que Paulo sublinha que os

[3] Mateus 5:28-9.

praticantes da "fornicação" não herdarão o Reino de Deus[4]. As declarações de João são mais explícitas e explicam como os "fornicadores" sofrerão "a segunda morte" após a ressurreição, ao lado dos covardes, assassinos, feiticeiros, idólatras e mentirosos: "seu lugar será em um oceano ardente de lava e enxofre"[5], e lá sofrerão por toda a eternidade.

Tudo isso significa que pessoas que vivem um casamento heterossexual monógamo podem aspirar à vida eterna com esperança (a menos que sejam covardes, mentirosos, assassinos ou flertem com outras religiões que não o cristianismo). Porém, mesmo no contexto cristão, João deixa muito claro que *abster-se* de sexo é a melhor coisa a fazer, afinal. Cento e quarenta e quatro homens "que não se *contaminaram* com mulheres" serão os primeiros a ter sua salvação assegurada na vida eterna[6].

Com o passar do tempo, punições mais específicas foram surgindo para os diversos pecados sexuais. O texto conhecido com o Apocalipse de Pedro, datado do século II d.C. e certamente de autoria de outra pessoa, traz uma seleção dos castigos do inferno. Além dos condenados por assassinato, avareza e usura, encontramos homens e mulheres que cometeram adultério, respectivamente pendurados pelos cabelos ou pelos pés, sobre um lago de lama fervente[7]. Homens que fizeram sexo homossexual passivo e mulheres que praticaram sexo lésbico ativo são conduzidos à força e arremessados do alto de um penhasco[8]. Homossexuais masculinos ativos e lésbicas passivas não são sequer mencionados, logo, é possível que nem sequer estejam no inferno.

Ao longo da história do cristianismo, tanto a arte sacra como as histórias populares consolidaram a noção de que existem castigos específicos para pecados sexuais distintos. Uma das obras mais influentes nesse aspecto é a *Divina Comédia*, de Dante, na qual a conduta sexual é um fator determinante para que as pessoas acabem no paraíso, inferno ou purgatório. Pessoas que cederam à luxúria heterossexual antes ou fora do casamento serão alocadas no Segundo Círculo do

---

[4] Gálatas 5:19-29-21.

[5] João 21:8.

[6] João 14:4, itálicos meus.

[7] Apocalipse de Pedro 23.

[8] Apocalipse de Pedro 31.

Inferno, onde suas almas serão açoitadas por rajadas de vento violentíssimas, que impedirão os amantes de tocarem uns aos outros[9]. No Sétimo Círculo, abaixo dos heréticos, assassinos e suicidas, encontraremos os sodomitas sendo punidos com uma eterna chuva de fogo[10]. Os sedutores, pessoas que se valeram do sexo ou amor para ludibriar seus semelhantes, estarão em um nível ainda inferior, no Oitavo Círculo do Inferno[11]. Autores de pecados sexuais menores, entretanto, estarão um patamar abaixo do céu apenas, no Sétimo Terraço, nível mais elevado do Purgatório[12].

Fica implícito que o indivíduo será recompensado com a eternidade de bem-aventuranças caso *não* pratique a forma imprópria de sexo. Parte dessa recompensa pode ser testemunhar o castigo alheio. Quando o devoto são Bernardino de Siena presenciou o entusiasmo da multidão diante da queima de um sodomita em Veneza, no início do século XV, ele fez uma analogia aos "abençoados espíritos do paraíso, que, extasiados, testemunham a justiça de Deus" ao ver os pecadores sofrendo no inferno por toda a eternidade[13]. Dito de outra forma, pessoas tementes a Deus que tenham um pendor por filmes de violência e tortura em público têm um futuro promissor.

A noção de que as pessoas acabarão no inferno por conta de uma conduta sexual inaceitável permaneceu vigente no cristianismo. Por ser *gay*, o jovem Matthew Shepard, de 18 anos, morreu amarrado a uma cerca em uma localidade erma no Wyoming (EUA), em decorrência de torturais brutais que lhe foram impingidas por dois homens, e muitos cristãos sabiam de fato quem havia sido o pecador nesse caso. Mas poucos se manifestaram de forma inequívoca quando membros da Igreja Batista de Westboro, na ânsia de salvar outras almas do pecado, surgiram no velório de Shepard conduzindo cartazes que diziam "Matt Shepard apodrece no Inferno!". Pode não ser tão comum assim deparar-se com afirmações semelhantes feitas em público, mas a Igreja Batista de Westboro não está sozinha. Emmannuel Chukwuma,

[9] Dante Alighieri *Inferno* 5.

[10] Dante Alighieri *Inferno* 15.

[11] Dante Alighieri *Inferno* 18.

[12] Dante Alighieri *Purgatório* 25-75-7.

[13] Bernardino de Siena *Del visione dei sodomiti*, traduzido em Crompton 2003:254.

William Blake. O círculo de Lustful (O redemoinho dos amantes). 1824. Tinta e aquarela sobre papel. 27,4 x 53 cm
Crédito: Birmingham Museums and Art Gallery

bispo anglicano de Enugu, na Nigéria, declara aos quatro ventos que pastores homossexuais acabarão seus dias no inferno[14], e uma rápida pesquisa na internet revelará um bom número de pessoas conhecidas dizendo coisas semelhantes. John Hagee, famoso tele-evangelista norte-americano, tem uma opinião mais teológica sobre o assunto e acha que o anticristo será "homossexual" e "meio judeu"[15]. Em 1982, o deputado Jørgen Sønstebø, representante do Partido Popular Cristão no parlamento norueguês, fez o seguinte pronunciamento: "A palavra de Deus ensina que a homossexualidade é uma abominação, uma infâmia, uma ameaça que recende a fogo e enxofre. A palavra de Deus tem o poder. Não há dúvida sobre isso"[16]. Outro líder espiritual norueguês, o pastor Petar Keseljevic, ganhou as manchetes dos jornais e atraiu bastante atenção com sua cruzada contra qualquer um que tenha feito sexo antes ou fora do casamento ou tido experiências homossexuais, assegurando que todos iriam para o inferno[17].

Outra tentativa, em voga há menos tempo, de persuadir cristãos a ter uma sexualidade correta são as chamadas "casas do inferno", criadas por igrejas evangélicas dos EUA e de alguns outros países. Inspiradas nas casas assombradas dos parques de diversão, elas recebem a visita de crianças e adolescentes, que admiram quadros retratando uma gama de situações "pecaminosas", ao lado de representações do inferno não muito diferentes daquelas do Apocalipse de Pedro ou da *Divina Comédia* de Dante. Os ingressos podem ser adquiridos pela internet por 299 dólares (sem impostos)[18]. Nas visitas, é possível conhecer o homossexual Steve, que se revira de dor no inferno depois de ter morrido em decorrência da Aids[19]. Talvez mais surpreendente sejam a garota que foi vítima de incesto e o adolescente que se embriagou e foi violentado, ambos no inferno depois de terem se suicidado. O nível de violência e sofrimento nessas representações é tamanho que alguns psicólogos as consideram perturbadoras[20]. Mas, como alegou um pastor

[14] Bates 2004:137.
[15] Blumenthal 2008.
[16] Friele 2004.
[17] Bore 2007.
[18] Kennedy & Cianciotto 2006:2.
[19] Kennedy & Cianciotto 2006:4
[20] Kennedy & Cianciotto 2006:5.

texano que criou uma casa do inferno com a ajuda de sua paróquia, horror e sofrimento são necessários para reforçar a mensagem de que determinados atos podem ter determinadas consequências em um "lugar real chamado inferno"[21].

Ainda assim, para a maioria dos cristãos, é sempre possível o perdão de Deus, bastando que voltem suas preces para Ele. Nunca é tarde demais para escapar das aflições do inferno. Mesmo se alguém reconhecer a si mesmo em uma das situações "pecaminosas" ilustradas na casa do inferno, ainda há esperanças no arrependimento. Ole Kristina Hallesby, professor de teologia que em 1953 motivou um enorme debate na Noruega ao especular como alguém que "não tenha se arrependido" poderia "dormir tranquilo", sabendo que "poderia acordar no dia seguinte na cama ou no inferno", insistia que um indivíduo que houvesse cometido o pior dos pecados ainda poderia ser salvo do inferno caso se arrependesse[22].

Discussões sobre o inferno não atraem mais a atenção que detinham no passado no debate corrente entre os cristãos, mas ele parece sempre retornar ao centro das atenções em discussões mais reservadas. Homossexuais que habitam regiões mais conservadoras não tardam a ser confrontados com os perigos do inferno. Quando Arnfinn Nordbø, que ocupou um posto importante nos círculos conservadores cristãos da Noruega como mestre de capela, assumiu ser homossexual, vários fiéis devotos fizeram questão de lhe apontar o destino ao qual estaria fadado a ir. "Ninguém no ambiente religioso onde fui criado jamais me deu nenhum apoio, embora um ou outro não tenha chegado a *mencionar* a palavra 'inferno'", afirmou Norbø. "O tom do discurso presente em todas as reações foi este: 'Continuamos a gostar de você como antes, mas você vive em pecado e deve se arrepender — ou então, vai parar no inferno'."[23].

O debate crescente sobre igualdade e direitos humanos para todos fez que muitas pessoas arriscassem sua própria salvação apoiando os direitos homossexuais. Como já citado, na Noruega, sérias consequências recairiam sobre aqueles que se mostrassem favoráveis à

---

21 Yardley 1999.
22 Ole Kristian Hallesby na *NRK* (Rádio Norueguesa), 25 de janeiro de 1953.
23 Holbek 2008, itálicos meus.

equiparação dos direitos de héteros e homossexuais na discussão em torno da lei do casamento de 2009[24]. A simples documentação do assunto pode ser perigosa para a alma que o faça. Em 2006, os responsáveis de uma mostra sobre homossexualismo entre animais no Museu de História Nacional de Oslo souberam por meio de cristãos devotos que as labaredas do inferno os esperavam[25].

Para que tantas pessoas se convençam de que o inferno é o fim da linha para quem pratica o sexo homossexual é necessário ter uma convicção profundamente enraizada, fruto de ansiedade e baixa autoestima, por vezes tão forte que muitos homossexuais cristãos preferem tirar a própria vida a correr o risco da danação eterna. Como as pesquisas mostram, o contato com ambientes religiosos preconceituosos, na tentativa de solucionar esses dilemas, pode contribuir, em última instância, para um aumento na taxa desses suicídios[26]. Os exemplos de tragédias pessoais do tipo são inúmeros, mas no documentário norueguês *BE — Skitne, Syndige Meg*, de 2001, de Trond Winterkjær e Jan Dalchow, temos um retrato em detalhes de como essa história pode acabar. Ele nos apresenta os pais, irmãos e amigos de Bjørn Erik, um jovem cristão que desapareceu sem deixar vestígios em 1992. As cartas que deixou apontam para a hipótese de suicídio. É possível escutar a agonia espiritual de Bjørn Erik lutando contra sua homossexualidade, acompanhar seu desespero e sua desistência final. O filme retrata a imagem que Bjørn Erik tinha de si mesmo e reflete muito bem a doutrina conservadora cristã contemporânea[27].

O islã apresenta, em princípio, uma visão mais positiva do sexo em relação ao cristianismo, mas é possível traçar paralelos entre as visões cristã e islâmica de eternidade. A concepção de que paraíso e inferno consistem de uma sucessão de níveis, por exemplo, pode ser encontrada em textos islâmicos que antecedem Dante e podem ter diretamente influenciado o poeta italiano[28]. O inferno islâmico é, segundo o Alcorão, preferencialmente o destino dos infiéis e dos que interpõem

[24] Fuglehaug 2008.
[25] Søderlind 2006.
[26] Kjær 2002:17.
[27] Winterkjær & Dalchow 2000.
[28] Palacios [1919]:92, *passim*.

obstáculos no caminho do islã, mas isso não significa que os infratores sexuais não serão punidos apenas nesta vida. Os adúlteros serão "punidos em dobro no dia da ressurreição", muito embora o perdão de Deus recaia sobre os que se penitenciarem, diz o Alcorão[29]. Nunca é tarde demais: mesmo na hora da morte é possível honrar a Deus, e então, seguir direto para o paraíso[30]. A misericórdia de Deus é maior que Sua ira — um tema recorrente no islã, simbolizado por um paraíso que tem oito portas, enquanto o inferno tem apenas sete[31].

Como os clérigos muçulmanos costumam fazer interpretações literais dos textos sagrados, as ideias contidas nessas escrituras sobre as consequências do sexo na vida eterna dos indivíduos são extremamente relevantes. Para os muçulmanos, equivalem aos conceitos de paraíso e inferno vigentes em muitos círculos cristãos. Jovens britânico-paquistaneses relatam, por exemplo, como foram educados para acreditar — e de fato acabaram se convencendo — que acabarão no inferno se violarem um série de leis islâmicas, incluindo as de cunho sexual[32].

Os antigos textos do *Código de Manu* afirmam que homens *brahmin* abstinentes sexuais irão para o paraíso se não tiverem filhos, assim como viúvas que se abstiverem do sexo depois da morte de seus maridos. Mulheres que fizerem sexo depois de enviuvar automaticamente perderão seu lugar no paraíso[33]. Mas os homens também precisam estar alertas: um homem das castas superiores que fique viúvo e se case com uma mulher das castas inferiores automaticamente irá para o inferno[34]. O hinduísmo também mostra como nossa atual condição pode ser explicada pela conduta sexual que tivemos em uma vida pregressa. O *Código de Manu* também esclarece que mulheres infiéis voltarão à vida na forma de chacais doentes; homens adúlteros têm menos razões para se preocupar, de acordo com o mesmo texto[35]. Homens das castas superiores que tenham feito sexo com mulheres das

---

29 Alcorão 25:68-70.

30 Imã Bukhari *Sahíh Bukhari* 2:23.329; Muslim Ibn al-Hajjaj *Sahíh Muslim* 1:171, 1:172.

31 Schimmel 1994:80

32 Jacobson1998:106.

33 *Código de Manu* 5:159-69-61.

34 *Código de Manu* 3:17.

35 *Código de Manu* 9:30, 5:164.

castas inferiores renascerão com o espírito atormentado[36]; homens que tenham dormido com as mulheres de seus gurus renascerão por uma centena de vezes como plantas e predadores, até finalmente assumirem a forma humana novamente[37]. No épico *Mahabharata*, o deus Shiva discorre sobre as consequências cármicas das práticas sexuais. Homens promíscuos que fazem sexo com mulheres de outra casta que não a sua, ou que dormem com as esposas de seus mestres, serão impotentes em uma vida futura. Cegos merecem não enxergar, e renasceram dessa forma por terem cobiçado a mulher do próximo em uma vida passada. O simples fato de um homem olhar para uma mulher nua significa uma vida futura de uma longa enfermidade[38]. Como a moderna homofobia hindu é primariamente uma consequência da política colonial cristã, é importante ter em mente que não existe nenhum texto sagrado clássico dessa religião que afirme que o sexo entre pessoas do mesmo gênero contribua para uma piora do carma[39].

O budismo e o jainismo têm uma interpretação semelhante ao hinduísmo no que se refere às consequências da conduta sexual tanto no que diz respeito à reencarnação como para nossa consciência pós-morte. A abstinência sexual é conceito-chave para o jainismo[40]: conduz à vida longa, à iluminação, a um lugar no paraíso e a reencarnações melhores. O próprio Buda indicou que a heterossexualidade, em qualquer de suas variantes, poderia conduzir ao inferno[41]. Várias formas de sexo heterossexual estão entre as piores condutas possíveis a adotar no que diz respeito às repercussões em uma próxima vida. Mais, especificamente, homens que dormem com mulheres alheias ou utilizam orifícios inapropriados para atos sexuais estão condenados a renascer como mulheres[42]. Quando a filha do rei tibetano do Trisong Detsen (século VIII) morreu com apenas 8 anos de idade, o lendário monge Padmasambhava explicou que ela, em vidas anteriores, havia sido um monge que ficava tão excitado ao ver um casal de cães copulando que

---

36 *Código de Manu* 12:59.

37 *Código de Manu* 12:58.

38 *Mahabharata* I 3:145.

39 Pattanaik 2001:8.

40 Dundas 2008:194.

41 *Parajika* 4.

42 Young 2004:203.

fez sexo com uma mulher casada. Precisamente isso — além do fato de que ela (como monge, quer dizer) matou um dos cães e depois se suicidou — foi o motivo para que ela tivesse que passar por mais quinhentas reencarnações como mulher, além de sofrer outras desgraças[43]. Em outras palavras, quando a menina de 8 anos morreu, estava apenas colhendo o que havia plantado.

Mas não é preciso perder todas as esperanças para quem renascer mulher. Com a moral elevada e o desejo dominado é possível renascer homem no futuro[44]. O fato de que o nascimento de uma mulher é considerado uma punição já diz muito sobre o papel feminino nesse contexto budista, mas há outros destinos indesejados que podem ser explicados por atos sexuais em vidas passadas. Se, por exemplo, um homem pratica um sexo rude ou impróprio com uma mulher com quem seja aparentado, pode nascer afeminado em outra vida[45].

Homens budistas que tenham feito sexo com esposas alheias correm o risco de ir para o inferno, e de lá serão repetidas vezes forçados a escalar uma árvore coberta de espinhos, com uma mulher no topo[46]. Os espinhos lacerarão sua carne tão fundo que jamais conseguirão alcançar a mulher. O famoso monge tailandês Phra Malai, que visitou tanto o paraíso quanto o inferno, testemunhou esse acontecimento e retornou a nosso mundo para fazer seu relato[47]. A imensa árvore de espinhos e seus infelizes escaladores são um motivo comum na decoração dos templos budistas em todo o mundo.

De acordo com o budismo chinês tradicional, um homem que comete incesto com sua mãe é punido em sete infernos diferentes. Consequências menos graves ele sofrerá caso tenha dormido com sua irmã[48]. Para poder reencarnar, muitos budistas terão que passar certa quantidade de tempo no paraíso ou no inferno, dependendo de quanto tenham se pautado pelas regras do budismo, e as normas sexuais têm aqui um papel de suprema importância.

---

43 Young 2004:206.

44 Young 2004:203.

45 Young 2004:205.

46 *Sattisimbalivana Jataka* 5:453.

47 Cf. Ginsburg 2003:147: fig. 3.

48 Bullough 1976:294.

Quando o comportamento sexual tem implicações após a morte, significa que estamos operando inteiramente dentro dos limites religiosos de mundo. Mas o fato de que o sexo adequado ou impróprio possa levar à salvação ou à danação não significa que o sexo é uma categoria em si. Uma variável imensa de outras atividades pode acarretar consequências idênticas. O discurso atual do cristianismo é particularmente preocupado com determinados tipos de sexo não porque exista uma relação de causa e efeito entre sexo e eternidade, mas pelo elevado nível de atenção que o assunto tem recebido dos fiéis. Isso também é a razão por trás de algumas das mais extremas reações contra certos tipos de sexo: motivados por suas próprias convicções, os fiéis tentam salvar seus semelhantes do inferno, nem que para isso precisem atá-los.

A certeza de que algumas formas de sexo inexoravelmente levam à danação eterna deixa bem evidente o quanto as religiões as repudiam. Eventuais modificações na percepção dos efeitos que o sexo terá na vida eterna também refletem mudanças de comportamento ocorridas no panorama sexo-religioso. Se a maioria dos fiéis deixa de repreender certos atos sexuais neste mundo, estes também deixarão de ter importância após a morte. O destaque que a homossexualidade tem hoje em dia deixa claro que é a variante sexual condenável por excelência na visão de determinados setores, e reflete também a noção que esses setores têm de inferno.

Olhando em perspectiva, entretanto, dados os níveis crescentes de aceitação do sexo consensual, o conceito de que o sexo é um fator decisivo no além tem perdido força entre fiéis de todos os tipos.

Consequências do sexo nesta vida

Não é preciso morrer para constatar como as forças divinas reagem diante de diferentes formas de sexo. É notório que o ato sexual pode transmitir doenças, mas isso não impede que pessoas religiosas enxerguem a mão pesada de Deus exatamente no contágio de enfermidades sexualmente transmissíveis. A Aids é o exemplo contemporâneo mais característico, mas, mesmo antes da epidemia da doença, a congregação da Igreja Livre da Escócia deixou claro, em 1980, que "os casos crescentes de certas doenças transmitidas sexualmente dão o testemunho do julgamento justo de Deus"[49]. Assim sendo, gonorreia e clamídia podem ser consideradas castigos divinos. Jerry Falwell, influente evangélico norte-americano e líder de uma agência de relações públicas conservadora chamada Moral Majority, disse textualmente que a herpes era um castigo de Deus para as pessoas "que vivem como se O houvesse esquecido"[50].

Essas ideias correntes acerca de doenças sexualmente transmissíveis e não letais são até bem brandas se comparadas ao clamor maciço que emergiu no início da epidemia de Aids, vista como uma resposta divina ao pecado[51]. De acordo com um pronunciamento oficial da liderança da Igreja mórmon em 1988, os homossexuais vítimas de Aids eram totalmente diferentes das chamadas "vítimas inocentes, que incluem cônjuges insuspeitos, bebês e aqueles que receberam transfusão de sangue infectado"[52]. Homens que haviam feito sexo com outros homens eram, em outras palavras, vítimas *culpadas*. Jerry Falwell, por sua vez, externou sua opinião em 1987 ao chamar a Aids de "juízo que Deus faz sobre a América, que apoia a imoralidade"[53], uma consequência da revolução sexual e um "castigo adequado" para a homossexualidade[54].

Em 1991, uma pesquisa mostrou que 70% dos protestantes e 54% dos católicos norte-americanos achavam que pacientes HIV positivos deveriam portar algum tipo de distintivo, semelhante aos judeus que transitavam pelas ruas com estrelas amarelas na Alemanha sob o nazismo[55]. O judaísmo ortodoxo via as vítimas de Aids como uma consequência direta de um estilo de vida moralmente inaceitável[56]. O cardeal católico de Nova Iorque, John O'Connor, explicou que a Aids era uma doença que as pessoas contraíam por terem "rompido com os ditames

---

[49] Reports to the General Assembly of the Free Church of Scotland, citado em Davidson 2001:225.

[50] Harding 2000:160.

[51] *National Research Council* 1993:130.

[52] First Presidency Statement on AIDS, julho de 1988, itálicos meus. http://www.lds.org/ldsorg/v/index.jsp?vgnextoid=2354fccf2b7db010vgnvcm1000004d82620arcrd&locale=0&sourceId=7f12d7630a27b010vgnvcm1000004d82620a____&hideNav=1.

[53] Harding 2000:160.

[54] Shelp 1994:322.

[55] Greeley 1991.

[56] Gold 1992:158.

da Igreja"[57]. A organização Moral Majority também se mostrou contra o apoio público para a descoberta de uma cura para a Aids, já que era uma epidemia que afetava primeiramente homossexuais masculinos[58] — uma gente que merecia morrer, e morria aos milhares. Posturas como essas contribuíram para que até 1986 nada ou muito pouco fosse feito pelas autoridades norte-americanas para controlar a epidemia entre homossexuais masculinos. O quadro, porém, felizmente é bem mais amplo. Muitas comunidades católicas e judias tomaram partido contra tais posturas e disseram que a Aids jamais poderia ser interpretada como um castigo divino. Muitas organizações religiosas também abriram as portas de seus hospitais para pacientes de Aids[59].

Mas a forma imprópria de sexo não contribui apenas para o surgimento de doenças criadas por Deus. A lepra, por exemplo, era vista na Idade Média como resultado de sexo pecaminoso entre indivíduos[60]. De acordo com os iorubás do sudoeste nigeriano, adúlteros devem ser condenados pelos pecados que cometeram. Se o adultério não for castigado pela sociedade, deuses e espíritos infligirão a doença, a infertilidade e a morte aos adúlteros, pois tal prática é um insulto aos deuses e aos ancestrais que haviam abençoado aquela união[61].

Em outros casos, entretanto, são os parentes mais próximos e caros aos adúlteros que correm maior risco. Para a tradicional religião Azande, do Sudão, a infidelidade feminina pode ocasionar a morte do marido em uma guerra ou em uma caçada[62]. No budismo chinês, um homem infiel corre o risco de perder suas mulheres, filhos e netos. Embora isso obviamente seja uma tragédia para as mulheres e os filhos, é o marido quem está sendo punido pelas forças divinas, neste caso em particular porque a ausência de esposas e descendentes significa que não haverá mais ninguém para lhe prestar os sacrifícios rituais quando ele morrer[63].

Da mesma maneira que o sexo impróprio pode acarretar morte e desgraças para seus praticantes nesta vida, o correto pode trazer

57 Allen 2002:143.
58 *National Research Council* 1993:131.
59 *National Research Council* 1993:129-31,135,138-49; Allen 2002:152-32-3.
60 Bullough 1976:393.
61 Conner 2003:17.
62 Baum 1993:24.
63 Bullough 1976:294.

consequências positivas. Na China medieval, a visão taoísta da sexualidade foi influenciada pelo conceito de *yin* e *yang*, segundo princípios quase alquímicos. O *fangzhong shu*, "a arte da alcova", ensina como é possível direcionar a sexualidade de modo a obter os maiores benefícios físicos e psíquicos por meio do orgasmo[64]. Ao fazer sexo com uma mulher, o homem tem um acréscimo em sua força *yang*. Logo, pode aumentá-la ainda mais se fizer sexo com *várias*: três, nove ou onze são números considerados auspiciosos para tanto. Desta forma, a pele masculina vai ficar luzidia, ele sentirá seu corpo mais leve, seus olhos brilharão e sua força vital florescerá. O sexo correto é capaz de rejuvenescer um ancião e fazê-lo sentir-se como se tivesse 20 anos[65]. Se dominar o controle do *yin* e do *yang* por meio do intercurso sexual, um homem pode se tornar imortal, a exemplo do lendário imperador Amarelo, que se deitou com 1.200 mulheres.

Não obstante, possuir, antes de tudo, o conhecimento religioso adequado é um fator determinante: vale a qualidade, e não a quantidade. Caso desconhecesse a maneira correta, um único ato sexual com uma mulher poderia resultar na morte do indivíduo[66]. Por isso, os manuais sexuais taoístas costumavam explicar em detalhes como proceder. Recomenda-se ao homem que armazene a maior quantidade de *yin* feminino que conseguir sem desperdiçar seu *yang*. Ele pode, por exemplo, manter o seu pênis dentro da mulher enquanto ela tem o orgasmo, e então, retirá-lo antes de ejacular. Essa técnica trará benefícios não apenas ao homem. Caso ele resolva fazer sexo com cinco ou seis concubinas antes de ter engravidado a própria esposa, a criança a ser concebida gozará de melhor saúde[67]. De maneira similar, a mulher se tornará mais forte caso deixe que o homem ejacule dentro de si sem ter ela própria atingido o orgasmo[68].

Essas ideias taoístas sobre as consequências positivas do sexo foram alvo de críticas de budistas e confucianos[69]. Graças ao poder administrativo que detinham na China, os confucianos fizeram que os

---

64 Yao 2003:87.
65 Bullough 1976:288.
66 Yao 2003:85-65-6.
67 Bullough 1976:288.
68 Bullough 1976:290.
69 Yao 2003:86.

manuais taoístas fossem oficialmente declarados vis e degenerados, e destruíram a maioria deles[70]. Também os taoístas mais ortodoxos condenavam essa visão mais favorável do sexo[71]. Com o ocaso do intercurso sexual *yin-yang*, ninguém mais conseguiu atingir a imortalidade por meio do sexo.

A noção de que nossa própria vida sexual possa contribuir para nossa salvação ou danação enquanto indivíduo está presente entre várias religiões. Já a noção de que alguém corre o risco de ser punido em decorrência disso ainda nesta vida é uma convicção mais marginal, assim como é menor o contingente de pessoas que acreditam que os deuses interferem fisicamente em nosso cotidiano. A ideia de que os deuses possam se intrometer, punindo ou recompensando os seres humanos segundo seu próprio critério divino, é uma convicção religiosa amplamente aceita, e não se restringe à esfera sexual. Mas, dada a posição central que o sexo ocupa em várias religiões, ao admitirmos que os deuses podem interferir diretamente em nossa existência, parece lógico que o exercício de nossa sexualidade possa nos levar tanto à felicidade como à desgraça nesta vida.

Quando sociedades inteiras são punidas

As consequências do sexo incorreto podem se abater sobre uma sociedade inteira, como insistem os fiéis da Igreja Batista de Westboro, que têm a companhia de inúmeros fiéis, tanto judeus como cristãos, igualmente convencidos disso. Para eles, o dilúvio universal, quando Deus afogou todos os seres humanos exceto Noé e sua família, estava diretamente relacionado à maneira errada como o sexo era praticado entre anjos e homens[72]. Nos textos rabínicos acredita-se que o dilúvio tinha a ver com a prostituição generalizada[73]; o Concílio de Paris o reduziu ao sexo entre homens[74], enquanto os severos jansenitas católicos do final

[70] Yao 2003:87-87-8.
[71] Yao 2003:90.
[72] Jubileus 7:20-20-21; 2 Pedro 2:4-54-5.
[73] Eron 1993:111.
[74] *Concílium Parisiense* 34, traduzido em Crompton 2003:158.

do século XVII diziam que fora motivado simplesmente pelo desejo e pela concupiscência no leito conjugal. Bons cristãos não permitiam que o desejo controlasse sua vida sexual e faziam somente o que fosse estritamente necessário para gerar descendentes[75].

Embora a desobediência às normas de hospitalidade tenha sido aparentemente a razão original para que Deus tenha "derramado uma chuva de enxofre e labaredas sobre Sodoma e Gomorra", matando "todos os seus moradores"[76], com o tempo passou-se a crer que as preferências sexuais dos habitantes teriam sido a causa para o castigo divino. Os sodomitas queriam fazer sexo com os anjos enquanto anjos, o que já seria uma ruptura das regras sexuais, mas, ao longo dos séculos futuros, isso foi interpretado como um desejo de fazer sexo com os visitantes enquanto homens.

A Bíblia conta que a conduta sexual correta era um pré-requisito de Deus para que os israelitas continuassem a ter Sua proteção. Durante esse período, Deus se ocupava muito em evitar que o sexo atravessasse barreiras étnicas. Quando Moisés liderava seu povo através do deserto, por exemplo, Deus abateu 24 mil pessoas porque os israelitas haviam feito sexo com mulheres moabitas. O que finalmente aplacou a ira divina foi o filho de um sacerdote, que matou um israelita que levara consigo uma mulher midianita. O filho do sacerdote "seguiu o israelita até a sua tenda e ali trespassou-o juntamente com a mulher [...] E deteve-se, então, o flagelo que se arrastava entre os israelitas". E então Deus disse a Moisés: "Fineias, filho de Eleazar, filho do sacerdote Aarão, desviou minha cólera de sobre os israelitas, dando provas entre eles do mesmo zelo que eu. Por isso, não os extingui em minha cólera. Dize-lhe, pois, que lhe dou a minha aliança de paz".[77] Não basta que nós, enquanto indivíduos, abstenhamo-nos do sexo proibido. *Silenciar* quando outras pessoas o fazem é o bastante para que a punição de Deus recaia sobre nós. Como bem ilustra o assassinato duplo do filho do pastor, para acalmar a Deus às vezes é preciso agir especificamente contra aqueles que descumprem as Suas regras sexuais.

---

75 Wiesner-Hanks 2000:109.

76 Gênesis 19:24.25.

77 Números 25:8-12.

O profeta Esdras diz que casamentos miscigenados, entre etnias diferentes, enfurecem Deus a tal ponto que Sua ira não terá fim até que Ele "nos tenha consumido, sem deixar nem vestígio nem escapatória"[78]. Somente um divórcio imediato será capaz de "apartar de nós o fogo da cólera de Nosso Deus"[79].

Não somente aquelas pessoas que ignoravam o racismo sexual se sujeitavam a arcar com as pesadas consequências. No Pentateuco, lê-se que o bestialismo e o incesto, assim como o sexo com mulheres menstruadas e com cunhados e parentes afins, tudo isso conta para a quebra do compromisso com Deus. "Aquele que perpetrar alguma dessas abominações [...] será extirpado entre os de seu povo." E se os próprios israelitas falharem ao matar alguém que "adote um desses hábitos abomináveis", deverão estar atentos para que não "contaminem esta terra" "[...]Vós, porém, observareis minhas leis e minhas ordens e não cometereis nenhuma dessas abominações [...] cometeram os habitantes da terra que vos precederam"[80]. Aqueles que praticarem o tipo errado de sexo, ou não conseguirem eliminar quem o pratica, serão simplesmente banidos da Terra Prometida.

A convicção de que a forma incorreta de sexo pudesse tão facilmente levar a catástrofes tão terríveis é uma das principais razões para que fiéis de diferentes credos tenham se dedicado tanto a regular a vida sexual alheia. Quando uma sociedade não é capaz de assegurar a correição do comportamento sexual de seus membros, o tecido social inteiro será punido, direta ou indiretamente. A estrutura da sociedade inteira será abalada pela ira divina.

O cristianismo herdou a concepção bíblica original de que Deus puniria a sociedade inteira devido ao sexo impróprio. Em 538, o imperador Justiniano associou o destino de Sodoma e Gomorra "à fome, aos terremotos e à peste" de sua época. A conduta apartada de Deus e o deplorável comportamento sexual, "em conflito com a natureza", dos romanos cristãos eram a raiz de todos os desastres que se abateram sobre o império de Justiniano[81]. Afonso o Sábio, rei de Castela, achava

[78] Esdras 9:12.
[79] Esdras 10:14.
[80] Levítico 18:26-7, itálico meu.
[81] Justiniano *Novella* 77.

que tinha boas razões para ordenar a castração e execução públicas de homens que faziam sexo com outros; essa forma de sexo faz que "o Senhor Deus arrase a terra de quem assim se porta, com a fome, a peste, a tempestade e inúmeros outros males"[82]. Benedito Levita, que falsificou o édito de Carlos Magno a fim de incluir a pena de morte para a homossexualidade, também tinha seus motivos para fazer o que fez: "É melhor encobrir tais coisas que ser destruídos por elas, ou a nação será conquistada pelos pagãos, que virão para nos subjugar"[83].

A peste negra e outras epidemias eram vista como um castigo divino para adultério, sodomia, padres com vida sexual ativa e outras abominações sexuais[84]. A se crer nos relatos dos devotos cristãos da época, uma série de comportamentos indecentes — mulheres que se vestiam com roupas muito justas, homens com vestes femininas e outras vestimentas que supostamente mal encobriam os órgãos sexuais — não apenas desencadearam epidemias da peste na Inglaterra do século XIV, mas também ocasionaram tempestades violentas que arrasaram as colheitas[85]. Não faltava quem tirasse lições desses desastres. No século XV, por exemplo, as autoridades de Florença instituíram uma série de novas leis para manter a peste longe da cidade, e entre elas havia várias medidas voltadas contra a imoralidade sexual como a prostituição e o sexo entre homens[86].

Depois que as epidemias arrefeceram, desastres de outros tipos continuaram a assolar regiões do mundo cristão, portanto, era razoável manter os olhos bem abertos. Em 1643, quando Thomas Granger foi sentenciado à morte em Plymouth, Massachusetts (EUA), por ter feito sexo com "uma égua, uma vaca, dois bodes, cinco cabras, quatro ovelhas, duas bezerras e um peru", ficou bastante evidente que se tratava de um crime que ameaçava a comunidade inteira, tamanha era sua impureza e rebeldia contra as leis divinas[87]. O acusado já estava com os dias contados, mas se a sociedade não cuidasse de puni-lo corretamente, toda ela sofreria as consequências de ser tolerante com aquela conduta e seria também punida por Deus. Até mesmo os animais abusados

82 *Las Sietes Partidas* 7:21, traduzido em Crompton 2003:200.

83 *Patrología Latina* 97:909c-d; Crompton 2003:160.

84 Horrox 1994:116,127,141-21-2,145-65-6,193; Byrne 2004:41.

85 Horrox 1994:131-41-4.

86 Byrne 2004:117.

87 Castronovo 2001:145.

sexualmente representavam uma ameaça, e deveriam, evidentemente, ser sacrificados para aplacar a ira divina. As autoridades, infelizmente, tiveram dificuldades para identificar as cabras e cinco animais foram escolhidos aleatoriamente no rebanho. Thomas Granger testemunhou os animais com os quais fez sexo, inclusive as cinco cabras escolhidas a esmo, serem queimados em um poço, e foi enforcado logo em seguida[88].

A perseguição maciça empreendida contra holandeses que praticavam sexo com outros homens no biênio 1730-1731 também se baseava no temor de uma punição divina. Os juízes da aldeia de Faan referiram-se à certeza, enunciada no Pentateuco, de que a tolerância à sexualidade imprópria poderia fazer que Deus "castigasse a iniquidade da nossa terra com seu terrível julgamento, e vomitasse a terra e seus habitantes"[89]. As autoridades daquela aldeia holandesa estavam convencidas de que a homossexualidade representava uma "transgressão às leis mais sagradas de Deus, pelas quais Sua justa ira contra nossa pátria foi demonstrada repetidas vezes". Segundo explicaram, "muitos dos nossos súditos tanto ignoraram o temor a Deus que audaciosamente passaram a cometer crimes inauditos, os mesmos pelos quais Deus Todo-Poderoso, em épocas pregressas, subjugou, varreu e destruiu Sodoma e Gomorra"[90].

Um horror tão grande da ira divina não surgia do nada. Era baseado no que os holandeses consideravam uma evidência muito clara, que se estendia até o dilúvio, e cuja causa era o sexo impróprio. Uma sequência de grandes inundações ocorridas em 1728, a quebra da bolsa de mercadorias de Amsterdã e o surgimento de um verme que devorava madeira e ocasionou o rompimento de vários diques no inverno de 1731, pareciam corroborar a teoria que associava a homossexualidade à punição divina. Padres e pastores eram especialmente minudentes nos sermões ao enfatizar a conexão entre a moral sexual e o verme destruidor de diques enviado por Deus[91].

Porém, nem todo tipo de sexo impróprio era tão perigoso. Quando foi acusada, em 1606, de ter se casado e feito sexo com outra mulher,

---

88 Bullough 1976:521.

89 Crompton 2003:463, em referência a Levítico 18:28.

90 Crompton 2003:463.

91 Boon 1989:241-41-42; Crompton 2003:464.

a holandesa Mayken Joosten contou com a benevolência dos promotores, para quem o sexo entre mulheres não era tão perigoso para a comunidade quanto entre homens. Segundo eles, esse tipo de conduta atrairia a "ira divina sobre cidades e países", portanto, era preciso que Joosten fosse amarrada dentro de um saco e atirada ao mar. A corte não se convenceu de que o sexo lésbico poderia atrair as mesmas consequências que a homossexualidade masculina, e a mulher foi apenas açoitada e banida da comunidade[92].

Embora a vinculação evidente entre sexo impróprio e catástrofes não ocupe mais o centro do debate público, deparamo-nos constantemente com o mesmo arrazoado religioso. O evangélico David Wilkerson ganhou fama, em 1973, ao prever que promiscuidade sexual, mulheres de seios de fora na TV, aumento da taxa de divórcios e da aceitação da homossexualidade levariam a uma série de catástrofes, como crises financeiras, terremotos, inundações, furacões, fome, conflitos atômicos e crianças rebeldes[93]. Muitos cristãos conservadores consideraram a crise financeira de 2008 a prova definitiva de que Wilkinson estava certo. A guerra nuclear é a única previsão ainda por se realizar, e não há nenhuma garantia de que não possa ocorrer mais cedo ou mais tarde. O futuro ainda nos reserva as previsões do tele-evangelista Pat Robinson, que em 1998 afirmou que a aceitação da homossexualidade levaria à destruição dos EUA por meio de ataques terroristas, terremotos, tornados e queda de meteoros. Bem, quanto aos meteoros, os prejuízos ainda são discretos, mas todo o resto existe hoje em demasia[94].

Para a Igreja Batista de Westboro, "Deus enviou os aviões que derrubaram as Torres Gêmeas de Nova Iorque matando 3 mil pessoas em 11 de setembro"[95]; o líder da Moral Majority, Jerry Falwell, afirmara antes que a tolerância à homossexualidade, ao feminismo e ao aborto pode ter sido a causa para "Deus ter retirado o véu de proteção que desde 1812 impedira todas as agressões estrangeiras ao solo

---

92 Dekker & van de Pol 1989:60, 79-80.

93 Boyer 1994:234.

94 Burack 2008:113.

95 Sermão de Fred Phelps, lider da Igreja Batista de Westboro, 16 de março de 2008, em http://www.westborobaptistchurch.com/written/sermons/outlines/Sermon_200 80316.pdf

norte-americano"[96]; o pastor John Hagee, cristão fundamentalista e proeminente defensor do ex-candidato presidencial republicano John McCain, esclarece como uma parada *gay* prevista para ser realizada em Nova Orleans fez que Deus castigasse a cidade com o furacão Katrina em 2005: "Todo e qualquer furacão é um ato de Deus, pois Ele controla os céus"[97]; Graham Dow, bispo anglicano de Carlisle, Inglaterra, sentiu-se instado a informar, em 2007, que as inúmeras inundações que afligiam a Grã-Bretanha eram causadas por Deus devido ao apoio que o país dava à causa dos direitos homossexuais[98].

Ivar Kristianslund, líder do fundamentalista Partido da União Cristã, sugere que a Noruega enfrenta perigos semelhantes. Como sustenta que a nova lei do casamento civil (que vale tanto para héteros como para homossexuais) é um "levante contra o Deus vivo", Kristianslund acha que a lei "põe em risco os indivíduos e o próprio povo norueguês". O "crime sexual perpetrado pelo Storting [...] clama pela ira Divina", e, portanto, "põe a segurança da nação em xeque"[99]. Como a lei da união civil foi aprovada por dois terços do parlamento norueguês em 2008, é possível depreender que os desastres naturais que se seguiram são um castigo de Deus à Noruega.

Também o islã e o judaísmo mantiveram a crença de que o comportamento sexual impróprio pode trazer consequências que vão além do plano individual. O proeminente clérigo saudita Fawzan al-Fawzan declarou que o tsunami do Natal de 2004 foi uma "punição divina" pela maneira "imoral e corrupta com que pessoas do mundo inteiro se unem para praticar abominações e perversões sexuais"[100]. Os sucessivos terremotos no Irã podem ser explicados, na perspectiva muçulmana, pelo afrouxamento dos códigos formais de vestuário: mulheres que deixam o cabelo à mostra sob o *hijab* ou usam roupas muito justas[101]. Os terremotos na Indonésia foram desencadeados por programas de TV imorais, segundo disse o ministro da Informação daquele país em

---

96 CNN 2001.
97 Z. Roth 2008.
98 *365gay* 2007.
99 Ivar Kristianslund, "Norway's Security in Danger!", em *Ivar Kristianlund's Net New-sheet*, 23 de junho de 2008, http://www.ikrist.com/cgi-bin/npublish/search.cgi?keyword=kaldeernes
100 *365gay* 2005a.
101 *BBC* 2010b.

2009[102]. A epidemia de gripe aviária em 2006 em Israel foi justificada de forma semelhante: devia-se ao reconhecimento, por parte das autoridades, do casamento entre pessoas do mesmo sexo, segundo o rabino David Basri, líder da ieshivá Magen David[103]. Um forte terremoto no oeste do Mediterrâneo, em 2008, foi também causado pela legalização da homossexualidade em Israel, segundo o deputado Shlomo Benizri. O terremoto não poderia ter uma causa diferente, pois, como declarou duas semanas antes Nissim Ze'ev, outro membro do Knesset, "o homo-lesbianismo" levará o Estado de Israel à "autodestruição"[104].

A convicção religiosa de que a homossexualidade pode ocasionar pestes, terremotos e inundações oferece uma amostra de como o sexo ocupa uma posição central no panorama religioso em todo o mundo. O sexo apropriado desponta como uma das mais importantes formas de nós, humanos, nos atermos à verdade divina. A importância que ideias como essas tiveram ao longo da história das religiões deixa claro como contribuíram também para um fervor religioso pelo controle da vida sexual das pessoas: se a cada um for permitido agir como bem entende, o declínio da sociedade inteira estará por vir.

Ainda assim, apesar de genuína, a convicção presente entre os fiéis de que as forças dos elementos podem ser desencadeadas por nosso comportamento sexual não deixa de ser um elemento curioso na paisagem sexual contemporânea. Ela não é mais tão disseminada como antes, não porque o sexo tenha deixado de ter importância, mas pelo aumento da percepção de que existe um grande abismo entre os mundos espiritual e físico. Há menos pessoas hoje acreditando que deuses ou outras forças sobrenaturais intervêm diretamente e conjuram os elementos da natureza a seu bel-prazer. Independentemente da opinião individual sobre assuntos como divórcio, miscigenação, homossexualidade, sexo pré-conjugal e outros pecados sexuais, é preciso esperar a vida terminar para conferir as surpresas — boas ou más — que aguardam aqueles que adotam esses tipos de conduta.

---

102 *BBC* 2009b.

103 *365gay* 2006a.

104 *365gay* 2008a.

10

Sexo sagrado, sexo ritual

A exposição pública dos órgãos sexuais dos participantes durante os serviços religiosos era um fenômeno corriqueiro em certas comunidades laestadianas do norte da Suécia em meados da década de 1930. Em seguida, um dos participantes, geralmente uma mulher, percorria a igreja escovando os pelos púbicos dos fiéis. O restante do evento era preenchido com relações sexuais extraconjugais feitas à vista de todos. A prática era voluntária. Nem todos participavam dos atos sexuais, mas todos podiam assisti-los.

A ideia de escovar pelos púbicos e fazer sexo dentro da igreja ocorreu aos laestadianos enquanto aguardavam Deus lhes enviar uma nova arca que os levaria a uma Jerusalém celestial. Tudo começou com Sigurd Siikavaar, autodenominado profeta da Igreja, convencido de que representava Jesus Cristo na Terra e estava imbuído de livrar os fiéis de todos os pecados. A congregação acreditava que, ao cometer o que consideravam o mais horrendo dos pecados, apressaria a chegada da arca divina. Independentemente do que faziam, os fiéis continuavam sendo as pessoas mais santificadas na face da Terra, porque seu profeta os absolvia de todos os pecados que cometiam[1]. Toda essa atividade sexual, que os próprios fiéis viam como pecaminosa, era, portanto, uma maneira de assegurar a salvação para todos os fiéis laestadianos.

---

1 Berglund 2001:4.

Mulher pintando as palmas das mãos, em Bundi. 1800 [Aquarela sobre papel]

Crédito: Museu Nacional da Índia, Nova Delhi. Foto: The Bridgeman Art Library/Keystone Brasil

A maioria, talvez todas, das religiões se valem do sexo com propósitos religiosos simplesmente aplicando regras sexuais. Cada proibição ou obrigação sexual implica muito claramente o uso do sexo para propósitos religiosos. Ao regulá-lo, as religiões obtêm respeito, desprezo ou aniquilação nesta vida, e salvação ou perdição no além. Vistos assim, o exibicionismo e o sexo grupal na igreja dos laestadianos não difere do que ocorre em outras religiões. Trata-se de uma diferença muito mais de grau que de essência. No cerne de todas as visões religiosas de mundo subsiste o mesmo credo fundamental de que sexo pode ser muito mais que prazer, procriação e doenças contagiosas.

Mas o uso explícito do sexo em um contexto religioso, inserido em um ritual religioso, continua causando estranheza para a maioria dos fiéis. Se a escovação dos pelos pubianos é, provavelmente, um fenômeno singular na história religiosa, o uso sistemático do sexo não. Ao longo do tempo, não foram poucos os que acreditaram piamente que a relação direta entre sexo e rituais religiosos é uma ótima maneira de cair nas graças de Deus.

O uso sagrado do sexo

Assim como os laestadianos utilizaram o sexo para demonstrar que seriam capazes de transcender todos os pecados terrenos por meio de sua própria libertação, o sexo ritual costuma ser relacionado a desdobramentos variados e altamente significativos.

O tantra surgiu na Índia do primeiro século depois de Cristo, mas jamais representou um movimento sagrado. O discurso ocidental costuma apresentar o tantra como uma sacralização ilimitada de todos os tipos de sexo, algo parecido com um curso fundamental que une o êxtase religioso ao sexual. Essa visão foi disseminada graças ao modo como Joseph Campbell e outros expoentes religiosos *new age* discorreram sobre o tantrismo. O tantra também é frequentemente confundido com o *Kama Sutra*, que traz uma visão mais genérica das variações sexuais.

Costuma-se ignorar que um dos mais importantes princípios do tantra é exatamente a transgressão. A transgressão sexual é um dos vários tipos de transgressões que pode ocorrer no âmbito de rituais secretos e minuciosamente regulados. O tantrismo não foi concebido como uma forma de incrementar a vida cotidiana nem de investir contra normas arraigadas. Em vez disso, inseriu atos transgressivos em um sistema exatamente com o objetivo de afirmar e reforçar papéis de gênero e demarcar outras fronteiras sociais[2]. Estruturas já aceitas eram reforçadas, com uma chancela divina, por meio de uma ruptura sistemática embasada em rituais minuciosamente controlados. A dimensão de algumas dessas rupturas — normas de classe e dietéticas, por exemplo — não pode ser apreendida em sua totalidade a menos que essas regras tenham sido completamente interiorizadas. O fato de o tantrismo hindu se concentrar no homem brahmin, a instância superior no sistema de castas, enfatiza o grau de ruptura que é necessário. Quanto mais inferior se está no sistema de castas, menores as regras existentes para limitar o comportamento daquele indivíduo e as consequências para a piora de seu carma. Brahmins, que não apenas encabeçam o sistema de castas, mas também têm um papel fundamental no mundo hindu como um todo, devem obedecer a uma série de regras bem mais rígidas. Quando essas regras são ignoradas, seja formalmente ou em um contexto ritual, as forças que desencadeiam são consideradas especialmente poderosas.

No âmbito religioso, o sexo tântrico pode ser compreendido de várias formas. Um aspecto fundamental na ideia que os hindus têm do tantra é que o intercurso sexual heterossexual reflete a eterna união de Shiva e Shakti, as forças primordiais masculinas e femininas, ativas e passivas, que subjaz a toda a realidade. Para budistas tântricos, o intercurso sexual heterossexual simboliza a união entre a sabedoria passiva (*prajña*) e a qualidade ativa (*upaya*), que, juntas, são a essência da perfeita libertação[3]. O sexo tântrico também pode ser comparado ao sacrifício ritual[4]. Há, porém, divergências sobre uma série de aspectos, como, por exemplo, se o homem deve ejacular dentro da mulher ou sublimar o sêmen para que seja absorvido por seu próprio corpo. Outras questões dizem respeito ao orgasmo: seria um efeito colateral ou a própria essência do ritual? Deve-se ou não consumir os fluidos

---

2 Urban 2006:105.

3 Urban 2003:40.

4 Urban 2006:89.

corporais[5]? Essas questões estão relacionadas à percepção dos fluidos corporais como derradeiras instâncias de poder[6]. O relato bengali *Brihat tantrasara*, escrito por Krishnananda Agamavagisha no século XVI, o mais influente manual de rituais do nordeste da Índia, é um dos que enfatizam a importância de ingerir os fluidos corporais durante o ritual tântrico. Quem o fizer *fora* do contexto ritual, entretanto, irá direto para o inferno[7].

Em várias versões modernas do tantra, a ênfase na transgressão como um meio de conservar as estruturas sociais foi substituída pela ideia de que essa filosofia oferece uma liberação total dessas mesmas estruturas. O guru Bhagwan Shree Rajneesh e seu movimento Osho dão um grande destaque ao sexo livre. Segundo ele expressou em 1968, "todas as nossas iniciativas até agora fracassaram porque não fizemos as pazes com o sexo, mas, em vez disso declaramos guerra a ele. Quanto mais abertamente você aceitar o sexo, mais livre se tornará dele... A aceitação total da vida, de tudo que é natural na vida, eu chamo de religiosidade. E é essa religiosidade que liberta uma pessoa."[8]. Depois que muitos de seus seguidores morreram em decorrência da Aids, o guru negou que houvesse feito proselitismo do sexo livre, afirmando que simplesmente exaltava a santidade do ato sexual[9]. A monogamia continua a não ser um pré-requisito, o que explica a exigência de um teste de Aids para todos que queiram ingressar no ashram do movimento, em Pune, na Índia.

Swami Muktananda, o guru que liderou o Siddha Yoga Dham nos Estados Unidos, também era adepto de uma determinada forma de tantrismo. Ele afirmava ter transformado suas próprias frustrações e desejos sexuais em poder espiritual[10], demonstrando um autocontrole sagrado ao colocar o próprio pênis, flácido, nas vaginas de seguidoras virgens e permanecendo assim durante algumas horas, discorrendo sobre sua infância[11].

---

5 Urban 2003:41.
6 Urban 2006:89.
7 Urban 2006:90.
8 Osho *From sex to superconsciousness*. Pune: Thomson Press 1973:35.
9 Urban 2003:242.
10 Urban 2003:245-65-6.
11 Urban 2003:147.

O guru tibetano Chögyam Trungpa também desfrutou de grande sucesso no Ocidente por causa de seus princípios tântricos, que incluíam procissões de seguidores que o carregavam nos ombros — todos nus. Trungpa, que tinha um pendor por veículos Mercedes, roupas de grife e estimulantes, morreu em decorrência de abuso de álcool em 1987[12]. Foi sucedido por Ösel Tendzin, originalmente Thomas Rich Jr., que antes infectou várias de suas seguidoras com HIV, até finalmente morrer em decorrência da Aids, em 1990[13].

A maioria dos manuais tântricos disponíveis nas livrarias hoje em dia contém apenas exercícios para aumentar o prazer sexual, e assim, têm pouco a ver com o tantrismo original. Porém, isso não impede que esses livros representem uma dimensão religiosa real para muitas pessoas. O Ocidente testemunhou o surgimento de vários nichos, como tantrismo sadomasoquista e tantrismo homossexual, ambos em franco crescimento[14].

Outras religiões costumam recorrer ao que pode ser visto como sexo extraordinário em circunstâncias extraordinárias. Em algumas religiões tradicionais, rituais sexuais são especialmente comuns como ritos de passagem, como já vimos nos casos dos sauks e meskwakis da América do Norte, cujos jovens devem fazer sexo com homens de dois espíritos para que sejam considerados homens[15]. Existe a crença, bastante disseminada entre algumas religiões da Nova Guiné e das ilhas circunvizinhas, de que jovens garotos devem receber o sêmen de um adulto, anal ou oralmente, para que se tornem homens[16]. Ao chegar aos 10 ou 11 anos, sozinhos ou com a ajuda dos pais, os jovens kaluli saem à procura de adultos para inseminá-los. Ambos passarão a fazer sexo durante meses ou mesmo anos, e essa prática possui uma cerimônia ritual própria. A transferência do esperma é considerada de extrema importância, pois homens que "têm muito a ver com mulheres" afastam a caça[17]. Outra tribo da Nova Guiné, conhecida entre os antropólogos pela denominação genérica de povo sambia, acredita

[12] Urban 2003:231-5.
[13] Puttick 1997:60.
[14] Urban 2003:261.
[15] Baum 1993:13.
[16] Elliston 1999:136.
[17] Schieffelin 1982:162, 177, 149.

que garotas se tornam mulheres seguindo um curso natural, mas garotos não se tornarão homens sem a homossexualidade ritual, em parte porque serão contidos pela influência feminina sob a qual cresceram. A iniciação masculina inclui, entre outras coisas, a obrigação de que chupem o pênis de garotos mais velhos para ingerir seu sêmen, uma rotina diária a ser seguida no decorrer de vários anos[18].

Nem mesmo a transição da vida para a morte se dá sem a apropriação do sexo pela religião, como podemos ver na antiga religião nórdica, por exemplo. Na descrição do sepultamento de um chefe nórdico às margens do Rio Volga, escrita (e em geral considerada autêntica[19]) por Ibn Fadlan, de Bagdá, em 922, podemos constatar que o sexo é um elemento importante nos ritos funerais nórdicos do passado. Depois da morte de um chefe tribal, uma de suas servas percorria os acampamentos, de barraca em barraca, e se deitava com os homens mais poderosos de sua tribo, que, desta forma, demonstravam sua devoção ao chefe falecido. Em seguida, ela atravessava três vezes um portal que levava ao reino dos mortos, era conduzida ao barco onde jazia o corpo do chefe tribal para ingerir uma bebida inebriante, e, semiconsciente, fazer sexo com mais seis homens. A serva era deitada ao lado do corpo do chefe, estrangulada e apunhalada com uma faca entre as costelas. Por fim, queimava-se o barco para que os corpos de ambos fossem consumidos pelo fogo[20].

O sexo no contexto de cerimônias funerais não é apenas um relato histórico. Em Taiwan, onde a maioria dos habitantes é budista, taoísta ou ambos, o *strip-tease* feminino tornou-se parte das cerimônias fúnebres masculinas nas últimas décadas. Esse costume também se espalhou por algumas cidades do interior do sul da China, neste caso enfrentando uma forte oposição das autoridades. A relação entre o sexo e o rito funeral, aqui, é bem menos direta que no caso do chefe tribal nórdico. Uma vez que a quantidade de pessoas em um funeral dá uma medida do respeito pelo morto, a presença de mulheres tirando a roupa e dançando ao redor do esquife por alguns

[18] Herdt 1984:171-3; Herdt 1981:2.
[19] Steinsland 2005:411-11-12.
[20] Ibn Fadlan *Risala* 89-99-91.

minutos é uma maneira eficiente de aumentar o público nessas cerimônias[21].

Vários movimentos religiosos recentes têm, em graus variados, baseado suas práticas no uso ritual do sexo em religiões antigas. Com muita frequência, essas práticas *new age* não encontram correspondência sólida em fatos históricos. Há várias razões para tanto, entre elas, a convicção disseminada de que qualquer religião reprimida pelo cristianismo e sua conduta antissexual teria uma atitude muito mais favorável ao sexo. Como as fontes de que dispomos para o estudo dessas outras religiões nem sempre são confiáveis, abre-se uma boa possibilidade para a imaginação fértil de historiadores e de adeptos da *new age* com pendor para o tema, que imaginam a presença de sexo em rituais onde ele pode jamais ter existido.

O influente ocultista britânico Aleister Crowley fundou o que ele mesmo chamava de missa gnóstica para seu movimento Ordo Templi Orientis (OTO). Entre outras coisas, incluía a penetração da vagina da sacerdotisa pela "lança sagrada" do sacerdote, isto é, seu pênis ereto. A missa de Crowley representava, de início, uma corrupção da missa católica, inspirada por diversas outras concepções e pela reversão de rituais católicos[22]. O uso ritual da heterossexualidade por Crowley não era nada restritivo, e ele enfatizava que tanto a homossexualidade como a masturbação eram boas maneiras de libertar poderosas forças mágicas[23]. Crowley também se referia ao tantrismo e às antigas religiões grega e egípcia para fundamentar sua compreensão de sexo sagrado, embora essas referências demonstrem que sua compreensão dessas tradições fosse um tanto limitada[24].

Se Crowley se inspirou em rituais contrários à missa católica, Anton LaVey e sua Igreja de Satã levaram isso às últimas consequências. É preciso ter em mente, entretanto, que apesar da crença na atividade sexual de bruxas e demônios, a missa negra sexualizada baseia-se primeiramente na tradição cristã de visões pavorosas, popularizada a

---

[21] Curry 1997:79; *BBC* 2006a.
[22] Urban 2006:25,121.
[23] Urban 2006:11,109-19-10.
[24] Urban 2006:125.

partir do século XVIII[25]. Um único episódio, de 1673, talvez seja uma exceção. No afã de atrair a atenção de Luís XIV, sua amante, Madame de Montespan, teria participado de uma missa negra que incluiu a presença de uma mulher nua e o sangue de um recém-nascido[26]. Mas foi somente com LaVey que a missa negra, com seus rituais sexuais, *comprovadamente* deixou de ser uma fantasia e passou a ser uma realidade. A ênfase que LaVey punha no sexo sagrado decorria, segundo ele, da postura hipócrita do cristianismo em relação à sexualidade. Ele se referia aos homens que há muito conhecia em seu círculo profissional, que cobiçavam mulheres seminuas e posavam de cristãos pios nos serviços religiosos de domingo, quando imploravam a Deus pela salvação e pela libertação de seu desejo carnal[27].

Gerald Gardner, que participou da fundação do movimento *new age wicca*, operava com o chamado grande ritual, *great rite*, que, entre outas coisas, inclui sexo heterossexual no qual a "lança" do homem é introduzida no "graal" da mulher. Conforme escreveu em seu *The Gardnerian Book of Shadows*: "E vocês serão libertados da escravidão, e como um sinal de que estão realmente livres, deverão estar nus durante os rituais, nos quais dançarão, cantarão, celebrarão, tocarão música e amarão". Gardner mesmo afirmava que havia ingressado no movimento pelas mãos de uma bruxa chamada Old Dorothy, que provavelmente era membro de uma centenária seita de feitiçaria[28]. Esses rituais religiosos não se baseiam na realidade, mas em antigas concepções fantasiosas de orgias sexuais praticadas em sabás de feiticeiras na Europa Ocidental[29]. A autora Marion Zimmer Bradley e seu romance ficcional *As brumas de Avalon* (1983), com suas descrições de sexo heterossexual ritual entre adoradores da Deusa na Bretanha arturiana, exerceu uma enorme influência na noção religiosa contemporânea da importância do sexo no contexto religioso. O mito da assim chamada união sagrada entre a Deusa e o Deus Cornudo assumiu um papel central no movimento *wicca*, e o sexo heterossexual costuma ser visto

25 Russell 1972:253.
26 Russell 1972:253; Urban 2006:195.
27 Urban 2006:202.
28 Gerald Gardner *The Gardnerian Book of Shadows*. Forgotten Books 2008[1950]:54.
29 Urban 2006:25

como uma recriação do intercurso sexual divino[30]. Esse foco acentuado na polaridade entre os sexos masculino e feminino despertou críticas de feministas e *queers* participantes do movimento, para os quais se tratava de algo heterossexista e desnecessário[31].

Há poucos limites para o que pode ter lugar em um ritual religioso: comida, bebida, assassinato, sacrifício animal, músicas, danças, esportes, leitura e silêncio, entre outros. O uso ritual do sexo não o torna único nesse contexto religioso. Em termos de história da religião, entretanto, rituais sexuais não desempenharam um papel importante, principalmente devido ao predomínio das três grandes religiões monoteístas. Especialmente graças à tendência prevalente no cristianismo de excluir o sexo do contexto da religião, rituais religiosos envolvendo o sexo parecem estranhos à maioria das pessoas.

Ao mesmo tempo, vemos que muitos dos rituais sexuais ainda em voga não se valem do sexo que geralmente é aceito em sua respectiva concepção religiosa de mundo, mas de uma variante proibida dele. Esse tipo de sexo torna-se ainda mais poderoso exatamente porque é proibido ou excluído.

Religiosos especialistas em sexo

Sendo utilizado de forma tão direta em contextos sagrados, é natural que o sexo seja controlado por líderes religiosos. Porém, a existência de um especialista religioso em sexo não é algo assim tão comum. A noção de que existe alguém cuja função primeira é lidar com questões sexuais talvez povoe fantasias eróticas envolvendo religiões antigas em países exóticos. Embora não sejam tão comuns quanto se imagina (ou deseje), os especialistas religiosos em sexo não deixam de existir.

A Bíblia hebraica faz várias referências às prostitutas sagradas nos templos. Embora em geral se trate da condenação de um costume que provavelmente era típico dos povos vizinhos[32], é possível compreendê-las como uma prova de que esse fenômeno existia em outras

---

30 Puttick 1997:121.

31 Puttick 1997:120.

32 Deuteronômio 23:17; 1 Reis 14:22-4,15:12, 22:47; 2 Reis 23:7.

religiões. As fontes primárias relacionadas a diversas religiões antigas do Oriente Médio não sustentam relatos gregos e bíblicos de que a prostituição religiosa era disseminada[33]. Logo, o texto bíblico, provavelmente, é mais um exemplo de como os israelitas atribuíam a seus vizinhos comportamentos que eles mesmos consideravam heréticos. Ainda assim, havia especialistas sexuais que não eram prostitutas. As sacerdotisas na antiga Babilônia, por exemplo, desempenhavam uma função sexual assumindo o papel da deusa Inanna em um matrimônio sagrado com o rei[34].

Embora restem poucos fundamentos que indiquem a existência da prostituição sagrada entre os vizinhos dos israelitas, a história não termina aqui. A proibição específica de que israelitas, homens ou mulheres, se prostituam no templo[35] sugere que esse fenômeno não era de todo estranho à religião hebraica. A Bíblia conta que as prostitutas foram introduzidas no templo sob o reinado de Reoboão, filho de Salomão[36]. Como há repetidas referências a expulsão de pessoas que eram "prostitutas sagradas", a prática pode ter estado associada à religiosidade israelita[37]. Curiosamente, há várias referências à expulsão somente de prostitutos[38], indicando que às prostitutas era permitido permanecer no ofício. As fontes não são sólidas o bastante para inferir conclusões definitivas sobre o comportamento dos israelitas em relação ao sexo ritual dentro de sua religião.

Enquanto os relatos sobre a prostituição nos templos do Oriente Médio são, em grande medida, ambivalentes, é possível encontrar exemplos mais determinantes de especialistas sexuais. As *devadasi*, mulheres vinculadas a alguns templos, normalmente desempenham um papel específico na adoração aos deuses hindus. Embora não sejam mais tão comuns como antes, ainda existem nos estados de Andar Pradesh, Karnataka e Maharashtra. Sua missão primeira é servir como dançarinas dos templos, e apesar de as áreas mais sagradas exigirem a presença de *devadasi* virgens, o sexo é parte da função religiosa das

33 Budin 2006:83-43-43-4; M. T. Roth 2006:23-43-43-4.
34 M. T. Roth 2006:23.
35 Deuteronômio 23:17.
36 1 Reis 14:24.
37 1 Reis 15:12,22:47; 2 Reis 23:7.
38 1 Reis 15:12; 2 Reis 23:7.

demais[39]. Entre suas funções estão a de fazer sexo com príncipes locais e sacerdotes brahmins, e frequentemente também estão disponíveis para homens das castas superiores, mas não podem ser chamadas de prostitutas, pois é uma questão de princípio que sejam remuneradas pelos serviços sexuais prestados[40]. As *devadasi* agem como as cortesãs do paraíso, chamadas de *swargabesya* ou *apsaras*, que pertencem à corte de Indra, rei dos deuses, e proveem satisfação sexual a estes[41]. O ato sexual praticado pelas *devadasi* é uma força positiva que tem efeito benéfico em toda a sociedade[42]. As *devadasi* também estão diretamente conectadas aos deuses, pois são associadas a diversas deidades hindus, as mais frequentes sendo Shiva ou Krishna[43]. Algumas dessas mulheres são associadas a deusas, como, por exemplo, à deusa Yellamma, no estado de Karnataka. As próprias *devadasi* costumam se referir às deusas como seus "maridos"[44].

Da mesma forma como encontraram novas maneiras de utilizar o sexo no contexto religioso, as religiões mais recentes também possibilitaram o surgimento de um novo tipo de especialistas sexuais. Ao chamar para si Pedro e seu irmão André como discípulos, Jesus proferiu a seguinte frase: "Vinde após mim; eu vos farei pescadores de homens"[45]. Tradicionalmente, essa frase é vista como uma exortação, em termos genéricos, à vocação missionária. Em meados da década de 1970, David Berg, fundador e líder do movimento neorreligioso The Family (também conhecido como Children of God e The Family International) trouxe uma interpretação inusitada da expressão "pescadores de *homens*". Em nome de Jesus, as jovens do movimento The Family eram enviadas para atrair homens com sexo. "Os peixes (homens solteiros) não são capazes de compreender a crucifixão, não conseguem compreender Jesus. Mas podem muito bem compreender a última criação de Deus, a mulher", explicou Berg. "Então, garotas, cada uma de vocês abra seus braços e pernas para esses homens que

39 Marglin 1985:95.
40 Marglin 1985:90.
41 Marglin 1985:91.
42 Marglin 1985:98.
43 Marglin 1985:96; Vanita 2005:77.
44 Vanita 2005:77.
45 Marcos 1:17; Mateus 4:19, cf. Lucas 5:11.

são como Jesus, exatamente como Jesus."[46]. *Flirty fishing*, flertar com os peixes, foi como esse movimento ficou imortalizado. As chamadas putas de Jesus, *hookers for Jesus*, tinham que cumprir um longo processo antes de serem autorizadas a seguir adiante com sua vida sexual missionária[47]. As putas de Jesus também utilizaram o sexo para obter favores de políticos poderosos e homens de negócio influentes, abrindo vários caminhos para o The Family. De acordo com os minuciosos relatórios guardados no arquivo do movimento, precisamente 223.311 homens conheceram a graça divina por meio dos prazeres carnais[48]. Apesar das elevadas intenções, a prática foi interrompida em 1987, com o advento da Aids[49].

Uma das principais razões pelas quais não há mais especialistas religiosos em sexo é que sua existência pode representar uma sanção e um controle do sexo em um contexto independente do casamento. Quando encontramos esse tipo de sexo nos limites do que é religiosamente aceito, esse especialista se torna uma figura impossível de ser aceita no âmbito das religiões. Talvez exatamente por causa dessa impossibilidade o especialista sexual religioso desponte como uma figura de destaque nas religiões *alheias*. Mesmo sendo raros, eles pertencem ao panorama religioso. Onde existem, são venerados e testemunham o fato de que não há nada em uma religião, enquanto fenômeno, que exclua a possibilidade do sexo ritual.

Simbolismo sexual sagrado

Em meio ao festival xintoísta kanamara, realizado anualmente em Kawasaki, no Japão, não é um exagero dizer que o erotismo pode ser percebido com o tato. Falos de vários metros de comprimento, alguns negros, outros rosa choque, são conduzidos por sacerdotes xintoístas em procissões. Enormes falos de madeira são colocados ao lado do

46 Padre David [Berg] "You *are* the love of god!", 5 de junho de 1978. http://www.xfamily.org/index.php/You_Are_The_Love_of_God!

47 Puttick 1997:79.

48 "FFstats", 1º de outubro de 1988, http://xfamily.org/images/a/a8/FF-Stats-1988-10-01.jpg.

49 Puttick 1997:52.

Líderes e religiosos xintoístas durante o Festival de Kamanara, ritual de fertilidade em Kawasaki, sul de Tóquio. 06/04/2008
Crédito: Isseu Kato/Reuters/Latinstock

templo kanamara para que jovens garotas possam cavalgá-los, assegurando, assim, seu futuro como noivas férteis. Também mulheres adultas cavalgam esses falos, ou pelo menos tentam tocá-los[50]. Homens impotentes também se valem do contato com esses pênis gigantes[51]. Mulheres alegres, em roupas de festa, dão voltas com consolos do tamanho de recém-nascidos, e fiéis devotos podem adquirir pirulitos faliformes para que seus filhos os chupem. Frequentadores interessados em alimentos mais nutritivos podem recorrer a repolhos e outros vegetais esculpidos na forma de pênis[52]. Em um festival semelhante, realizado no santuário Ogata-jinja, em Inuyama, procissões cruzam a cidade carregando tabuleiros com enormes representações de pênis e vulvas, enquanto no santuário vizinho de Tagata-jinja a atração são falos vermelhos descomunais[53].

Aquilo que uma pessoa considera erótico pode aparentar pornográfico para outra, portanto é extremamente difícil categorizar manifestações religiosas tão explícitas como essas. De toda forma, esse erotismo religioso demonstra quão enormes são as diferenças entre as abordagens religiosas do sexo. A postura em geral mais condenatória do cristianismo sugere que esse tipo de representação esteja ausente do cotidiano, a menos que seja inserida em uma paisagem infernal com a presença de demônios. Mesmo figuras cristas antigas de santos seminus e da Virgem Maria miraculosamente amamentando santos como Bernardo de Clairvaux, não foram concebidas com um viés erótico, mesmo aparentando sê-lo nos dias atuais. Tampouco o prepúcio de Jesus, supostamente preservado até 1421 no mosteiro de Coulombs, próximo de Chartres (e em outras igrejas também), era considerado uma relíquia erótica — embora lhe fosse atribuído o poder miraculoso de aumentar a fertilidade[54]. Da mesma forma, quando os herrnhuters cristãos do século XVII entoavam salmos sobre o pênis de Jesus, os seios e o útero de Maria, negavam que houvesse uma conotação erótica, argumentando que se envergonhar diante dos salmos sobre os

50 Bornoff [1991]:384-85.
51 Lee 1995:84.
52 Grove 2008.
53 Bornoff [1991]:148.
54 Glick 2003:97.

Lingam de pedra em templo hindu
Crédito: eAlisa/Shutterstock

órgãos sexuais de Maria e de Jesus implicaria negar a natureza humana de Cristo[55].

As concepções eróticas da religião não têm relação apenas com o fato de que o sexo tem um papel fundamental nos diversos credos, mas também remete a coisas mais específicas. O culto ao falo que se celebra nos festivais ao redor dos templos japoneses está intimamente relacionado à concepção de que os deuses aumentarão a fertilidade se os fiéis fizerem uso de símbolos eróticos nos rituais religiosos. Mas não é apenas a ajuda divina contra a impotência e a infertilidade a razão desses festivais de órgãos sexuais: tanto a agricultura quanto os negócios prosperam miraculosamente por conta desses rituais[56]. O poder da fertilidade divina é geralmente considerado uma força positiva: falos, frequentemente encontrados dentro de templos ou às margens de estradas, estão lá não apenas para garantir todo o tipo de fertilidade, mas também servindo como proteção contra forças malignas.

O erotismo xintoísta dá um bom exemplo do uso religioso e simbólico relacionado diretamente ao ato sexual, como que para assegurar a bênção divina a ele. Do século XVII em diante, pênis passaram a ser esculpidos com a imagem de Otafuku, a deusa do prazer, ou de Benten, a popular deusa do amor[57]. Esta última é uma figura popular também em consolos utilizados em bares de *strip-tease* japoneses[58].

Falos e vulvas divinos não se restringem ao xintoísmo apenas, e há várias outras religiões que dão destaque aos órgãos sexuais de maneira semelhante. No hinduísmo, o falo — *lingam* — é, de uma só vez, algo muito religioso, carregado de pulsão sexual, e simboliza o Deus Shiva. Santuários dedicados a ele normalmente abrigam um grande falo localizado em uma posição central, embora esculpido de tal forma que um não iniciado acredite que está diante de uma pedra grande, alta, delicada e habilmente polida.

Falos de Shiva são objetos zelosamente cultuados, banhados com água sagrada, lavados com leite, manteiga e mel e ornados com flores. Alguns são ainda mais extravagantes que outros. Os sacerdotes do

55 Wiesner-Hanks 2000:66.
56 Lee 1995:84.
57 Bornoff [1991]:242.
58 Bornoff [1991]:156, 468.

Escultura no templo de Jagannath em Kathmandu
Crédito: National Geographic Image Collection/Alamy/Glow Images

templo Tilabhandeshwar, em Varanasi, informam aos visitantes que o falo daquele templo está em constante crescimento, como um pênis divino em permanente ereção, e cedo ou tarde terão que elevar o teto do edifício.

Em contraponto aos falos, também há nos templos hindus representações de órgãos sexuais femininos. Chamados de *yonis*, apresentam-se em tamanhos diversos e são comumente associados a várias deusas. O *lingam* de Shiva costuma ser colocado no meio de uma *yoni*, não a penetrando, mas como se florescesse dela.

Órgãos sexuais estilizados não têm a primazia do simbolismo religioso hindu. Os templos khajuraho, em Madhya Pradesh, e o templo konark, em Orissa, são quase que inteiramente tomados de representações de diversos atos sexuais, e grafismos semelhantes, embora em menor escala, podem ser encontrados em templos do mesmo período espalhados por toda a Índia. Arte erótica semelhante, mas de uma época posterior, pode ser vista em vários templos nepaleses. A maioria das imagens traz uma grande variedade de sexo heterossexual e lésbico. Sexo entre homens existe, mas é bem menos comum, junto de outras atividades sexuais mais marginais. Khajuraho, por exemplo, traz uma reprodução de um cavalo, aparentemente feliz, sendo arrebatado por trás por um homem, enquanto outro leva seu pênis ereto à boca do animal. É possível encontrar imagens de zoofilia em Konark e em alguns templos em Bhuvanesvar[59]. Não se sabe ao certo qual o significado dessas figuras eróticas, mas é muito provável que essas representações sexuais sagradas, tão distantes do ideal de matrimônio, tenham a ver com a transgressão sistemática que existe no cerne do tantrismo hindu[60].

Assim como o hinduísmo, a religião grega tinha um verdadeiro fascínio pelos órgãos sexuais dos deuses. A imagem que ficou para a posteridade, de uma religião eternamente ocupada de especulações filosóficas densas, não é exatamente correta. Havia pênis eretos em todos os lugares. Hermas, pilares com o busto de Hermes e pênis eretos, eram dispostos em quase todas as portas de entrada e nos limites territoriais

59 Bullough 1976:266.
60 White 1998:269-79-70.

Demóstenes. Busto rromano, cópia de original de 280 a.C.
Crédito: Museu Glyptothek, Munique. Foto: Tarker/The Bridgeman Art Library/Keystone Brasil

das cidades-estados[61]. Enormes falos eram carregados pelas ruas de Atenas durante a festa anual em honra a Dionísio, e a descoberta de um falo era um marco fundamental dos mistérios dionisíacos.

Pênis sagrados tinham o mesmo papel central na religião romana. Pênis eram objetos de decoração comuns, usados como pingentes em colares. Amuletos poderosos, eram utilizados até mesmo por crianças[62]. Na religião greco-romana, o sentido religioso do falo ia muito além da fertilidade. Ele representaria uma proteção divina extremamente poderosa, especialmente propícia para pessoas em situação de vulnerabilidade ou de sofrimento físico.

Algumas das representações sexo-religiosas mais explícitas que conhecemos estão, infelizmente, tão dissociadas de seu contexto que nos resta somente observá-las isoladamente como tais. Relíquias arqueológicas da civilização moche, que floresceu na costa norte do Peru entre 100 e 800 a.C., mostram repetidamente relações sexuais em um contexto ritual. Sexo vaginal é minoritário: a maioria é de sexo anal[63]. Não são apenas seres humanos que praticam sexo heterossexual, mas também animais e figuras sobrenaturais, antropomórficas, com enormes garras[64]. Em algumas imagens, o parceiro masculino parece ser um prisioneiro de guerra, que em seguida é sacrificado em honra aos deuses[65]. Há imagens de sexo anal associado a cerimônias fúnebres[66]. Outras mostram pessoas fazendo oferendas fúnebres enquanto praticam sexo[67]. A conexão entre sexo e rituais fúnebres é reforçada por muitas imagens de mulheres copulando com criaturas que parecem cadáveres vivos, e pela deposição de objetos sexualmente explícitos em sepulturas com os mortos[68].

As imagens dos moches sugerem rituais religiosos altamente sexualizados. Mas o papel que essas representações religiosas exerciam nos

---

61 Dover 2002:20.

62 Plínio *Hist. Nat.* 28.7.39.

63 Bourget 2006:66.

64 Bourget 2006:65: figs. 1.46,2.1-11-10,2.13-14,2.17-20,2.32,2.34-45,2.50-60,2.67, 2.71-41-4, 2.88, 2.101, 2.120, 2.124, 2.126-76-7, 2.129-31, 2.134-36, 2.140-41, 2.144-54-5, 3.1-21-2, 3.4, 4.43.

65 Bourget 2006: figs. 2.140-41, 2.144-45, 4.43.

66 Bourget 2006:180-82, figs. 3.1-21-2.

67 Bourget 2006: fig. 3.4.

68 Bourget 2006:178.

rituais, além de serem importantes oferendas fúnebres, é difícil dizer. As imagens explícitas não são únicas da cultura mochica, porém. Podem ser encontradas em uma série de achados arqueológicos de outras culturas andinas, que, infelizmente, também não nos permitem chegar a mais conclusões[69]. Ainda assim, de todo o material disponível da civilização moche, a maior parte consiste de peças que sugerem uma religião com uma compreensão do sexo inteiramente diferente da que vemos nas religiões de hoje.

Órgãos sexuais divinos tiveram uma importância central também na religião nórdica. Na Noruega, existem, por exemplo, 56 falos de pedra da época viquingue. É difícil afirmar para que serviam, já que a maioria foi feita em uma época da qual não existem fontes escritas, entre 400 e 440 d.C. Vinte e um desses falos foram descobertos em sepulturas, e três deles próximo a cemitérios, o que pode indicar que tinham a ver com o culto aos mortos. Alguns falos de menor tamanho foram encontrados nas tumbas, com os mortos[70]. Certas tigelas moldadas em pedra datadas daquele tempo são consideradas por alguns estudiosos uma representação do útero, mas as peças encontradas não parecem sugerir que seja esse o caso. Quinze dos falos de pedra conhecidos possuem essas tigelas esculpidas neles[71].

De acordo com Adão de Bremen (século IX), o deus da fertilidade Frøy foi desenhado com um enorme falo em seu santuário na cidade de Uppsala[72]. Da era viquingue na Suécia, chegou até nossos dias uma estatueta de um homem sentado com um pênis ereto descomunal — também seria o deus Frøy[73]. Naquela época não existia a noção de que um deus em estado de excitação configuraria uma situação incômoda. Em vez disso, a vigorosa sexualidade dos deuses era apenas mais uma faceta de sua condição sobre-humana.

Na *Vølsa þáttr*, uma história remanescente do manuscrito islandês *Flateyjarbók*, datado do século XIV, ficamos sabendo que Olaf Haraldsson, rei e santo norueguês responsável pela conversão da

69 Bourget 2006:65.

70 Solli 2005:50; Steinsland 2005:150.

71 Solli 2005:50.

72 Adão de Bremen 4:26.

73 Steinsland 2005:152.

Noruega ao cristianismo, testemunha um ritual pagão de sacrifício. Toda noite, em uma fazenda no extremo norte da Noruega, uma mulher manipula um *vølsa*, o pênis de um cavalo abatido, enrolado com cebolas em um pedaço de linho. Ele é repassado a todos os comensais sentados à mesa, enquanto são entoados cânticos rituais. Entre outras coisas, suplica-se que as *mornír*, mulheres gigantes, aceitem essa oferenda. O linho e as cebolas que acompanham o falo também têm um significado próprio, que provavelmente remete a uma tradição ainda mais ancestral. Em uma escultura de osso encontrada na fazenda Fløksand, em Hordaland, sudoeste da Noruega, existe uma inscrição, *linalaukar* (linho e cebolas)[74]. Infelizmente, sabe-se muito pouco da *rationale* desses rituais antigos. Segundo o relato da *Vølsa þáttr*, santo Olavo, homem pio e cristão pouco tolerante, também não procurou saber: simplesmente deu o pênis para entreter seu cachorro.

Uma repercussão moderna da luta contra o culto ao galo teve lugar no distrito de Dønna, na costa de Helgeland, norte da Noruega, em 1993. O Museu de Bergen devolveu ao distrito uma pedra fálica e todo recém-nascido recebeu da municipalidade uma miniatura de prata do falo como símbolo de fertilidade, e foi colocada em prática uma ação de marketing voltada para o turismo local. Essa iniciativa teve a imediata condenação do movimento conservador cristão, que a considerou uma demonstração horrenda de paganismo e ocultismo. A reação foi especialmente voltada contra os pequenos falos presenteados aos recém-nascidos, que careciam, na verdade, de uma cruz[75].

O simbolismo sexual sagrado não é um fenômeno meramente histórico. Foi o que descobriu o governo da Indonésia, país majoritariamente muçulmano, ao introduzir uma lei antipornografia em 2008. A lei que proíbe qualquer imagem, som ou gesto de caráter obsceno, sexual ou "atentatório à moral e ética da sociedade" não foi bem recebida por todos os fiéis do país. Enquanto os parlamentares muçulmanos exaltaram a iniciativa proclamando que "Alá é grande", hindus balineses e seguidores das religiões animistas de Papua ficaram furiosos, justificando

74 Steinsland 2005:350-51.

75 Gilhus 2004:177,180-82.

que a lei poderia restringir seriamente sua expressão religiosa, que seria considerada erótica segundo essa perspectiva[76].

Os muros de casas do Butão de hoje ostentam pinturas de enormes pênis eretos, geralmente ejaculando e retratados ao lado de uma mão: estão relacionados, de alguma forma, com o "divino louco", Drukpa Kunley, que exteriorizou seu insight religioso por volta do ano 1500, referindo-se a seu membro sexual como "um raio flamejante de sabedoria"[77]. Segundo os próprios butaneses, os pênis protegem as residências dos maus espíritos.

A iconografia religiosa de símbolos e situações sexuais não é uma expressão única do extremo oposto dos movimentos religiosos hostis ao sexo, mas transpõem a esfera sexo-religiosa para um nível totalmente diferente. As imagens sacras significam que os fiéis devem associar a ideia que têm do sexo — qualquer que seja ela — a um fenômeno eminentemente religioso. Nesse sentido, há semelhanças bem perceptíveis com as diversas formas existentes de sexo obrigatório, segundo a religião.

O simbolismo sexo-religioso, ou a total inexistência dele, costuma ser a derradeira instância de uma visão particular do sexo. Quando há um intercâmbio entre duas ou mais religiões, as atenções se voltam especificamente para o simbolismo sexual de cada uma, e quando fiéis de religiões mais repressivas em relação ao sexo são confrontados com outras, sexualmente explícitas em sua iconografia, esse contraste apenas contribui para que condenem essa religião em questão.

[76] Khalik 2008; Suriyani & Nathalia 2008.

[77] Carpenter & Carpenter 2002:132.

11

Prioridades sexuais da religião

Como vimos, o panorama sexo-religioso talvez seja o mais marcado por variações e mudanças. Mas, ao observarmos de perto o modo como mandamentos e proibições sexuais interagem entre si e entre as demais obrigações religiosas, percebemos que essas alterações estão constantemente se modificando, tornando-se mais ou menos rígidas ao sabor do tempo. Tanto fiéis comuns como hierarcas de uma determinada crença optam, de forma explícita ou implícita, ignorar certas regras religiosas muito nítidas em prol de outras que considerem mais importantes. Doutrinas sexo-religiosas podem ser simplesmente ignoradas para que outros tipos de regulação sexual sejam priorizados, ou podem ter um destaque maior em detrimentos de outras.

Um novo padrão emerge: nem todas as diretrizes sexo-religiosas recebem a mesma ênfase. Enquanto algumas, consideradas fundamentais para aquela crença, são repetidas e assumem um papel central, outras podem ser simplesmente esquecidas — em geral, sem uma lógica capaz de explicar o motivo.

O desprezo do sexo pela religião

Desde a década de 1970, vários periódicos ocidentais vêm publicando notícias sobre padres católicos que abusam sexualmente de jovens, embora os efeitos desses escândalos só tenham começado a repercutir publicamente no Vaticano a partir de 2009. Poucas pessoas seriam capazes de sustentar que isso diz muito sobre o catolicismo enquanto religião. Não há nada no catolicismo que dê aos padres o direito de abusar de seus fiéis, bem ao contrário. Qualquer forma de sexo fora do casamento é estritamente proibida, e a maioria dos padres católicos se compromete a viver em celibato. Padres que abusam de garotos e rapazes também violam uma regra central da Igreja católica sobre a homossexualidade. O que torna esses atos ainda mais graves, do ponto de vista católico, é que não são consensuais, mas envolvem uma autoridade mais velha impondo a fórceps sua vontade sobre alguém mais jovem.

Muito embora o abuso dos padres entre frontalmente em choque com a doutrina católica, o modo como a Igreja escolheu lidar com o assunto demonstra como uma instituição religiosa pode, sob certas circunstâncias, desconsiderar regras fundamentais e priorizar outras. As reações do Vaticano e do restante das lideranças católicas aos abusos não resultaram em mudanças nos princípios teológicos, mas revelaram a prioridade da Igreja no trato com padres que tão flagrantemente violaram os ensinamentos católicos sobre o sexo. Ao deixar de lado as normas e abusar de inocentes, esses clérigos, é claro, não se configuram um problema exclusivo da Igreja — da qual eram representantes oficiais enquanto consumavam esses atos. Abusos desse tipo põem em xeque a reputação de toda a Igreja católica.

Toda religião é obrigada a confrontar argumentações e ponderações diferentes. Nesse contexto, eram três os desafios do catolicismo: a Igreja precisava encontrar uma maneira de proteger sua reputação; tinha também que assegurar a manutenção do celibato clerical, e também precisava proteger os jovens inocentes. O Vaticano deixou bem claro quais eram suas prioridades ainda em 1962. A linha adotada está expressa em um documento oficial, mas altamente confidencial, enviado a todos os bispos. O documento, tornado público somente ao ser objeto de uma reportagem do jornal britânico *The Guardian*, em 2003, trata de convites sexuais feitos por padres[1], atos sexuais

---

[1] 1 *The Supreme and Holy Congregation of The Holy Office (Suprema e Santa Congregação do Santo Ofício)* "Instruction on the manner of proceeding in cases of solicitation" (Instrução sobre procedimentos em casos de solicitação", 1962, in *The Guardian*, 17 de agosto de 2003 (http://image.guardian.co.uk/sys-files/Observer/documents/2003/08/16/ Criminales.pdf); 1.

consumados com animais e "pessoas do próprio sexo"[2] e abuso direto de "jovens de ambos os sexos"[3]. A Igreja afirmou que o mais importante em todas essas circunstâncias seria "agir da maneira mais *secreta* possível". Ao investigarem casos do tipo, os bispos devem "ser obrigados ao *silêncio* perpétuo"[4]. Mesmo as vítimas, aquelas que haviam acusado os padres de abuso, deveriam jurar que se pautariam pela mais absoluta discrição[5]. Todos os envolvidos nesses casos deveriam assinar um documento comprometendo-se a não "atentar contra a fidelidade do voto de silêncio [...] nem mesmo diante da causa mais urgente e séria", "em prol de um bem maior". A única forma de ser dispensado desse voto seria "caso a dispensa (me) seja garantida expressamente pelo Sumo Pontífice"[6]. Quem quer que rompa esse silêncio será passível de excomunhão, pondo em risco sua própria salvação[7] — algo que vale tanto para o acusado como para a vítima.

Padres que admitem o abuso sexual devem ser perdoados. Um formulário específico para a concessão do perdão era parte do documento distribuído em 1962[8]. Padres considerados culpados pela Igreja podem ser transferidos ou dispensados de suas funções eclesiásticas[9]. O abuso em si não significa excomunhão — somente aqueles que verbalizarem suas transgressões para *além* da hierarquia da Igreja correrão esse risco. Agindo assim, a Igreja equipara agressores a vítimas, que também correm o risco de excomunhão se comentarem sobre o ocorrido com mais alguém que não os próprios clérigos[10].

Nesse documento de 1962 o Vaticano também deixou claro que o mais importante ao lidar com essa situação seria resguardar a boa reputação da Igreja. Mas isso inclui muito mais que se manter longe das más notícias. Se fosse abalada, a reputação da instituição de Deus na Terra, como a Cúria considera o Vaticano, isso implicaria um

2 *Ibid.* 15-15-16.
3 *Ibid.* 16.
4 *Ibid.* 3, itálicos meus.
5 *Ibid.* 4.
6 *Ibid.* 7.
7 *Ibid.* 3.
8 *Ibid.* 18.
9 *Ibid.* 2.
10 *Ibid.* 3.

menor número de fiéis, um aumento do abandono das hostes da Igreja e um contingente cada vez menor de pessoas dispostas a reconhecer a liderança de seus pastores espirituais. No longo prazo, a salvação de milhares de pessoas é que estaria em xeque. À luz desses argumentos, não é de estranhar o fato de que a moralidade sexual dos servos da Igreja tenha sido menosprezada.

Dada a absoluta importância de manter imaculada a imagem da Igreja, chamar a polícia ou atrair a atenção do Judiciário para esses casos estava totalmente fora de questão. Antes do ano 2000, quando o sistema legal foi de fato acionado — como ocorreu diante do grande número de crianças sexualmente abusadas por padres católicos em Newfoundland, Canadá, no fim da década de 1970 —, a Igreja exercia sua enorme pressão sobre as autoridades policias e judiciárias para que os inquéritos não seguissem adiante. Em vez disso, os padres acusados eram remanejados para outras paróquias[11].

Um dos maiores problemas dessa linha de ação é que as providências adotadas pelo Vaticano — perdão, remanejamento ou dispensa — não impediram esses padres de continuar cometendo novos crimes sexuais. Sendo a prioridade absoluta a imagem da Igreja católica, o bem-estar das crianças sob os cuidados da instituição tinha prioridade mínima. É notório o fato de que, durante décadas, sacerdotes católicos constantemente ignoraram, perdoaram ou repassaram responsabilidades por crimes cometidos no âmbito institucional da Igreja. Um exame de documentos legais, relatórios, entrevistas e documentos eclesiásticos mostra que dois terços dos bispos católicos dos EUA permitiram aos padres que continuassem trabalhando mesmo depois de serem formalmente acusados[12]. A falta de ânimo da Igreja para acompanhar as próprias investigações que conduzia parece ter subido ao topo da hierarquia eclesiástica. Em 2010, o cardeal austríaco Christoph Schönborn criticou o ex-secretário de Estado do Vaticano por ter bloqueado uma investigação sobre o abuso sexual indiscriminado de crianças austríacas, revelado em 1995[13]. Até o papa João Paulo II foi acusado de agir nos bastidores para encobrir uma série de casos de abusos e proteger os

[11] Barrie 2002:69.

[12] Egerton & Dunklin 2002.

[13] Pullella 2010.

autores, membros da alta cúria[14]. Nos casos em que dispensou padres por abusos sexuais sem contatar a polícia ou as autoridades, a Igreja posteriormente lavou as mãos: deixou de interferir quando os abusos continuaram, uma vez que não eram mais cometidos por seus representantes. A tolerância continuada de abusos sexuais indiscriminados implicou o pagamento, pela Igreja, de vultosas indenizações em tribunais em todo o mundo.

A tolerância da Igreja católica para com as mais sérias transgressões perpetradas pelos padres contra seus próprios preceitos morais com o objetivo de manter as aparências é um típico exemplo de como as religiões podem se desviar de suas linhas doutrinárias caso estejam em jogo questões mais relevantes. Embora continuasse a condenar veementemente sexo fora do casamento e qualquer forma de homossexualidade, o Vaticano passou décadas em silêncio, ignorando fatos ocorridos dentro de suas próprias hostes e fazendo vista grossa ao abuso sexual de crianças e jovens para que o prestígio da Igreja não fosse abalado. É interessante ouvir a justificativa do papa Bento VI sobre o ocorrido. Ao mesmo tempo que exteriorizou suas orações por perdão, afirmou que o "inimigo", isto é, o diabo em pessoa, estava por trás do escândalo, pois era seu desejo ver "Deus varrido deste mundo"[15]. Logo, o problema não é o abuso das crianças, nem o abafamento sistemático do caso, mas o fato de que o diabo fez uso disso para manchar a reputação da Igreja.

Inversões de prioridades semelhantes encontramos também entre os judeus ortodoxos dos EUA. Embora a mídia secular revele casos de crianças e jovens abusados por rabinos e outros proeminentes líderes ortodoxos, a mídia judaica prefere ignorar o assunto sistematicamente. Assim como o Vaticano, a sociedade ortodoxa judaica parece dizer, com outras palavras, que é melhor relevar essas questões, pois macular a imagem de seus líderes seria também macular a imagem da religião como um todo[16]. O fato de que o abuso sexual de jovens se opõe a todos os preceitos judaicos vem em segundo plano; a reputação de seus líderes, e, consequentemente, da religião judaica em

[14] Pancevski & Follain 2010.

[15] Gentile 2010.

[16] Neustein & Lesher 2002:80-81; *Associated Press* 2008.

si, é mais importante que proibições sexuais que são centrais à fé, para não mencionar do próprio bem-estar das jovens vítimas. Apesar disso, esta não é uma discussão pacífica. Assim como a campanha de tantos católicos contra o sucessivo abafamento de tais denúncias pela Igreja, alguns judeus também lutam contra o silêncio adotado pelos ortodoxos diante desses abusos.

Pelo visto, os crimes em si são menos problemáticos do que a repercussão que possam sofrer. A conduta do Vaticano em relação aos padres pedófilos e a tentativa dos judeus ortodoxos de ignorar o problema assim o comprovam. O mesmo princípio esteve em vigor no Egito, em 2005, quando uma jovem costureira, Hind el-Hinnawy, entrou com uma ação de reconhecimento de paternidade contra o ator Ahmed el-Fishaway. O escândalo não se deveu ao fato de ela engravidar fora do casamento, quebrando uma regra muçulmana fundamental, mas ao de não ter feito o que as jovens classe média-alta do Egito costumam fazer nessas condições: abortar e ter o hímen cirurgicamente reconstituído[17]. Esse episódio não resume o que se passa no islã de forma mais abrangente, mas mostra como uma ruptura das regras sexuais muçulmanas pode ser tolerada se os desdobramentos do sexo ilegal forem conduzidos com a devida discrição. Se observarmos o hinduísmo, veremos que relacionamentos sexuais — discretos — entre mulheres de castas superiores e homens de castas mais baixas são bastante comuns, sem que tenham se tornado um problema relevante para a comunidade hindu. Sanções religiosas ou inspiradas pela religião só entram em vigor em decorrência de algum deslize, seja ele uma gravidez ou uma eventual demonstração pública de afeto[18].

A violação, por padres e rabinos, de algumas das regras sexuais mais caras às suas religiões é indicativo de outro padrão. Figuras que detêm importância e poder em uma religião podem estabelecer seus próprios limites em relação ao sexo. Já vimos como monarcas cristãos e muçulmanos, que sempre tiveram um papel religioso central, podiam, na prática, fazer o que bem quisessem nesse particular.

---

[17] MacFarquhar 2005.
[18] Kannabiran & Kannabiran 2002:66.

Até personagens centrais das religiões parecem ter levado uma vida em conflito com as próprias regras estabelecidas. Existe certa controvérsia teológica sobre as várias esposas de Abraão, embora a poligamia esteja de acordo com as leis bíblicas. Poucas pessoas reagem ao fato de ele ter sido casado com sua meia-irmã, Sara. O próprio Abraão esclarece: "Aliás, ela é realmente minha irmã, filha de meu pai, mas não de minha mãe"[19]. Embora a lei mosaica tenha sido instituída depois da morte de Abraão, a interdição do incesto é uma das mais centrais no judaísmo. É o próprio Deus quem adverte: "Se um homem tomar a sua irmã, filha de seu pai ou de sua mãe, e vir a sua nudez, e ela vir a sua, isso é uma coisa infame. Serão exterminados sob os olhos de seus compatriotas: descobriu a nudez de sua irmã; levará a sua iniquidade"[20]. No caso de Moisés, que desposou uma gentia, desobedecendo às leis racistas do Pentateuco, novamente é Deus quem intervém para punir a mulher que criticou o profeta, fazendo-a contrair lepra[21]. Portanto, Abraão e Moisés, os míticos ancestrais das três religiões monoteístas, pairam bem acima das críticas até quando cometem atos que, fossem cometidos por outras pessoas, acarretariam execução sumária.

Por vezes, as regras sexuais são deixadas de lado ou deliberadamente desobedecidas em virtude do que se consideram questões religiosas mais importantes. O relato sobre Sodoma é um exemplo interessante de como uma proibição sexual é posta ao largo em função de um mandamento religioso diferente, que não tem nada a ver com o sexo. Quando os moradores de Sodoma exigem que Ló, sobrinho de Abraão, lhes apresente os anjos que hospeda em sua casa, é o primeiro quem teme que a turba invada sua casa e leve os hóspedes à força. Isso seria uma violação absoluta da regra sagrada da hospitalidade. Ló tem uma ideia inusitada para evitar o confronto e diz à multidão: "Ouvi: tenho duas filhas que são ainda virgens, eu vo-las trarei, e fazei delas o que quiserdes"[22]. Mesmo que ignoremos o que as filhas achariam disso — o que seria irrelevante, pois elas tinham que obedecer ao que dizia o pai —, há outras questões delicadas acerca da proposta de Ló. Como

19 Gênesis 20:12.

20 Levítico 20:17.

21 Números 12:1-11-15.

22 Gênesis 19:1-9, 19:14.

suas filhas estavam noivas e prestes a casar, se fossem estupradas pelos sodomitas os futuros genros de Ló teriam a honra enxovalhada[23]. Na qualidade de mulheres prometidas, se fizessem sexo dentro das muralhas cidade, mesmo em se tratando de estupro, deveriam ser apedrejadas até a morte.

Como os sodomitas rejeitam a oferta de Ló de estuprar suas filhas, jamais saberemos se a condenação seria levada a cabo. Independentemente disso, Ló parece ciente de que seria preferível violar uma das proibições sexuais mais arraigadas de modo a preservar a (ainda mais importante) lei da hospitalidade. E assim, ele declara aos inóspitos sodomitas: "Mas não façais nada a estes homens, porque se acolheram à sombra de meu teto"[24]. A história de Ló tem uma importância que transcende os personagens diretamente envolvidos, pois a insistência de Ló em fazer o que fosse preciso para proteger seus convidados é considerada exemplar, tanto pela tradição judaica como pela cristã.

Entre fiéis de diferentes credos encontramos outro tipo de desprezo pelos mandamentos ou proibições sexuais. As regras sexuais mais tradicionais são, cada vez mais, consideradas irrelevantes. Questões como sexo antes do casamento, homossexualidade e divórcio não são mais consideradas critérios religiosos relevantes. Esse é o padrão predominante entre a maioria dos judeus e cristãos de hoje. A aceitação mais ou menos generalizada do sexo pré-conjugal, do divórcio e, em menor grau, da homossexualidade, mostra que condutas antes inteiramente condenadas pela moral judaico-cristã hoje podem ser plenamente aceitáveis dentro dessas religiões. Atitudes semelhantes podemos encontrar entre muitos muçulmanos, hindus e budistas.

Prescrições e proscrições sexuais são, portanto, encaradas como aspectos menos importantes das religiões, ao passo que fatores como o nível de atividade religiosa, honestidade, plenitude, solidariedade e muitos outros são considerados mais importantes na relação que cada indivíduo mantém com sua fé. Mesmo no caso do adultério, comportamento ainda longe de ser aceitável, é evidente que o aspecto sexual perdeu importância. O ato sexual que constitui adultério não ocupa

---

[23] Deuteronômio 22:23-24.

[24] Gênesis 19:8.

mais o espaço que ocupou na condenação que fazemos dele. O elemento que desperta as maiores reações hoje é a traição que está por trás do ato físico: o sexo em si é visto como um sintoma de desonestidade.

A enorme mudança de atitude entre a maioria dos fiéis diante de questões como sexo pré-conjugal, relacionamentos entre pessoas do mesmo gênero e divórcio deixou um rastro de problemas um tanto desconfortáveis para as lideranças religiosas. Como reagirão ante o fato de que seus seguidores não mais se comportam como suas crenças tradicionalmente exigem? Pior ainda, como lidarão com o fato de que os fiéis não mais *acreditam* naquilo que professam?

Há essencialmente quatro grandes estratégias para líderes religiosos que desejem criar algum tipo de contato entre normas sexo-religiosas e a vida real dos fiéis. Em primeiro lugar, é possível mudar completamente as regras e dizer que o sexo pré-conjugal (para citar um único exemplo) é perfeitamente aceitável. Sugestões podem variar muito de acordo com o tipo de sexo em questão. Outras vezes, é possível que as regras tenham se *modificado* de tal sorte que o próprio clero acredita que doutrinas mais recentes são, na verdade, as originais. É o que vemos atualmente na postura de alguns cristãos em relação ao racismo-sexual, que caracterizou e caracteriza grandes parcelas do cristianismo até hoje. Por outro lado, ao analisarmos a questao do relacionamento estável entre pessoas do mesmo sexo, veremos que muitos o defendem por uma perspectiva religiosa, embora poucos digam que esses comportamentos sexuais seriam *originalmente* respaldados pelo cristianismo, judaísmo ou qualquer outra religião.

A segunda estratégia depende da adesão de líderes religiosos e fiéis na tentativa de *coagir* um maior número de pessoas a fazer o que sua religião originalmente preconizava. Muitos sacerdotes adotaram essa estratégia dando um passo além, com o objetivo de influenciar toda a sociedade, independentemente de credo, impondo suas regras de conduta sexual. Essa foi a estratégia mais comumente adotada no passado, e nos dias de hoje há países que se pautam rigidamente por ela. Em todos os lugares, como vimos, tenta-se controlar a moral sexual de forma indireta, redefinindo conceitos de educação sexual, por exemplo, ou impedindo o livre acesso a métodos contraceptivos. O problema dessa abordagem coercitiva é que ela vai ao encontro dos direitos humanos, uma vez que tanto a Suprema Corte Europeia de Direitos Humanos como a Comissão de Direitos Humanos da ONU asseguraram que adultos tenham garantido o direito de tomar parte em atos sexuais consensuais e privados sem sofrer nenhum tipo de interferência. Até mesmo o sexo grupal — privado — é protegido pelos direitos humanos[25]. Lideranças religiosas têm a liberdade de ameaçar tanto fiéis como as demais pessoas com perdição, inferno, excomunhão e demais sanções religiosas, mas, a partir do momento que acenam com algum tipo de pena ou discriminação no que se refere a emprego, benefícios sociais ou a sua vida privada, estarão cometendo uma infração contra os mais fundamentais direitos humanos.

A terceira possível estratégia é a faculdade que instituições religiosas têm de *expulsar* aqueles que violam suas regras sexuais. O dilema aqui é bem simples: a maioria das comunidades religiosas teria, então, que expulsar a maior parte de seus fiéis.

A quarta estratégia, bem diversa das anteriores, é *ignorar* a discrepâncias existentes entre doutrina e comportamento. As lideranças continuam defendendo a doutrina correta, talvez garantindo que o clero siga adiante com sua missão, deixando a maioria esmagadora dos fiéis agir como quiser. Essa é a solução adotada tacitamente por muitas das maiores comunidades religiosas diante de temas como contracepção e sexo pré-conjugal. O problema dessa estratégia é que ela pode minar a essência da religião e da autoridade religiosa. Quando os fiéis tomam consciência de que não precisam mais obedecer a certos princípios religiosos, passam a questionar todos os outros. Quando percebem que as autoridades religiosas lhes permitem agir livremente em uma determinada área, os fiéis passam a questionar: e por que não em outra?

A aceitação tácita de uma divergência entre uma elite religiosa e os fiéis comuns implica a existência de pelo menos duas verdades para qualquer questão, por menor que seja. Normalmente, valemo-nos de instituições e líderes religiosos em busca da verdade da fé, mas quem ousará dizer a um muçulmano, católico, hindu, judeu ou a qualquer outro fiel que ele não é autêntico o bastante porque crê em algo diferente? Se uma

---

[25] *A.D.T. vs. Reino Unido*, julgamento da Corte Europeia de Direitos Humanos, 31 de julho de 2000, §§26, 38-39.

liderança religiosa não tem o poder de contestar o modo de vida ou a crença desse fiel, quem mais teria? Como se sente *de verdade* um líder religioso que afirma uma coisa e tolera tacitamente que seus seguidores atuem de maneira diametralmente oposta?

O menosprezo do sexo pela religião implica, evidentemente, um desafio para várias partes, mas ele talvez se apresente maior ainda para as lideranças religiosas. Seja lidando com a reputação em xeque de uma congregação devido a abusos sexuais da parte de sacerdotes, seja encarando o fato de que muitos fiéis não observam mais os mandamentos sexo-religiosos, as lideranças religiosas precisam decidir: ou se atêm a seus princípios ou os ignoram em favor de outros preceitos que julguem ser ainda mais importantes.

A primazia do sexo pela religião

No Natal de 2008, o papa Bento XVI declarou que os heterossexuais carecem tanto de proteção como as florestas tropicais. Em seu entendimento, essa proteção inclui que se reconheça a proibição da homossexualidade, a discriminação e, por que não, a perseguição contra homossexuais[26]. A política do Vaticano demonstra que salvar as florestas é, na verdade, *menos* importante que lutar contra a homossexualidade. A questão ambiental pode ser uma prioridade para cristãos modernos, mas até onde pode, o catolicismo prefere combater o sexo intragênero em detrimento da agenda ecológica.

Enquanto muitos fiéis se contentam em desprezar as regras sexo-religiosas para se concentrar em outras questões, há situações em que vale o inverso. Tantas e tantas ocasiões observamos fiéis e instituições religiosas fazendo pouco caso ou ignorando questões de fé — algumas vezes questões fundamentais — porque se interpõem a verdades religiosas consideradas mais relevantes.

No cristianismo, caso alguém deseje ser santo, é recomendável que se abstenha inteiramente do sexo. Isso está evidentemente relacionado à

[26] Papa Bento XVI, "Pronunciamento de Sua Santidade Bento XVI para os membros da Cúria Romana por ocasião da tradicional troca de votos de Natal", 22 de dezembro de 2008.

tradição cristã de abstinência integral. Houve ocasiões em que o esforço para manter a virgindade intacta assegurou a santidade a algumas mulheres. Certo dia, em julho de 1902, Maria Goretti, uma italiana de seus 11 ou 12 anos, estava em casa sozinha quando foi atacada por um jovem chamado Alessandro Serenelli, que a ameaçou de morte caso se recusasse a fazer sexo com ele. Maria Goretti se recusou e ele lhe desferiu várias facadas. A garota morreu no dia seguinte, não sem antes contar o que havia se passado. Serenelli foi condenado a cumprir uma pena de trinta anos por assassinato. Na cadeia, Maria Goretti teria lhe surgido em visões e lhe dado seu perdão. Uma vez liberto, Serenelli entrou para um mosteiro e Maria Goretti foi canonizada em 1950, em uma cerimônia em que estiveram presentes a mãe da garota, o restante de sua família e também o assassino[27].

Maria Goretti parece ter sido uma menina tranquila e alegre, mas nem todas as meninas tranquilas e alegres que morrem ainda jovens se transformam em santas. Uma coisa é clara: caso fosse estuprada em vez de morta, ela jamais seria canonizada. No fim das contas, a moral da história é a seguinte: para um bom católico, é preferível morrer a fazer sexo antes do casamento.

Maria Goretti é mais uma das várias jovens santas católicas que preferiram morrer a perder a virgindade. Tertuliano, antigo patriarca da Igreja, resumiu a questão afirmando que seria pior condenar uma cristã à prostituição que atirá-la às feras[28].

Como invariavelmente são canonizadas jovens mulheres que perderam a vida para preservar a virgindade, pode-se inferir que a castidade feminina é mais valiosa que a masculina. Há santos que morreram por se recusarem a fazer sexo, mas não estamos falando de sexo heterossexual, claro. O jovem cristão Pelágio, executado depois de resistir às investidas do califa espanhol Abd al-Rahman, no século X, tornou-se imediatamente um santo bastante popular[29]. Manter-se virgem pode não ser tão importante para um cristão qualquer, mas, ainda assim, é preferível morrer a fazer sexo com outro homem.

---

[27] Young 1995:279-80.

[28] Tertuliano *Apologia* 50.

[29] Bosworth, van Donzel, Lewis & Pellat 1986:777; Crompton 1997:150.

Reforçar a mensagem de que é melhor morrer que fazer sexo é uma maneira que a Igreja encontrou de dar a medida do real valor da virgindade — uma conduta, aliás, que tem sido bastante copiada. Um exemplo mais recente de como muitos cristãos acham que proibir certos tipos de sexo é mais importante que salvar vidas pode ser vista na repetição mentirosa de que os preservativos não previnem a transmissão do vírus da Aids. Em 2003, o cardeal Alfonso Lópes Trujillo, líder do Conselho Pontifício da Família, afirmou que o vírus do HIV atravessa a membrana do preservativo[30]. O arcebispo Francisco Chimoio, de Maputo, Moçambique, disse em 2007 que os preservativos são ineficazes contra o HIV[31]. O papa Bento XVI, em princípio nada fez para impedir pronunciamentos desse tipo. Ao contrário, ao visitar a África, afirmou que a Aids é "uma tragédia [...] que não pode ser superada por meio da distribuição de preservativos, que podem até agravar o problema"[32]. Partindo de líderes eclesiásticos, afirmações como essas demonstram cabalmente que combater a prevenção sexual é mais importante que impedir pessoas de contrair uma doença fatal. A crítica sistemática a essa visão oficial católica, tanto de dentro como de fora da Igreja, parece ter afetado o papa, que em 2010 admitiu que "em certos casos", preservativos poderiam ser usados para prevenir a infecção pelo HIV[33].

Podemos perceber a importância vital da moral sexo-religiosa nas três religiões abraâmicas na ênfase que dão ao castigo e à punição. Todas as três condenam o assassinato de uma ou outra maneira, mas a punição para o sexo proibido costuma ser tão ou mais severa que o castigo para alguém que tira a vida de um semelhante. O Pentateuco recomenda a pena de morte tanto para assassinatos como para sexo intragênero, sexo menstrual, anal masculino e o adultério feminino.

O islã não dá a mesma importância extrema ao sexo que considera interdito. O Alcorão pede a pena de morte para assassinato[34], mas não para sexo proibido. Entretanto, segundo os *hadiths*, Maomé

---

30 *Catholic Online* 2003.

31 Johannessen 2007.

32 *BBC* 2009a.

33 Kington & Quinn 2010.

34 Alcorão 2:178.

exige a pena de morte para o adultério heterossexual e para o sexo entre homens.

No cristianismo, é preciso recorrer às tradições para descobrir como o assassinato passou a ser equiparado ao sexo ilegal. Ambos, em princípio, pediam a pena de morte e eram considerados crimes igualmente graves. A castração do réu antes de sua execução ou o esquartejamento de seu corpo normalmente ocorriam se ele estivesse sendo executado por ter feito sexo com outros homens. As penas foram estabelecidas antes de cristãos adquirirem o direito jurídico de condenar uns aos outros, e o Concílio de Envira, realizado no começo do século IV, na Espanha, oferece um curioso panorama de como a Igreja categorizava as diversas transgressões. A mulher que trocava seu marido por outro não podia mais comungar pelo resto da vida, e, portanto, estava impedida de alcançar a salvação. O homem que soubesse da traição de sua esposa e não a deixasse também não poderia receber o sacramento. No entanto, se uma mulher matasse um criado teria a comunhão recusada por apenas sete anos[35].

Não é apenas por meio de condenações e perseguições diretas que a priorização de regras sexuais ante outros mandamentos religiosos pode ter consequências fatais. Em 2002, um incêndio irrompeu em uma escola em Meca e várias meninas foram impedidas de abandonar o prédio em chamas por não estarem adequadamente vestidas, segundo a política religiosa saudita, que segue regras bastante severas. Como resultado, quinze garotas ficaram presas e morreram no incêndio[36]. Quando Rick Perry, governador republicano do Texas, criou um programa para vacinar estudantes contra o vírus do papiloma, transmissível sexualmente e responsável por cerca de 70% dos casos de câncer cervical, enfrentou uma forte oposição dos cristãos conservadores. "A determinação do governador parece significar que a lei moral de Deus, que proíbe o sexo fora do casamento, pode ser desobedecida sem consequências", afirmou, por exemplo, Rick Scarborough, representante do *lobby* conservador cristão Vision America. Em outras palavras, é preferível que mulheres morram de câncer de útero a que façam sexo

---

[35] Concílio de Elvira, Cânone 8,65,5.

[36] *BBC* 2002.

com parceiros sem que se preocupem exatamente com as possíveis consequências de seus atos[37].

A oposição à homossexualidade às vezes funciona como um fator de coesão entre pessoas, não raro também fundamentalistas, que deixam momentaneamente de lado suas discordâncias religiosas. Em Jerusalém, onde as divisões religiosas são agudas em outros aspectos, autoridades judaicas, muçulmanas e cristãs se irmanam para condenar a realização de paradas gays na cidade, fazendo *lobbies* insistentes para que autoridades civis proíbam as paradas. Enquanto muçulmanos proeminentes afirmaram que a vida dos participantes "estaria em risco"[38], ativistas judeus, como já vimos, prometeram uma recompensa a qualquer pessoa que matasse algum participante da parada[39]. A parada gay de 2006, em Moscou, foi condenada nos termos mais veementes pelo patriarca Alexei II, chefe supremo da Igreja ortodoxa russa, ao passo que líderes muçulmanos convocaram "violentas e maciças demonstrações" contra a parada. Os manifestantes contrários incluíam neonazistas e fiéis ortodoxos tradicionais ostentando imagens e cartazes[40].

Por vezes, a atenção continuada no sexo fica ainda mais evidente. Em resposta ao crescente foco que cristãos estavam dedicando às questões ambientais, o principal fundamentalista cristão norte-americano, Jerry Falwell, afirmou em 2007 que o aquecimento global nada mais era que "uma tentativa de Satã de desviar o foco de atenção da Igreja"[41]. Entre as prioridades que deveriam merecer a atenção dos cristãos, segundo Falwelll, estavam a luta contra o casamento de pessoas do mesmo sexo e a homossexualidade em geral. Falwell dedicou muito de seu tempo e esforço a condenar o programa infantil britânico *Teletubbies,* porque um dos personagens, de cor roxa e portando um triângulo na cabeça, poderia ser considerado uma alegoria *gay.*

Embora a Igreja católica tenha tolerado o abuso sexual perpetrado por seus próprios membros durante décadas, ainda considera a

37 *Economist* 2007a.
38 *365gay* 2005b.
39 *365gay* 2006b.
40 Thornberry 2006.
41 Hellemann 2007.

luta contra a homossexualidade uma questão mais importante que as outras. Não é apenas a preservação da floresta tropical que deve ser esquecida à luz da batalha da Igreja contra a homossexualidade. O Vaticano argumenta, por exemplo, que é preciso excluir homossexuais dos direitos garantidos pela legislação de direitos humanos no que concerne ao respeito à vida privada, à não discriminação e à liberdade de opinião[42]. Suprimir dos homossexuais seus direitos básicos tem consequências que extrapolam os limites das minorias sexuais, pois implica uma relativização dos direitos humanos e a possibilidade de qualquer um negar esses mesmo direitos àqueles grupos que não lhe apetecem — judeus, mulheres, pessoas com deficiência e até mesmo católicos. Fica, pois, evidente que a Igreja católica considera mais importante levar adiante a discriminação contra quem escolheu ter uma vida homossexual que garantir a perpetuação dos direitos humanos como um todo.

A oposição ao sexo entre pessoas do mesmo gênero é a principal razão contemporânea para que as pessoas deixem de observar as demais obrigações e proibições religiosas. Contudo, em uma perspectiva histórica, essa oposição maciça contra a homossexualidade é um fenômeno singular. Se observarmos outras proibições e mandamentos altamente prioritários para o cristianismo no passado, veremos que os fiéis tinham opiniões diferentes. Em outros tempos, concordava-se quer era possível discordar. Apesar da maior quantidade de fiéis soropositivos nas últimas décadas e do maior número de fiéis que simpatizam com a causa homossexual, a crítica da Igreja à homossexualidade aumentou em grau e intensidade.

Embora tenha sobrevivido a dissidências sobre temas como escravidão, aborto, divórcio e sacerdócio feminino, a comunidade anglicana internacional está prestes a se dividir por causa da questão

[42] *Congregação para a Doutrina da Fé*, "Algumas considerações sobre a resposta de propostas legislativas sobre a não discriminação de pessoas homossexuais", 22 de julho 1992, §§1, 10-10-13 (www.ewtn.com/library/curia/cdfhomol.htm); *Congregação para a Doutrina da Fé*, "Considerações sobre as propostas de dar reconhecimento legal às uniões entre pessoas homossexuais", 3 de junho de 2003, §§4-54-5 (www.vatican.va/roman_curia/congregations/cfaith/documents/rc_con_cfaith_ doc_20030731_homosexual-unions_en.html); papa João Paulo II, "Mensagem de Sua Santidade, o papa João Paulo II, pelo 38º Dia Mundial das Comunicações", 23 de janeiro de 2004, §§3-43-43-4 (www.vatican.va/holy_father/john_paul_ii/messages/communications/documents/hf_jp-ii_mes_20040124_world-communications-day_en.ht ml). Cf. Endsjø 2005; Endsjø 2008c.

sobre bispos homossexuais. Desmond Tutu, bispo sul-africano ganhador do Prêmio Nobel da Paz, acusa sua própria Igreja de ser obcecada pela homossexualidade. "Deus está chorando", diz Tutu ao ver a Igreja concentrando toda a energia de que dispõe na questão da homossexualidade e ignorando temas importantes, como a pobreza[43]. A mesma prioridade pode ser percebida em outras igrejas. O bispo Walter C. Righter foi formalmente acusado de heresia pela Igreja Episcopal Anglicana dos EUA, em 1955, depois que ordenou um sacerdote abertamente homossexual e apoiou a causa dos clérigos gays e lésbicas. Righter foi o segundo bispo acusado de heresia na história da Igreja[44]. Quando o tribunal episcopal formalizou a acusação contra ele, luteranos proeminentes dos Estados Unidos consideraram a questão tão grave que cogitaram interromper o acordo de cooperação entre as igrejas luterana e anglicana[45].

O fato de um número tão grande de fiéis considerar uma regra sexual específica um elemento fundamental para sua fé indica uma reinterpretação radical da tradição religiosa. Uma mudança nas prioridades religiosas operada dessa maneira representa um desafio para a sociedade em geral, pois os fiéis mais devotos poderão exigir que as regras religiosas que consideram importantes sejam estendidas a toda a sociedade, simplesmente por serem "tão vitais" para sua crença.

A religião e as regras sobre a prática sexual

A relevância que a proibição da homossexualidade alcançou em tantos sistemas religiosos diferentes no mundo nos conduz ao terceiro tipo de priorização sexo-religiosa: o estabelecimento de um ranking interno de prescrições e proscrições sexuais. Há uma clara prioridade na determinação das regras mais importantes. Campanhas religiosas contra ou a favor de uma ou outra forma de sexualidade tendem a ignorar essas prescrições e proscrições que, se a lógica dos argumentos dos ativistas

43 Pigott 2008.

44 Nebuhr 1995.

45 Rogers 1999:30-30-31.

mais diligentes fosse obedecida à risca, teriam igual mérito — ou seriam até mais essenciais.

Em certos países islâmicos, como, por exemplo, o Irã, vigora uma proibição ao sexo entre homens ainda mais rígida do que contra o adultério. Em certos países do Ocidente, por outro lado, alguns muçulmanos passaram a relevar essas proibições. O Alcorão considera o adultério pior que o sexo entre homens, e nos *hadiths* Maomé dá mais atenção ao adultério heterossexual que ao sexo entre homens, embora diga que ambos estão sujeitos à pena de morte. Ainda assim, ao fazer uma consulta ao Conselho Europeu para Fátuas e Pesquisa sobre a suspensão da tradicional pena de morte para o sexo proibido, o Conselho Islâmico da Noruega omitiu qualquer menção ao adultério heterossexual e se limitou a questionar se a pena de morte seria punição apropriada para o comportamento homossexual[46]. O foco na homossexualidade era tanto que não houve sequer espaço para distinguir atos homossexuais masculinos (segundo os *hadiths*, puníveis com a pena de morte, assim como o adultério heterossexual) dos femininos, que não são proibidos nem pelo Alcorão nem segundo os *hadiths*. Essa estranha mudança de prioridades em setores do pensamento islâmico ocidental parece ter pouco embasamento na tradição muçulmana. Teria a abordagem recente e unilateral que o islã passou a adotar se espelhado mais na condenação severa da homossexualidade por parte dos cristãos conservadores que no islã em si? Cabe aqui a especulação.

As atitudes cristãs diante da homossexualidade são um dos melhores exemplos de inversão de prioridades sexo-religiosas. A sexualidade de pessoas do mesmo gênero foi um dos assuntos que Jesus jamais abordou. Paulo considerava o sexo entre homens apenas um dos muitos fatores que impediam o ingresso no reino de Deus. Outras violações sexuais são, em contrapartida, muito mais graves, segundo o Novo Testamento. Como Jesus ressaltou, a infidelidade qualificada conduz automaticamente ao inferno, enquanto o divórcio é totalmente proibido tanto para homens como para mulheres. Especialmente quando comparamos a mobilização conservadora de hoje contra a homossexualidade com a falta de atenção dada ao divórcio — na verdade,

---

46 Letvik 2007.

a absoluta *aceitação* do divórcio — é que percebemos a mudança de prioridades ocorrida e a dificuldade de justificá-la com base nas mesmas fontes utilizadas para condenar a homossexualidade.

Do ponto de vista meramente sexo-religioso, não é fácil compreender como a enorme oposição à homossexualidade por parte de cristãos conservadores eclipsou tantas outras questões originalmente consideradas bem piores, cuja justificativa pode ter motivos outros que não religiosos. A tendência de certos grupos de pessoas a construir e reforçar sua identidade ao perseguir e demonizar outros grupos é um conhecido fenômeno histórico e sociológico. É aqui que podemos encontrar a *rationale* fundamental por trás do racismo e das perseguições religiosas, étnicas e de minorias sociais que de alguma forma discrepam da maioria. Talvez precisemos recorrer a um modelo desse tipo para explicar por que cristãos conservadores preferem condenar a homossexualidade a observar outras proibições sexuais originalmente bem mais relevantes.

Ao contrário de divorciados e pessoas que fizeram sexo antes do casamento ou o praticam fora dele, os homossexuais despontam atualmente como um grupo social especialmente estigmatizado. Não surpreende o fato de que a maior visibilidade dos homossexuais seja considerada por cristãos conservadores como uma provocação; ao voltar sua atenção para o segmento homossexual, demonstram claramente que escolheram um grupo específico para o papel de oposição. A batalha contra "os homossexuais" assegura uma causa para unir os cristãos da mesma forma que pessoas distintas já se uniram contra outras de credos e cores diferentes. Embora as sociedades ocidentais modernas sejam menos tolerantes à condenação e perseguição sistemáticas de setores da população, cristãos conservadores recorrem à condenação do sexo entre pessoas do mesmo gênero para legitimar seus preconceitos e suas constantes exigências de discriminação.

Uma suposta bênção divina para fundamentar a discriminação de um grupo de pessoas não é novidade, e sim uma característica sempre presente na perseguição de grupos sociais, étnicos e religiosos. Diante da maciça condenação da homossexualidade por tantos cristãos conservativos, podemos constatar que a mecânica social do racismo obedece a um modelo padrão: há pessoas que se destacam e estabelecem seus objetivos somente ao demonizar e perseguir outros grupos.

As proibições religiosas que regulam a conduta heterossexual feminina causam menos polêmica hoje em dia que a proibição da homossexualidade, embora sua trajetória seja bem mais longa. São mais severas que aquelas que regulam o comportamento masculino e sujeitas a um nível bem maior de controle. É algo comum a todas as religiões por princípio. Nas referências mais antigas do judaísmo, islã, hinduísmo, budismo e, em certa medida, cristianismo, encontramos reiteradamente o foco primário no homem, significando que a sexualidade feminina só pode ser definida na medida em que se relaciona a ele. Enquanto os homens podem ter acesso a várias mulheres, dentro ou fora do casamento, a regra religiosa principal reduz a sexualidade feminina a *um único* homem — se não pela vida inteira, pelo menos um de cada vez. Isso fica patente em sanções que costumam ser mais severas para mulheres que fazem sexo antes do casamento e na definição do adultério em função do estado civil da mulher somente: o fato de o homem ser ou não casado é irrelevante.

A homossexualidade é a única área em que se dá mais destaque — positivo ou negativo — à regulação da sexualidade masculina e não da feminina. O simples fato de que o lesbianismo não envolve homens contribuiu para que, no mais das vezes, seja ignorado ou considerado irrelevante.

Entretanto, é preciso cautela diante de quaisquer conclusões definitivas sobre essas razões, bastante disseminadas no mundo inteiro. Um controle maior sobre a sexualidade feminina é uma tendência encontrada na maioria das religiões. São as filhas, não os filhos, que são levados aos bailes de pureza; são elas, e não eles, as vítimas dos assassinatos de honra cometidos em função de sua conduta heterossexual; são as mulheres, não os homens, que precisam cobrir o corpo inteiro nas sociedades conservadoras muçulmanas; e são as mulheres, não os homens, que apanham de judeus ultraortodoxos se escolherem o assento errado do ônibus.

A diferença no trato dado à sexualidade feminina e masculina pelas diversas religiões está no cerne do controle sexual exercido por cada uma delas. Como a atividade heterossexual envolve um homem e uma mulher, tem-se para uma mesma atividade uma punição diferente, dependendo de quem seja o autor. Essa absoluta falta de lógica no sistema que prioriza as proibições voltadas à sexualidade feminina solapa a legitimidade de qualquer tentativa de regular o sexo promovida por uma religião.

Considerações finais

A relação entre as religiões e o sexo foi, e continua sendo, uma das formas mais poderosas e importantes da manifestação religiosa. O grau de aceitação das doutrinas religiosas determina sua condição nesta vida, a de sua alma no além e, por vezes, a vontade de Deus em relação a um país ou povo.

As regras sexo-religiosas determinam a vida privada do indivíduo, as estruturas familiares e as demais relações sociais mais próximas; controlam também a sociedade inteira e ditam a interferência do Estado.

As prioridades sexo-religiosas que resultam no desprezo pelas demais verdades da fé são postas de lado, na divisão da sociedade na união de adversários religiosos.

As verdades da fé não influenciam apenas os fiéis, mas são utilizadas também para impor a todas as pessoas regras sobre como devem viver a vida, sobretudo porque se perpetuaram até nossos dias como verdades naturais, dissociadas daquele contexto em que foram formuladas.

Até onde alcança nosso olhar sobre o passado, percebemos que a sexualidade humana sempre esteve fortemente inter-relacionada a diversas concepções religiosas, de tal sorte é que difícil identificar uma regra sexual totalmente independente da religião.

Vivemos em uma sociedade em que as concepções religiosas, ou o constante combate entre elas, cada vez influi mais sobre nossas vidas, gerando expectativas, seja por meio da compulsão ou da persuasão. Ao mesmo tempo, os conceitos sobre sexo estão em permanente mutação. O fluxo constante da sexualidade religiosa, a imensa quantidade de conceitos sexo-religiosos e o vastíssimo espectro de verdades sexuais diferentes, todos esses fatores sugerem que não estamos lidando com verdades naturais imutáveis e definitivas.

É impossível encontrar normas comuns que se apliquem à imensa variedade de comportamentos e crenças sexo-religiosos. Aquilo que uma religião venera como forma sagrada de sexo, na outra é passível de pena de morte; certas formas de sexo consideradas fundamentais em uma crença são interpretadas como demoníacas em outra. Portanto, nenhuma religião pode impor suas verdades sexo-religiosas sem necessariamente violar as das demais.

É, portanto, impossível controlar a sexualidade humana com base em certas concepções religiosas, a menos que as liberdades individual e de culto sejam suprimidas. Em última instância, talvez devêssemos lançar um olhar para além da dimensão religiosa se quisermos elaborar diretrizes minimamente defensáveis para a maneira de vivermos nossa sexualidade. Talvez seja preciso percorrer as zonas limítrofes existentes entre as diversas religiões e entre elas e a sociedade como um todo. Precisamos obedecer a valores democráticos, observar os direitos humanos e respeitar a opção de cada indivíduo. Se assim fizermos, estabeleceremos três princípios para nortear não apenas as ideias sexo-religiosas, mas toda a sexualidade humana: livre-arbítrio, consentimento e respeito mútuos. A cada indivíduo deve ser assegurado o direito de decidir até que ponto irá ou não ser governado por códigos de conduta sexo-religiosa. A sexualidade de cada ser humano é uma questão que somente a ele concerne, e todos deveriam respeitar as escolhas consensuais alheias quanto à sua vida sexual.

Muitos fiéis talvez achem difícil conviver com a noção de livre-arbítrio, consentimento e respeito mútuos porque suas próprias convicções religiosas são tão arraigadas que sentem uma necessidade incontrolável de legislar sobre a vida sexual alheia. Assim sendo, a homofobia, o racismo sexual, a convicção de que a sexualidade feminina necessita de regulações específicas, a objeção ao sexo pré-conjugal e o desprezo por quaisquer outras formas de sexo consensual são parte de um só fenômeno: o reflexo da crença em uma regulação do sexo pela religião.

Mas talvez devêssemos perguntar àqueles que querem controlar a vida sexual alheia com base em suas próprias convicções religiosas como *eles* se sentiriam caso fossem obrigados a viver de acordo com o que os *outros* acreditam. Só então eles talvez reconhecessem que livre-arbítrio, consentimento e respeito mútuos, afinal, não são conceitos tão terríveis assim.

Bibliografia

365gay 2008a. "Demands for censure after gay earthquake remark", in *www.365gay.com* 21 de fevereiro de 2008, http://365gay.com/Newscon08/02/022108shake.htm.

365gay 2008b. "Mormon excommunicated for sexy male calendar",, in *www.365gay.com,* 14 de julho de 2008, http://365gay.com/Newscon08/07/071408cal.htm.

365gay 2008c. "Religious leaders call for fast in support of gay marriage ban", in *www.365gay.com,* 25 de setembro de 2008, http://www.365gay.com/news/religious leaders-call-for-fast-in-support-of-gay-marriage-ban/.

365gay 2008d. "Nepal Supreme Court orders full LGBT rights", in *www.365gay.com,* 19 de novembro de 2008, http://www..365gay.com/news/nepal-supreme-court-orders-full-lgbt-rights/.

365gay 2007. "Bishop: Gays, permissible society responsible for disasters", in *www.365gay. com,* 1° de julho de 2007, http://365gay.com/Newscon07/07/070107bishop.htm.

365gay 2006a. "Rabbi: Gays responsible for bird flu", in *www.365gay.com,* 21 de março de 2006, http://365gay.com/Newscon06/03/032106israel.htm.

365gay 2006b. "'Bounty' for killing gays at world pride", in *www.365gay.com,* 11 de julho de 2006, http://365gay.com/Newscon06/07/071106jerusalem.htm.

365gay 2005a. "Gays responsible for tsunami Muslim cleric charges", in *www.365gay.com,* 5 de fevereiro de 2005, http://www.365gay.com/newscon05/01/010505gayDisaster.htm.

365gay 2005b. "Religious leaders demand cancellation of World Pride", in *www.365gay.com,* 30 de fevereiro de 2005, http://www.365gay.com/newscon05/01/013005jerusalem.htm.

Abanes, Richard 2003. *One nation under gods. A history of the Mormon Church*. New York: Four Walls Eight Windows.

AbuKhalil, As'as 1993. "A note on the study of homosexuality in the Arab/Islamic civilzation", in *Arab Studies Journal* 1:32-34.

Afrol News 2005. "Church, ANC welcome same-sex marriage ruling", in *Afrol News*, 2 de dezembro de 2005, http://afrol.com/articles/17515.

Aftenbladet 2007. "Biskop-ja til homo-ekteskap", in *Aftenbladet*, 15 de maio de 2007, http://aftenbladet.no/.livssyn/article452984.3ce.

Agha, Sohail 2000. "Potential for HIV transmission among truck drivers in Pakistan", in *AIDS* 4:2404-2406.

Akst, Leslie 2003. "Abstinence pledges usually broken", in *MedicineNet.com* 21 de outubro de 2003, http://www.medicinenet.com/script/main/art.asp?articlekey=37696.

Aldrich, Robert 2003. *Colonialism and homosexuality.* London & New York: Routledge.

Alexander, Michele G. & Terri D. Fisher 2003. "Truth and consequences. Using the bogus pipeline to examine sex differences in self-reported sexuality", in *Journal of Sex Research* 40:27-35.

Allen, Peter Lewis 2002. *The wages of sin. Sex and disease, past and present.* Chicago: University of Chicago Press.

Alpert, Rebecca 2003. "Sex in Jewish law and culture", in David W. Machacek & Melissa M. Wilcox (org.) *Sexuality and the world's religions*. Santa Barbara, Denver & Oxford: ABC-CLIO: 177-202.

Altman, Micah & Philip A. Klinkner 2006. "Measuring the difference between white voting and polling on interracial marriage", in *Du Bois Review. Social Science Research on Race* 3:299-315.

Amory, Deborah P. 1998. "*Mashoga*, *mabasha*, and *magai*. 'Homosexuality' on the East African coast", in Stephen O. Murray & Will Roscoe. *Boy-wives and female husbands. Studies of African homosexualities.* Basingstoke: Macmillan: 67-87.

Angus Reid Global Monitor 2006. "Eight EU countries back same-sex marriage", in *Angus Reid Global Monitor,* 24 de dezembro de 2006, http://www.angus-reid.com/polls/view/ eight_eu_countries_back_same_sex_marriage/.

Associated Press 2008. "US: Child sex abuse claims divide Orthodox community", in *Associated Press,* 24 de novembro de 2008, http://www.ynetnews.com/articles/0,7340,L-3627632,00. html.

Bailey, Derrick Sherwin 1955. *Homosexuality and the western Christian tradition*. London: Longmans.

Baird, Vanessa 2001. *The no-nonsense guide to sexual diversity*. Oxford: New International Publications.

Bald, Margaret 1998. *Banned books. Literature suppressed on religious grounds*. New York: Facts on File.

Bandlien, Bjørn 2001. "Å være ragr. Liminalt kjønn in norrøn mytologi", in *Din. Tidsskrift for religion og kultur n.* 2-3, 2001:53-60.
Banerjee, Neela 2008. "Dancing the night away, with a higher purpose", in *New York Times* 19 de maio de 2008, http://www.nytimes.com/2008/05/19/us/19purity.html?_r=1&oref=slogin.
Barakat, Halim 1993. *The Arab world. Society, culture, and state.* Berkeley: University of California Press.
Barrie, Iain A.G. 2002. "A broken trust: Canadian priests, brothers, pedophilia, and the media", in Dane S. Claussen (org.) *Sex, religion, media.* Lanham: Rowman & Littlefield: 65-77.
Basar, Nejat 2004. "Why adultery?", in *Turkish Daily News,* 15 de setembro de 2004, http:// www.turkishdailynews.com.tr/archives.php?id=37664.
Bates, Stephen 2004. *A church at war. Anglicans and homosexuality.* London & New York: I.B. Tauris.
Baum, Robert M. 1993. "Homosexuality and the traditional religions of the Americas and Africa", in Arlene Swidler (org.) *Homosexuality and world religions.* Valley Forge: Trinity Press International: 1-46.
Baumann, Gerd 1996. *Contesting culture. Discourses of identity in multi-ethnic London.* Cambridge: Cambridge University Press.
BBC 2008a. "Saudi men arrested for 'flirting'", in *news.bbc.co.uk,* 23 de fevereiro de 2008, http:// news.bbc.co.uk/2/hi/middle_east/7260314.stm.
BBC 2008b. "Saudi judge condemns 'immoral TV'", in *news.bbc.co.uk,* 12 de setembro de 2008, http://news.bbc.co.uk/2/hi/middle_east/7613575.stm.
BBC 2007a. "Ugandan adultery law 'too sexist'", in *news.bbc.co.uk,* 5 de abril de 2007, http:// news.bbc.co.uk/2/hi/africa/6528869.stm.
BBC 2007b. "Iran 'adulterer' stoned to death", in *news.bbc.co.uk,* 10 de julho de 2007, http:// news.bbc.co.uk/2/hi/middle_east/6288156.stm.
BBC 2007c. "Nepal court rules on gay rights", in *news.bbc.co.uk,* 21 de dezembro de 2007, http://news.bbc.co.uk/2/hi/south_asia/7156577.stm.
BBC 2006a. "China acts on funeral strippers", in *news.bbc.co.uk,* 23 de agosto de 2006, http:// news.bbc.co.uk/2/hi/asia-pacific/5280312.stm.
BBC 2006b. "Islamists debate rape law moves", in *news.bbc.co.uk,* 16 de novembro de 2006, http://news.bbc.co.uk/2/hi/south_asia/6153994.stm.
BBC 2005a. "Spain in same-sex marriage rally", in *news.bbc.co.uk,* 18 de junho de 2005, http:// news.bbc.co.uk/2/hi/europe/4106890.stm.'
BBC 2005b. "First gay 'marriage' in Pakistan", in *news.bbc.co.uk,* 5 de outubro de 2005, http:// news.bbc.co.uk/2/hi/south_asia/4313210.stm.

BBC 2004. "Men held over 'caste gang-rape'", in *news.bbc.co.uk,* 10 de julho de 2004, http://news. bbc.co.uk/2/hi/south_asia/3882833.stm.

BBC 2002. "Saudi police 'stopped' fire rescue", in *news.bbc.co.uk,* 15 de março de 2002, http:// news.bbc.co.uk/2/hi/middle_east.1874471.stm.

Benkov, Edith 2001. "The erased lesbian. Sodomy and the legal tradition in medieval Europe", in Francesca Canadé Sautman & Pamela Sheingorn (org.) *Same sex love and desire among women in the Middle Ages*. New York & Houndmills: Palgrave: 101-22.

Bennett, Paula & Vernon A. Rosario II 1995. "Introduction: The politics of solitary pleasures", in Paula Bennett & Vernon A. Rosario II (org.) *Solitary pleasures. The historical, literary, and artistic discourse of autoeroticism*. New York & London: Routledge: 1-17.

Berger, Michael S. 2006. "Judaism", in Don S. Browning, M. Christian Green & John Witte, jr. (org.) *Sex, marriage, and family in world religions*. New York: Columbia University Press: 1-76.

Berger, Michael S. 2005a. "Marriage, sex, and family in the Jewish tradition. A historical overview", in Michael J. Broyde & Michael Ausubel (org.) *Marriage, sex, and family in Judaism*. Lanham & Oxford: Rowman & Littlefield Publishers: 1-14.

Berger, Michael S. 2005b. "Two models of medieval Jewish marriage. A preliminary study", in Michael J. Broyde & Michael Ausubel (org.) *Marriage, sex, and family in Judaism*. Lanham & Oxford: Rowman & Littlefield Publishers: 116-48.

Berger, Michael S. 2005c. "Maimonides on sex and marriage", in Michael J. Broyde & Michael Ausubel (org.) *Marriage, sex, and family in Judaism*. Lanham & Oxford: Rowman & Littlefield Publishers: 149-91.

Berglund, Torjer 2001. "*Babylonin portto helvittiin*. Om en læstadiansk vekkelse, kjønnshår og sex", in *Din. Tidsskrift for religion og kultur n.* 2-3, 2001:2-82-8.

Beversluis, Joel (org.) 2000. *Sourcebook of the world's religions. An interfaith guide to religion and spirituality*. Novato: New World Library.

Bjørke, Christian Nicolai 2009. "— Trekk deg Kjølaas", in *Vårt Land,* 17 de fevereiro de 2009, http:// www.vl.no/kristenliv/article4057260.ece.

Blanc, Ann K. & Ann A. Way 1998. "Sexual behaviour and contraceptive knowledge and use among adolescents in developing countries", in *Studies in Family Planning* 29:106–16.

Boone, Joseph 2001. "Vacation cruises, or, the homoerotics of orientalism", in John Charles Hawley (org.) *Postcolonial queer. Theoretical intersections*. Albany: State University of New York Press: 48-78.

Bore, Bjørn K. 2007. "— Jeg gjør søppeljobben for Gud", in *Dagbladet* 23 de setembro de 2007, http://www.dagbladet.no/nyheter/2007/09/23/512915.html.

Bornoff, Nicholas [1991]. *Pink samurai. Love, marriage and sex in contemporary Japan*. London: HarperCollins 1994.

Boswell, John 1994. *Same sex unions in pre-modern Europe*. New York: Villiard Books. Boswell, John [1980]. *Christianity, social tolerance, and homosexuality*. Chicago & London: The University of Chicago Press 1981.

Bouhdiba, Abdelwahab [1975]. *Sexuality in Islam*. London: Routledge & Kegan Paul 1985.

Bourget, Steve 2006. *Sex, death, and sacrifice in Moche religion and visual culture*. Austin: University of Texas Press.

Boyer, Paul 1994. *When time shall be no more. Prophecy belief in modern American culture*. Cambridge, Mass.: Harvard University Press.

Broido, Michael M. 1993. "Killing, lying, stealing, and adultery. A problem of interpretation in the Tantras", in Donald S. Lopez jr. (org.) *Buddhist hermeneutics*. Dehli: Motilal Banarsidass: 71-118.

Bromark, Stian & Dag Herbjørnsrud 2002. *Blanke løgner, skitne sannheter. En kritikk avdet nye verdensbildet*. Oslo: Tiden Norsk Forlag.

Brook, Vincent 2006. "'Y'all killed him, we didn't!' Jewish self-hatred and *The Larry Sanders Show*", in Vincent Brook (org.) *You should see yourself. Jewish identity in postmodern. American culture*. New Brunswick, New Jersey: Rutgers University Press: 298-318.

Brooks, Geraldine 1995. *Nine parts of desire. The hidden world of Islamic women*. New York: Anchor Books Doubleday.

Brooten, Bernadette J. 2002. "Naturen, loven og det alminnelige", in Halvor Moxnes, Jostein Børtnes & Dag Øistein Endsjø (org.) *Naturlig sex? Seksualitet og kjønn in den kristne antikken*. Oslo: Gyldendal Akademisk: 73-98.

Broyde, Michael J. 2005. "Jewish law and the abandonment of marriage. Diverse models of sexuality and reproduction in the Jewish view, and the return to monogamy in the modern era", in Michael J. Broyde & Michael Ausubel (org.) *Marriage, sex, and family in Judaism*. Lanham & Oxford: Rowman & Littlefield Publishers: 88-115.

Brundage, James A. 1987. *Law, sex, and Christian society in medieval Europe*. Chicago: The University of Chicago Press.

Brückner, Hannah & Peter Bearman 2005. "After the promise: The STD consequences of adolescent virginity pledges", in *Journal of Adolescent Health* 36:271-78, http://www. yale.edu/ciqle/PUBLICATIONS/AfterThe Promise.pdf.

Budin, Stephanie L. 2006. "Sacred prostitution in the first person", in Christopher A. Faraone & Laura K. McClure (org.) *Prostitutes and courtesans in the ancient world*. Madison: University of Wisconsin Press: 77-91.

Bullough, Vern L. 1976. *Sexual variance in society and history*. Chicago: The University of Chicago Press.

Bullough, Vern L. & Bonnie 1987. *Women and prostitution. A social history*. Buffalo: Prometheus Books.
Bullough, Vern L. & Bonnie 1977. *Sin, sickness, & sanity. A history of sexual attitudes*. New York & London: Garland Publishing.
Burack, Cynthia 2008. *Sin, sex, and democracy. Antigay rhetoric and the Christian right*. Albany: SUNY Press.
Byrne, Joseph P. 2004. *The Black Death*. Westport: Greenwood Publishing Group.
Böck, Monika & Aparna Rao 2001. "Introduction. Indigeneous models and kinship theories. An introduction to a South Asian perspective", in Monika Böck & Aparna Rao (org.) *Culture, creation, and procreation. Concept of kinship in South Asian practice*. New York & Oxford: Berghahn Books: 1-51.
Cabezón, José Ignacio 1993. "Homosexuality and Buddhism", in Arlene Swidler (org.) *Homosexuality and world religions*. Valley Forge: Trinity Press International: 81-101.
Carroll, Joseph 2007. "Most Americans approve of interracial marriages", in *Gallup News Service* 16 de agosto de 2007, http://www.gallup.com/poll/28417/Most-Americans-Approve-Interracial-Marriages.aspx.
Castronovo, Russ 2001. "Enslaving passions. White male sexuality and the evasion of race", in Tracy Fessenden, Nicholas F. Radel & Magdalena J. Zaborowska (org.) *The Puritan origins of American sex. Religion, sexuality, and national identity in American literature*. New York & London: Routledge: 145-68.
Catholic Online 2003. "Cardinal Lopez Trujillo on ineffectiveness of condoms to curb AIDS", in *Catholic Online* 12 de novembro de 2003, http://www.catholic.org/featured/ headline.php?ID=488.
Cavendish, James C. 2003. "The Vatican and the laity. Diverging paths in Catholic understanding of sexuality", in David W. Machacek & Melissa M. Wilcox (org.) *Sexuality and the world's religions*. Santa Barbara, Denver & Oxford: ABC-CLIO: 202-29.
Chebel d'Appollonia, Ariane 1998. *L'extrême-droite en France. Du Maurras à Le Pen*. Brüssel: Editions Complexe.
Childs, Geoff H. 2004. *Tibetan diary. From birth to death and beyond in a Himalayan valley of Nepal*. Berkeley: University of California Press.
Chryssides, George D. 2003. "Scientific creationism. A study of the Raëlian Church", in Christopher Hugh Partridge (org.) *UFO religions*. London & New York: Routledge: 45-61.
Clapp, Jane 1972. *Art censorship. A chronology of proscribed and prescribed art*. Metuchen: The Scarecrow Press.
Cleminson, Richard M. & Efigenio Amezúa 1999. "Spain. The political and social context of sex reform in the late nineteenth and early

twentieth century", in Franz X. Eder, Lesley A. Hall & Gert Hekma (org.) *Sexual cultures in Europe. National histories*. Manchester & New York: Manchester University Press: 173-96.

Cline, Austin 2003. "Canada's largest church endorses same-sex marriage", in *about.com* 22 de agosto de 2003, http://atheism.about.com/b/2003/08/22/canadas-largest-church-endorses-same-sex-marriage.htm.

CNN 2007. "Utah polygamist released from prison on parole after serving 6 years", in *cnn.com* 7.august 2007, http://edition.cnn.com/2007/US/08/07/polygamist.ap/index. html.

CNN 2001. "Falwell apologizes to gays, feminists, lesbians", in *cnn.com*, 14 de setembro de 2001, http://archives.cnn.com/2001/US/09/14/Falwell.apology/.

Conkin, Dennis 1998. "The Dalai Lama and gay love", in Winston Leyland (org.) *Queer dharma. Voices of gay Buddhists. Vol. 1*. New York: Garland Press: 168-71.

Conner, Randy P. 2003. "Sexuality and gender in African spiritual traditions", in David W. Machacek & Melissa M. Wilcox (org.) *Sexuality and the world's religions*. Santa Barbara, Denver & Oxford: ABC-CLIO: 3-30.

Conner, Randy & Stephen Donaldson 1990. "Buddhism", in Wayne Dynes (org.) *Encyclopedia of homosexuality. Vol. 1*. New York: Garland Press: 168-71.

Copley, Antony 2006. *A spiritual Bloomsbury. Hinduism and homosexuality in the lives and writings of Edward Carpenter, E.M. Forster, and Christopher Isherwood*. Lanham: Lexington Books.

Crompton, Louis 2003. *Homosexuality and civilization*. Cambridge, Mass. & London: The Belnap Press.

Crompton, Louis 1997. "Male love and Islamic law in Arab Spain", in Stephen Murray & Will Roscoe (org.) *Islamic homosexualities. Culture, history, and literature*. New York: New York University Press: 142–57.

Curry, Jeffrey 1997. *Passport Taiwan*. San Rafael: World Trade Press.

D'Antonio, Willam V., James D. Davidson, Dean R. Hoge & Katherine Meyer 2001. *American Catholics. Gender, generation, and commitment*. Walnut Creek: Altamira Press.

Davidson, Roger 2001. "'The price of the permissive society' . The epidemology and control of VD and STDs in late-twentieth-century Scotland", in Roger Davidson & Lesley A. Hall (org.) *Sex, sin and suffering. Venereal disease and European society since 1870*. London & New York: Routledge: 220-36.

Davis, Christie 2006. *The strange death of moral Britain*. New Brunswick, New Jersey & London: Transaction Publishers. Daynes, Kathryn M.

2001. *More wives than one. Transformation of the Mormon marriage system 1840-1910*. Urbana: University of Illinois Press.

Demaitre, Edmond 1937. *The Yogis of India*. London: G. Bias.

De Martino, Gianni 1992. "An Italian in Morocco", in Arno Schmitt & Jehoeda Sofer (org.) *Sexuality and eroticism among males in Moslem societies*. New York: Harrington Park Press: 25-32.

Denzler, Brenda 2003. "Attitudes towards religion and science in the UFO movement in the United States", in Christopher Hugh Partridge (org.) *UFO religions*. London & New York: Routledge: 201-13.

Derrett, John Duncan Martin 1963. "Divorce by caste custom", in *The Bombay Law Reporter* 65:161-70.

Dewaraja, L.S. 1981. *The position of women in Buddhism*. Kandy: Buddhist Publication Society.

Dickerson, Brian 2007. "Adultery could mean life, court finds", in *Detroit Free Press,* 15 de fevereiro de 2007, http://web.archive.org/web/20070206173058/http://freep.com/apps/pbcs.dll/article?AID=/20070115/COL04/701150333. *DNA* 2007. "Man 'marries' hill to end Maoist menace", in *Daily News & Analysis,* 29 de dezembro de 2007, http://www.dnaindia.com/report.asp?newsid=1142123.

Doniger O'Flaherty, Wendy 1981. *Siva. The erotic ascetic*. Oxford: Oxford University Press.

Dorff, Elliot N. 2005. "The Jewish family in America. Contemporary challenges and traditional resources", in Michael J. Broyde & Michael Ausubel (org.) *Marriage, sex, andfamily in Judaism*. Lanham & Oxford: Rowman & Littlefield Publishers: 214-43.

Dover, K.J. 2002. "Classical Greek attitudes to sexual behaviour", in Laura McClure (org.) *Sexuality and gender in the classical world. Readings and sources*. Oxford: Blackwell: 19-33.

Dover, K.J. [1978]. *Greek homosexuality*. London: Duckworth 1979.

Drummond, Andrew 2008. "British man facing jail over his 'adultery' with a Filipino woman asks. 'Why won't the Foreign Office help us?'", in *Daily Mail,* 24 de fevereiro de 2008, http://www.dailymail.co.uk/femail/article-517821/British-man-facing-jail-adultery-Filipino-woman-asks-Why-wont-Foreign-Office-help-us.html.

Dundas, Paul 2008, "Sthulabhadra's lodgings. Sexual restraint in Jainism", in Carl Olson (org.) *Celibacy and religious traditions*. New York: Oxford University Press: 181-199.

Duran, Khalid 1993. "Homosexuality and Islam", in Arlene Swidler (org.) *Homosexuality and world religions*. Valley Forge: Trinity Press International: 181-97.

Economist 2008. "Transvestites in Turkey. Gender-benders", in *The Economist,* 8 de novembro de 2008.

Economist 2007a. "God, sex, drugs and politics", in *The Economist* 10 de fevereiro de 2007.

Economist 2007b. "China's corpse brides. Wet goods and dry goods", in *The Economist* 28. juli 2007.

Eder, Franz X., Lesley A. Hall & Gert Hekma 1999. "Introduction", in Franz X. Eder, Lesley A. Hall & Gert Hekma (org.) *Sexual cultures in Europe. National histories*. Manchester & New York: Manchester University Press: 1-26.

Egerton, Brooks & Reese Dunklin 2002. "Special report. Catholic bishops and sex abuse", in *Dallas Morning News* 12 de junho de 2002, http://www.dallasnews.com/cgi-bin/bi/dallas/2002/priests.cgi.

Eickelman, Dale F. & James Piscatori 2004. *Muslim politics*. Princeton: Princeton University Press.

Eikeland, Martin 2009. "Skjevesland: Fullt mulig å være skilt biskop", in *Vårt Land,* 17 de janeiro de 2009, http://www.vl.no/kristenliv/article4052800.ece.

Elliott, Dyan 1997. "Pollution, illusion, and masculine disarray. Nocturnal emission and the sexuality of the clergy", in Karma Lochrie, Peggy McCracken, & James A. Schulz (org.) *Constructing medieval sexuality*. Minneapolis: University of Minnesota Press: 1-23.

Ellison, Marvin M. 1993. "Homosexuality and Protestantism", in Arlene Swidler (org.) *Homosexuality and world religions*. Valley Forge: Trinity Press International: 149-79.

Elliston, Deborah A. 1999. "Erotic anthropology. 'Ritualized homosexuality' in Melanesia and beyond", in Morton Klass & Maxine Weisgrau (org.) *Across the boundaries of belief. Contemporary issues in the anthropology of religion*. Boulder & Oxford: Westview Press: 133-58.

Embry, Jessie L. 2005. "Spanning the Priesthood Revelation (1978). Two multigenerational case studies", in Newell G. Bringhurst & Darron T. Smith (org.) *Black and Mormon*. Urbana: University of Illinois Press: 60-81.

Endsjø, Dag Øistein 2009. *Greek resurrection beliefs and the success of Christianity*. New York: Palgrave Macmillan.

Endsjø, Dag Øistein 2008a. *Primordial landscapes, incorruptible bodies. Desert asceticism and the Christian appropriation of Greek ideas on geography, bodies, and immortality*. New York: Peter Lang.

Endsjø, Dag Øistein 2008b. "The queer periphery. Sexual deviancy and the cultural understanding of space", in *Journal of Homosexuality* 54:9-20.

Endsjø, Dag Øistein 2008c. "Sex, nattverd og menneskerettigheter. Nye utfordringer for Den katolske kirke", in Tomas Hägg (org.) *Kjetterne og kirken. Fra antikken til in dag*. Oslo: Scandinavian Academic Press 2008:209-22.

Endsjø, Dag Øistein 2005. "Lesbian, gay, bisexual and transgender rights and the religious relativism of human rights", in *Human Rights Review*, 6:102-10.

ENI 2007. "Ugandan church leaders concerned after old adultery law scrapped", in *Ecumenical News International* 31 de abril de 2007, http://www.eni.ch/highlights/news/shtml?2007/04.

Envío Team 1992. "New legislation. A crime to be gay", in *Envio Digital n*. 133, www.envio.org.ni/articulo/2539.

Eppink, Andreas 1992. "Moroccan boys and sex", in Arno Schmitt & Jehoeda Sofer (org.) *Sexuality and eroticism among males in Moslem societies*. New York: Harrington Park Press: 33-43-42.

Eron, John Lewis 1993. "Homosexuality and Judaism", in Arlene Swidler (org.) *Homosexuality and world religions*. Valley Forge: Trinity Press International: 103-34.

Ertelt, Steven 2008. "Pope Benedict renews Catholic opposition to birth control contraception", in *LifeNews.com,* 3 de outubro de 2008, http://www.lifenews.com/int947.html.

Eshaghian, Tanaz 2008. *Be like others*. Dokumentarfilm. USA, Canada & Iran.

Esposito, John L. 2002. *What everyone needs to know about Islam*. New York & Oxford: Oxford University Press.

Eurostat 2007. *Europe in figures. Eurostat yearbook 2006–07*. Luxemburg: Office for Official Publications of the European Communities.

Eurostat 2005. *Europe in figures. Eurostat yearbook 2005*. Luxemburg: Office for Official Publications of the European Communities.

Evans, Roger Steven 2003. *Sex and salvation. Virginity as a soteriological paradigm in ancient Christianity*. Lanham & Oxford: University Press of America.

Fahey, Tony 1999. "Religion and sexual culture in Ireland", in Franz X. Eder, Lesley A. Hall & Gert Hekma (org.) *Sexual cultures in Europe. National histories*. Manchester & New York: Manchester University Press: 53-70.

Faure, Bernard 2003. *The power of denial. Buddhism, purity, and gender*. Princeton: Princeton University Press.

Faure, Bernard 1998. *The red thread. Buddhist approacehs to sexuality*. Princeton: Princeton University Press.

Finer, Lawrence B. 2007. "Trends in preconjugal sex in the United States: 1954-2003", in *Public Health Reports* 122:73-78.

Finley, M.I. 2002. "The silent women of Rome", in Laura McClure (org.) *Sexuality and gender in the classical world. Readings and sources*. Oxford: Blackwell: 147-56.

Fontes, Flavia 2001. *Forbidden wedding*. Documentário. EUA.

Forrest, Jeannie 1999. "Sources and characters of religious values. Church of Jesus Christ of Latter-Day Saints", in Robert T. Francoeur, Patricia Barthalow Koch & David L. Weis (org.) *Sexuality in America. Understanding our values and sexual behavior*. New York: Continuum: 29-41.

Foster, Angel 2002. "Women's sexuality in Tunisia. The health consequences of misinformation among university students", in Donna Lee Bowen & Evelyn A Early (org.) *Everyday life in the Muslim Middle East. Second edition*. Bloomington: Indiana University Press: 98-110.

Foster, Lawrence 1984. *Religion and sexuality. The Shakers, the Mormons, and the Oneida Community*. Urbana & Chicago: University of Illinois Press.

Fox, Thomas C. 1995. *Sexuality and Catholicism*. New York: George Braziller.

Friele, Karen-Christine 2004. "Fortrengte synder", in *Dagbladet,* 7 de março de 2004, http://www. dagbladet.no/kultur/2004/03/07/392797.html.

Fuglehaug, Wenche 2008. "'Grava di er klargjort'", in *Aftenposten,* 6 de março de 2008, http:// www.aftenposten.no/nyheter/iriks/article2296426.ece.

Gallup 1997. "Family values differ sharply around the world", in *Gallup News Service,* 7 de novembro de 1997, http://www.gallup.com/poll/4315/Family-Values-Differ-SharplyAround-World.aspx.

Gardella, Peter 1985. *Innocent ecstasy. How Christianity gave America an ethic of sexual pleasure*. New York & Oxford: Oxford University Press.

Gaudio, Rudolf P. 1998. "Male lesbians and other queer notions in Hausa", in Stephen O. Murray & Will Roscoe. *Boy-wives and female husbands. Studies of African homosexualities*. Basingstoke: Macmillan: 116–28.

Gilhus; Ingvild Sælid 2004. "Kampen om Dønnafallosen", in Jostein Børtnes, Siv-Ellen Kraft & Lisbeth Mikaelsson (org.) *Kampen om kroppen. Kulturanalytiske blikk in kropp, helse, kjønn og seksualitet*. Kristiansand: Høyskoleforlaget: 173-87.

Gillesvik, Kjetil 2008a. "Flere støtter homoekteskap", in *Vårt Land,* 25 de abril de 2008, http:// www.vl.no/samfunn/article3498694.ece.

Gillesvik, Kjetil 2008b. "Tror homobråk skaper mobbing", in *Vårt Land,* 20 de setembro de 2008, http://www.vl.no/kristenliv/article3797291.ece.

Ginsburg, Henry 2003. "A monk travels to Heaven and Hell", in Nigel Allan (org.) *Pearls of the Orient. Asian treasures from the Wellcome Library*. London: Serindia Publications: 45-60.

Glick, Leonard B. 2003. *Marked in your flesh. Circumcision from ancient Judea to modern America*. New York & Oxford: Oxford University Press.

Gold, Michael 1992. *Does God belong in the bedroom?* Philadelphia: Jewish Publication Society.

Goldman, David 1999. "Gay Muslims", in *Southern Voice,* 19 de agosto de 1999, http://www. amboyz.org/articles/Fatiha.html.

Goldstein, Melvyn C. 1964. "A study of the Ldab Ldob", in *Central Asiatic Journal* 9:123–41.

Gordon, Sarah Barringer 2002. *The Mormon question. Polygamy and constitutional conflict in nineteenth century America.* Chapel Hill: The University of North Carolina Press.

Goss, John 2005. *Utopia guide to Thailand.* London: Lulu.com. Grau, Günter [1993]. *Hidden Holocaust? Gay and lesbian persecution in Germany 1933-43-45.* London: Cassell 1995.

Greeley, Andrew M. 1989. *Religious change in America.* Cambridge, Mass.: Harvard University Press.

Greeley, Andrew M. 1991. "Religion and attitudes towards AIDS policy", in *Social Science Research* 75:126-130.

Greenhouse, Steven 1988. "Police suspect arson in fire at Paris theater", in *New York Times,* 25 de outubro de 1988, http://query.nytimes.com /gst/fullpage.html?res=940DE6DD173BF936A15753C1A96E9 48260.

Grove, Steve 2008. "Kanamara Matsuri festival. Festival of the Steel Phallus", in *2camels.com*, http://www.2camels.com/kanamara-matsuri-festival.php.

Gudorf, Christine E. 2003. "Contraception and abortion in Roman Catholicism", in DanielC. Maguire (org.) *Sacred rights. The case for contraception and abortion in world religions.* New York & Oxford: Oxford University Press: 55-78.

Halstead, J. Mark & Michael Jonathan Reiss 2003. *Values in sex education. From principles to practice.* London & New York: Routledge Falmer.

Harding, Susan Friend 2000. *The book of Jerry Falwell. Fundamentalist language and politics.* Princeton: Princeton University Press. Hardy, B. Carmon 1992. *Solemn covenant. The Mormon polygamous passage.* Urbana: University of Illinois Press.

Harris Poll 2007. "The religious and other beliefs of Americans", in *The Harris Poll,* 29 de novembro de 2007, http://www.harrisinteractive.com/harris_poll/index.asp?PID=838.

Harris Poll 2004. "Strong opposition to same-sex marriage, but those who approve have increased substantially", in *The Harris Poll,* 14 de abril de 2004, http://www.harrisinteractive.com/harris_poll/index.asp?PID=454.

Harrison, Frances 2005. "Iran's sex-change operations", in *news.bbc.co.uk,* 5 de fevereiro de 2005, http://news.bbc.co.uk/2/hi/programmes/newsnight/4115535.stm.

Harter, Pascale 2004. "Divorce divide Morocoo and W Sahara", in *news. bbc.co.uk* 4 de agosto de 2004, http://news.bbc.co.uk/2/hi/africa/353 2612.stm.

Harvey, Peter 2000. *An introduction to Buddhist ethics.* Cambridge: Cambridge University Press. Hawley, John Stratton 1994. "Introduction", in John Stratton Hawley (org.) *Sati. The blessing and the curse. The burning of wives in India.* New York: Oxford University Press: 3-36.

Hegna, Kjetil 2008. "Prevensjon in muslimsk vis", in *Utrop,* 2 de junho de 2008, http://www.utrop.no/art.html?artid=14529&catid=189.

Hellemann, John 2007. "God Dem", in *New York Magazine,* 21 de maio de 2007, http://nymag.com/news/politics/powergrid/32119/.

Henriksen, Thor Harald 2009. "Biskop skilles. Første gang in Norge", in *Vårt Land,* 17 de fevereiro de 2009, http://www.vl.no/nyheter/innenriks/ artikkel.php?artid=539817.

Herdt, Gilbert H 1984. "Semen transaction in Sambia culture", in Gilbert H. Herdt (org.) *Ritualized homosexuality in Melanesia.* Berkeley: University of California Press: 1-82.

Herdt, Gilbert H. 1981. *Guardians of the flutes. Idioms of masculinity.* New York: McGraw-Hill.

Herzog, Dagmar 2005. "Hubris and hypocrisy, incitement and disavowal. Sexuality and German fascism", in Dagmar Herzog (org.) *Sexuality and German fascism.* New York & Oxford: Berghahn Books: 1-21.

Hidayatullah, Aysha 2003. "Islamic conceptions of sexuality", in David W. Machacek & Melissa M. Wilcox (org.) *Sexuality and the world's religions.* Santa Barbara, Denver & Oxford: ABC-CLIO: 255-92.

Higginbotham, A. Leon jr. & Barbara K. Kopytoff 2000. "Racial purity and interracial sex in the law of colonial and antebellum Virginia", in Werner Sollors (org.) *Interracialism. Black-white intermarriage in American history, literature, and law.* New York & Oxford: Oxford University Press: 81-139.

Holbek, Jan Arild 2009. "Samboerprest er ikke-sak in Danmark", in *Vårt Land,* 30 de fevereiro de 2009, http://www.vl.no/kristenliv/ article4090919.ece.

Holbek, Jan Arild 2008. "Bedehuskjendis sto fram", in *Vårt Land,* 21 de maio de 2008, http://www. vl.no/kristenliv/article3555202.ece.

Holben, L.R. 1999. *What Christians think about homosexuality. Six representative viewpoints.* North Richland Hills: Bibal Press.

Hollup, Oddvar 2001. "Kinship and marriage in the construction of identity and group boundaries among Indians in Mauritius", in Monika Böck & Aparna Rao (org.) *Culture, creation, and procreation. Concept of kinship in South Asian practice.* New York & Oxford: Berghahn Books: 219-41.

Horrox, Rosemary 1994. *The Black Death*. Manchester: Manchester University Press.

Hutton, J.E. [1909]. *History of the Moravian Church*. Whitefish: Kessinger Publishing 2004.

India Times 2008. "Reverse swing. It may be an open affair for gays, lesbians", in *India Times,* 2 de julho de 2008, http://economictimes.indiatimes.com/News/News_By_Industry/Reverse_swing_It_may_be_an_open_affair_for_gays_lesbians/articleshow/3186187.cms.

Israel, Benjamin J. 1984. *The Bene Israel of India. Some studies*. Dehli: Orient Longman.

Jacobsen, Magnus W. 2008. "Skiller seg med ritual", in *Vårt Land,* 30 de junho de 2008, http://www.vl.no/kristenliv/article3641140.ece. Jacobson, Jessica 1998. *Islam in transition. Religion and identity among British Pakistani youth*. London: Routledge.

Jaffrelot, Christophe 1996. *The Hindu nationalist movement and Indian politics 1925 to the 1990s*. London: Hurst & Company.

Jain, Anrudh 2003a. "Religion, state, and population growth", in Daniel C. Maguire (org.) *Sacred rights. The case for contraception and abortion in world religions*. New York & Oxford: Oxford University Press: 237-54.

Jain, Anrudh 2003b. "The right to family planning, contraception, and abortion. The Hindu view", in Daniel C. Maguire (org.) *Sacred rights. The case for contraception and abortion in world religions*. New York: Oxford University Press: 129-143.

Jansen, Martin 2003. "Unge sier ja til sex med samme kjønn", in *Dagsavisen,* 4 de fevereiro de 2003.

Jeffrey, Roger & Patricia Jeffrey 1997. *Population, gender and politics. Demographic change in rural north India*. Cambridge: Cambridge University Press.

Johannessen, Randi 2007. "— De vil gjøre ende in det afrikanske folk", in *Aftenposten,* 27 de setembro de 2007, http://www.aftenposten.no/nyheter/uriks/article2018233.ece.

Johnson, Luke Timothy & Mark D. Jordan 2006. "Christianity", in Don S. Browning, M. Christian Green & John Witte jr. (org.) *Sex, marriage, and family in world religions*. New York: Columbia University Press: 77-149.

Johnson, William Stacy 2006. *A time to embrace. Same-gender relationships in religion, law and politics*. Grand Rapids & Cambridge: William B. Eerdmans Publishing Company.

Johnston, Anna 2003. *Missionary writing and empire, 1800-1860*. Cambridge: Cambridge University Press.

Johri, Sanjay M. "Will SC's decision on elopement increase runaway marriages", in *Merinews*, 8 de dezembro de 2007, http://www.merinews.com/catFull.jsp?articleID=128413.

Jordheim, Trygve W. 2009. "Biskopen: Forventer at hun gifter seg", in *Vårt Land*, 30 de fevereiro de 2009, http://www.vl.no/kristenliv/article4088530.ece.

Kafi, Hélène 1992. "Tehran. Dangerous love", in Arno Schmitt & Jehoeda Sofer (org.) *Sexuality and eroticism among males in Moslem societies*. New York: Harrington Park Press: 67-69.

Kannabiran, Kalpana & Vasanth 2002. *De-eroticizing assault. Essays on modesty, honour and power*. Calcutta: Stree.

Kapur, Ratna 2005. *Erotic justice. Law and the new politics of postcolonialism*. London: Glosshouse Press.

Katz, Jonathan Ned 1995. *The invention of heterosexuality*. Penguin: New York.

Kendall 1998. "'When a woman loves a woman' in Lesotho. Love, sex, and the (western) construction of homophobia", in Stephen O. Murray & Will Roscoe. *Boy-wives and female husbands. Studies of African homosexualities*. Basingstoke: Macmillan: 223-43-41.

Kennedy, Philip F. 1997. *The wine song in classical Arabic poetry. Abu Nuwas and the literary tradition*. Oxford: Clarendon Press.

Kennedy, Sarah & Jason Cianciotto 2006. *Homophobia at "Hell houses". Literally demonizing lesbian, gay, bisexual and transgender youth*. New York: National Gay and Lesbian Task Force Policy Institute.

Keown, Damien 2005. *Buddhist ethics. A very short introduction*. Oxford: Oxford University Press.

Khalaf, Roseanne Saad 2006. "Breaking the silence. What AUB students really think about sex", in Samir Khalaf & John Gagnon (org.) *Sexualities in the Arab world*. London, New York & Beirut: Saqi: 175-98.

Khalik, Abdul 2008. "Porn bill passed despite protests", in *The Jakarta Post*, 31 de outubro de 2008, http://www.thejakartapost.com/news/2008/10/31/porn-bill-passed-despite-protests.html?page=2&%24Version=0&%24Path=/&%24Domain=.thejakartapost.com.

Khan, O.A. & A.A. Hyder 1998. "HIV/AIDS among men who have sex with men in Pakistan", in *Sex Health Exchange* 2:12-15.

Khan, Badruddin 1997. "Not-so-gay life in Pakistan in the 1980s and 1990s", in Stephen Murray & Will Roscoe (org.) *Islamic homosexualities. Culture, history, and literature*. New York: New York University Press: 275-96.

Khan, Badruddin 1992. "Not-so-gay life in Karachi. A view of a Pakistani living in To ronto", in Arno Schmitt & Jehoeda Sofer (org.) *Sexuality and eroticism among males in Moslem societies*. New York: Harrington Park Press: 93-104.

Khandelwal, Meena 2001. "Sexual fluids, emotions morality. Notes on gendering of brahmacharya", in Elisa J. Sobo & Sandra Bell (org.) *Celibacy, culture, and society. The anthropology of sexual abstinence*. Madison: University of Wisconsin Press: 157-79.

Kinsey, Alfred C., Wardell B. Pomeroy, & Clyde E. Martin 1948. *Sexual behavior in the human male*. Philadelphia: W.B. Saunders.

Kinsey, Alfred C., Wardell B. Pomeroy, Clyde E. Martin & Paul H. Gebhard 1953. *Sexual behavior in the human female*. Philadelphia: W.B. Saunders.

Kinsley, David R. 1988. *Hindu goddesses. Visions of the divine feminine in the Hindu religious tradition*. Berkeley: University of California Press.

Kjær, Reidar 2002. "Anti-homoseksuelle holdninger og selvmord", in *Suicidologi* 7(1):15-17.

Kjær, Reidar 2003. "Look to Norway? Gay issues and mental health across the Atlantic Ocean", in Vittorio Lingiardi & Jack Drescher (org.) *The mental health professions and homosexuality. International perspectives*. New York: The Haworth Medical Press: 55-74.

Klein, Marty 2006. *America's war on sex. The attack on law, lust and liberty*. Westport: Praeger.

Kociumbas, Janeiro de 2004. "Genocide and modernity in colonial Australia. 1788-1850", in A. Dirk Moses (org.) *Genocide and settler society. Frontier violence and stolen indigenous children in Australian history*. New York & Oxford: Berghahn Books: 77-102.

Kon, Igor S. 1995. *The sexual revolution in Russia. From the age of the Czars to today*. New York: Free Press.

Kruger, Steven F. 1997. "Conversion and medieval sexual, religious, and racial categories", in Karma Lochrie, Peggy McCracken, & James A. Schulz (org.) *Constructing medieval sexuality*. Minneapolis: University of Minnesota Press: 158-79.

Kumar, Sampath 2003. "India rights campaign for infanticide mothers", in *news.bbc. co.uk*, 17 de julho de 2003, http://news.bbc.co.uk/2/hi/south_asia/3071747.stm.

Kühl, Stefan 1994. *The Nazi connection. Eugenics, American racism, and German national socialism*. New York & Oxford: Oxford University Press.

Kyi, Gregor 2005. *Statistics in focus. Population and social conditions. Living conditions and welfare*. Luxemburg: Office for Official Publications of the European Communities.

LaFleur, William R. 1992. *Liquid life. Abortion and Buddhism in Japan*. Princeton: Princeton University Press.

Lambert, Royston 1988. *Beloved and god. The story of Hadrian and Antinous*. Secaucus: Meadowland Book.

Lamberts, Malcolm 1998. *The Cathars*. Oxford: Blackwell.

Laumann, Edward O., John H. Gagnon, Robert T. Michael & Stuart Michaels 1994. *The social organization of sexuality. Sexual practices in the United States*. Chicago & London: The University of Chicago Press.

Laumann, Edward O. & Jenna Mahay 2002. "The social organization of women's sexuality", in Gina M. Wingood & Ralph J. DiClemente (org.) *Handbook of women's sexual and reproductive health*. New York: Springer: 43-70.

Lecomte, Bjørn 2007. "— Knekker armene til homofile muslimer", in *Nettavisen* 30 de novembro de 2007, http://www.nettavisen.no/innenriks/ioslo/article1470315.ece.

Lee Khoon Choy 1995. *Japan. Between myth and reality*. Singapore: World Scientific.

Lefkovits, Etgar 2007. "Haredi youths assail woman on bus", in *Jerusalem Post,* 21 de outubro de 2007, http://www.jpost.com/servlet/Satellite?cid=1192380613550&pagename=JPost%2FJPArticle%2FShowFull.

Le Monde 1988. "Quatorze blessés dans une salle parisienne projetant 'la Dernière Tentation du Christ'", in *Le Monde,* 25 de outubro de 1988, http://www.lemonde.fr/cgi-bin/ ACHATS/acheter.cgi?offre=ARCHIVES&type_item=ART_ARCH_30J&objet_ id=624183.

Leonard, Bill J. 1999. "A theology for racism. Southern Fundamentalists and the civil rights movement", in *Baptist History and Heritage Journal* 34:49-68.

Letvik, Tore 2007. "Ber fatwaråd gi råd om homo-dødsstraff", in *Dagsavisen,* 3 de dezembro de 2007, http://www.dagsavisen.no/innenriks/article323752.ece.

Leuchtenburg, William E. 2005. *The White House looks South. Franklin D. Roosevelt, Harry S. Truman, Lyndon B. Johnson*. Baton Rouge: Louisiana State University Press.

Lidke, Jeffrey 2003. "A union of fire and water. Sexuality and spirituality in Hinduism", in David W. Machacek & Melissa M. Wilcox (org.) *Sexuality and the world's religions*. Santa Barbara, Denver & Oxford: ABC-CLIO: 101-32.

Lindekleiv, Heidi Marie 2009. "Jørgensen måtte inn in teppet", in *Vårt Land,* 29 de fevereiro de 2009, http://www.vl.no/kristenliv/article4085958.ece.

Long, Scott, A. Widney Brown & Gail Cooper 2003. More than a name. State-sponsored homophobia and its consequences in Southern Africa. New York: Human Rights Watch.

Lowery-Smith, Darrin 2003. *Handling the truth II: Brothers and white women*. New York: Universe Inc.

McAlister, Elizabeth 2000. "Love, sex and gender embodied. The spirits of Haitian Vodou", in Joseph Runzo & Nancy N. Martin (org.) *Love, sex, and gender in the world religions*. Oxford: Oneworld: 129-45.

McCarthy, Kate 2007. *Interfaith encounters in America*. New Brunswick, New Jersey: Rutgers University Press.

MacDonald, Gary B. 1992. "Among Syrian men", in Arno Schmitt & Jehoeda Sofer (org.) *Sexuality and eroticism among males in Moslem societies*. New York: Harrington Park Press: 43-54.

MacFarquhar, Neil 2005. "Paternity suit against TV star scandalizes Egyptians", in *New York Times,* 26 de fevereiro de 2005, http://www.nytimes.com/2005/01/26/international/ middleeast/26paternity.html?oref =login&8hpib.

McLaren, Angus 1990. *A history of contraception from antiquity to the present day*. Oxford & Cambridge, Mass.: Blackwell.

Malik, Rajiv 2004. "Discussions on dharma", in *Hinduism Today* oktober/november/december 2004, http://www.hinduismtoday.com/archives/2004/10-12/30-31_mela_ council.shtml.

Mani, A. [1993]. "Indians in Thailand", in K.S. Sandhu & A. Mani (org.) *Indian communities in Southeast Asia*. Singapore: Institute of Southeast Asian Studies 2006:910-49.

Manis, Andrew M. 1999. "'Dying from the neck up'. Southern Baptist resistance to the civil rights movement", in *Baptist History and Heritage Journal* 34:33-43-48.

Manum, Olav André 2007. "—Koranen aksepterer homofile", in *Utrop* 16 de novembro de 2007, http://www.utrop.no/art.html?artid=13621&catid=1.

Marglin, Frédérique Apffel 1985. *Wifes of the god-king. The rituals of the devadasis of Puri*. New Dehli & Oxford: Oxford University Press.

Martin, Phillip W.D. 1999. "Devoutly dividing us. Opponents of interracial marriage say God is on their side", in *Boston Globe,* 7 de novembro de 1999, http://jameslandrith.com/content/view/2909/80/ van der Meer, Theo 2004. "Premodern origins of modern homophobia and masculinity", in *Sexuality Research & Social Policy. Journal of National Sexuality Resource Center* 1:77-90.

Meland, Astrid 2006. "Muslimer om kvinner, homofile og sex", in *Dagbladet,* 24 de novembro de 2006, http://www.dagbladet.no/magasinet/2006/11/24/483988.html.

Melikian, Levon H. 1967. "Social change and sexual behavior of Arab university students", in *Journal of Social Psychology* 73:169-75.

Meranda, Amnon 2007. "Shas MK proposes 'rehab centers' for gays", in *www.ynetnews.com* 21 de junho de 2007, http://www.ynetnews.com/articles/0,73401,L-3415870,00.html.

Miller, Judith 1996. *God has ninety-nine names. Reporting from a militant Middle East*. New York: Simon & Schuster.

Millett, Kate 1982. *Going to Iran*. New York: Coward, McCann & Geoghegan. Mir-Hosseini, Ziba 2000. *Marriage on trial. Islamic family law in Iran and Morocco*. London & New York: I.B. Tauris.

Mishra, Anjana Agnihotri 2000. "Asian Indian Americans in South Florida. Values and identity", Jim Norwine & Jonathan M. Smith (org.) *Worldview flux. Perplexed values among postmodern peoples*. Lanham: Lexington Books: 177-98.

Montagu, Ashley 1997. *Man's most dangerous myth. The fallacy of race. Sixth edition*. Walnut Creek: AltaMira Press.

Moxnes, Halvor 2001. "Fra kulturelt hegemoni til ideologisk getto. Homofili-debatten in Den norske kirken fra 1950 til 2000", in Marianne C. Brantsæter, Turid Eikvam, Reidar Kjær & Knut Olav Åmås (org.) *Norsk homoforskning*. Oslo: Universitetsforlaget: 57-84.

MSNBC 2007. "Man in India marries a dog as atonement", in *www.msnbc.com* 13 de novembro de 2007, http://www.msnbc.msn.com/id/21768663/

Mujtaba, Hasan 1997. "The other side of midnight. Pakistani male prostitutes", in Stephen Murray & Will Roscoe (org.) *Islamic homosexualities. Culture, history, and literature*. New York: New York University Press: 267-74.

Murray, Stephen O. 2002. *Homosexualities*. Chicago: The University of Chicago Press.

Murray, Stephen O. 1997a. "The will not to know. Islamic accomodations of male homosexuality", in Stephen Murray & Will Roscoe (org.) *Islamic homosexualities. Culture, history, and literature*. New York: New York University Press: 14-54.

Murray, Stephen O. 1997b. "Male homosexuality, inheritance rules, and status of women in medieval Egypt", in Stephen Murray & Will Roscoe (org.) *Islamic homosexualities. Culture, history, and literature*. New York: New York University Press: 161-73.

Murray, Stephen O. 1997c. "Male homosexuality in Ottoman Albania", in Stephen Murray & Will Roscoe (org.) *Islamic homosexualities. Culture, history, and literature*. New York: New York University Press: 187-96.

Murray, Stephen O. 1997d. "Male actresses in Islamic parts of Indonesian and the south-ern Philippines", in Stephen Murray & Will Roscoe (org.) *Islamic homosexualities. Culture, history, and literature*. New York: New York University Press: 256-61.

Murray, Stephen O. & Will Roscoe 1998. *Boy-wives and female husbands. Studies of African homosexualities*. Basingstoke: Macmillan.

Murray, Stephen O. & Will Roscoe 1997. "Conclusion", in Stephen Murray & Will Roscoe (org.) *Islamic homosexualities. Culture, history, and literature*. New York: New York University Press: 302-19.

Nagel, Joane 2003. *Race, ethnicity, and sexuality. Intimate intersections, forbidden frontiers*. New York & Oxford: Oxford University Press.

Naqvi, Nauman & Hasan Mujtaba 1997. "Two Baluchi *buggas*, a Sindhi *zenana*, and the status of *hijras* in contemporary Pakistan", in Stephen Murray & Will Roscoe (org.) *Islamic homosexualities. Culture, history, and literature*. New York: New York University Press: 262-66.

National Research Council 1993. *The social impact of AIDS in the United States*. Washington, D.C.: National Academies Press.

Nebuhr, Gustav 1995. "Heresy trial is moved after Connecticut Episcopalians protest", in *New York Times*, 17 de dezembro de 1995, http://query.nytimes.com/gst/fullpage.html?res= 9F01E1D71739F93 4A25751C1A963958260.

Nedrelid, Olav Arne & Odd Søråsodd 2008. "Homo-engasjement fylte kyrkjene", in *www.nrk.no*, 1° de dezembro de 2008, http://www.nrk.no/nyheter/distrikt/more_og_romsdal/1.6331701.

Nelson, Dean 2009. "Seven-year-old Indian girls 'marry' frogs", in *The Daily Telegraph* 19 de janeiro de 2009, http://www.telegraph.co.uk/news/newstopics/howaboutthat/4290761/Seven-year-old-Indian-girls-marry-frogs.html.

Nelson, Dean & Ghulam Hasnain 2006. "Pakistani graduate raped to punish her low-caste family", in *The Sunday Times*, 24 de setembro de 2006, http://www.timesonline.co.uk/ tol/news/world/article648817.ece.

Neustein, Amy & Lesher, Michael 2002. "The silence of the Jewish media on sexual abuse in the Orthodox Jewish community", Dane S. Claussen (org.) *Sex, religion, media*. Lanham: Rowman & Littlefield: 79-87.

Newport, Frank 2003. "Six in 10 Americans agree that gay sex shoud be legal", in *Gallup News Service* 27 de junho de 2003, http://gallup.com/poll/8722/Six-Americans-Agree-GaySex-Should-Legal.aspx.

New York Times 1982a. "Paralysis bars a wedding", in *New York Times*, 27 de fevereiro de 1982.

New York Times 1982b. "Quadriplegic denied wedding by church", in *New York Times*, 5 de julho de 1982, http://query.nytimes.com/gst/fullpage.html?sec=health&res=9906E1DA 133BF936A35754C0A964948260&n=Top%2fReference%2fTimes%20Topics%2fSubjects%2fH%2fHandicapped.

Noonan, John T. jr. 1986. *Contraception. A history of its treatment by the Catholic theolo-gians and canonists. Enlarged edition*. Cambridge, Mass. & London: Harvard University Press.

Noreng, Lars 2008. "Grønn kan bli avsatt hvis han blir samboer", in *Sarpsborg Arbeiderblad,* 9 de agosto de 2008, http:www.sa.no/lokale_nyheter/article3709231.ece.

Olivelle, Patrick 2008. "Celibacy in classical Hinduism", in Carl Olson (org.) *Celibacy and religious traditions*. New York: Oxford University Press: 151-64.

Oosterhuis, Harry 1999: "The Netherlands. Neither prudish nor hedonistic", in Franz X. Eder, Lesley A. Hall & Gert Hekma (org.) *Sexual cultures in Europe. National histories.*

Manchester & New York: Manchester University Press: 71-90.

Osodi, George 2006. "At axis of Episcopal split, an anti-gay Nigerian", in *New York Times* 25. december 2006, http://www.nytimes.com/2006/12/25/world/africa/25episcopal.html.

Overdorf, Jason 2008. "Rebel brides and ex-wives", in *Newsweek* 26 de maio de 2008, http://www.newsweek.com/id/137472.

Pagels, Elaine 1988. *Adam, Eve, and the serpent.* New York: Vintage Books.

Palacios, Miguel Asín [1919]. *Islam and the Divine Comedy.* Oxon: Frank Cass & Co. 2006.

Parrinder, Geoffrey 1996. *Sexual morality in the world's religions*. Oxford: Oneworld.

Partridge, Hugh Partridge 2003. "Understanding UFO religions and abduction spiritualities", in Christopher Hugh Partridge (org.) *UFO religions*. London & New York: Routledge: 3-43-43.

Pattanaik, Devdutt 2001. *The man who was a woman and other queer tales from Hindu lore*. New York: Haworth Press.

Pelham, Nick 2000. "Battle of sexualities", in *news.bbc.co.uk,* 26 de junho de 2000, http://news.bbc.co.uk/2/hi/middle_east/806642.stm.

Peters, Rich 2005. "Jerusalem Pride turns violent", in *www.365gay.com,* 30 de junho de 2005, http://www.365gay.com/newscon05/06/063005 Jerusalem.htm.

Phayer, J. Michael 1977. *Sexual liberation and religion in nineteenth century Europe*. London & Totowa: Croom Helm & Rowman & Littlefield.

Phillips, Roderick 1992. *Untying the knot. A short history of divorce.* Cambridge: Cambridge University Press.

Pigott, Robert 2008. "Church obsessed with gays — Tutu", in *news.bbc.co.uk,* 7 de setembro de 2008, http://news.bbc.co.uk/2/hi/uk_news/7602498.stm.

Plant, Richard 1986. *The pink triangle. The Nazi war against homosexuals*. New York: Henry Holt and Company.

Powers, John 2008. "Celibacy in Indian and Tibetan Buddhism", in Carl Olson (org.) *Celibacy and religious traditions*. New York: Oxford University Press: 201-24.

Princeton Survey Research Associates 2009. "Newsweek poll. The people speak: 'Yes, he can'", in *Newsweek,* 26 de fevereiro de 2009.

Pritchard, Gemma 2007. "Anglican bishop calls LGBT people inhuman", in *www. pinknews.co.uk,* 11 de setembro de 2007, http://www.pinknews.co.uk/news/articles/2005-5427.html.

Puttick, Elizabeth 1997. *Women in new religions. In search of community, sexuality and spiritual power.* Houndmills & New York: MacMillan & St. Martin's Press.

Quinn, Michael D. 2001. *Same-sex dynamics among nineteenth-century Americans. A Mormon example.* Urbana: University of Illinois Press.

Quinn, Michael D. 1997. *The Mormon hierarchy. Extension of power.* Salt Lake City: Signature Books.

Ramet, Sabrina P. 2006a. "The way we were — and should be again? European Orthodox churches and the 'idyllic past'", in Timothy A. Byrnes & Peter J. Katzenstein (org.) *Religion in expanding Europe.* Cambridge: Cambridge University Press: 148-75.

Ramet, Sabrina P. 2006b. "Thy will be done. The Catholic Church and politics in Poland since 1989", in Timothy A. Byrnes & Peter J. Katzenstein (org.) *Religion in expanding Europe.* Cambridge: Cambridge University Press: 117-47.

Reed, Barbara E. 1992. "The gender symbolism of Kuan-yin Bodhisattva", in José Ignacio Cabezón (org.) *Buddhism, sexuality, and gender.* Albany: State University of New York Press: 159-80.

Reynolds, Maura 2002. "Kandahar's lightly veiled homosexual habits", in *Los Angeles Times,* 3 de abril de 2002, http://www.glapn.org/sodomylaws/world/afghanistan/afnews009.htm.

Reynolds, Vernon & Ralph E.S. Tanner 1995. *The social ecology of religion.* New York: Oxford University Press.

Rheault, Magali & Dalia Mogahed 2008. "Moral issues divide westerners from Muslims in the West", in *Gallup News Service,* 23 de maio de 2008, http://gallup.com/poll/107512/ Moral-Issues-Divide-Westerners-From_Muslims-West.aspx.

Rian, Øystein 2001. "Mellom straff og forfølgelse. Homoseksualitet in Norge fra vikingtiden til 1930-årene", in Marianne C. Brantsæter, Turid Eikvam, Reidar Kjær & Knut Olav Åmås (org.) *Norsk homoforskning.* Oslo: Universitetsforlaget: 25-56.

Robinson, Rowena 2003. *Christians of India.* London & New Dehli: Sage. Rogers, Eugene F. jr. 1999. *Sexuality and the Christian body. Their way into the triune God.*

Oxford & Malden: Blackwell. Roos, Julia 2005. "Backlash against prostitutes' rights. Origins and dynamics of Nazi prostitution politics", in Dagmar Herzog (org.) *Sexuality and German fascism.* New York & Oxford: Berghahn Books: 67-94.

Rosenbaum, Janet Elise 2009. "Patient teenagers? A comparison of the sexual behavior of virginity pledgers and matched nonpledgers", in *Pediatrics* 123:110-20.

Ross, Josephine 2002. "The sexualization of difference. A comparison of mixed-race and same-gender marriage", in *Harvard Civil Rights. Civil Liberties Law Review* 37:255–288.

Roth, Martha T. 2006. "Marriage, divorce, and the prostitute in ancient Mesopotamia", in Christopher A. Faraone & Laura K. McClure (org.) *Prostitutes and courtesans in the ancient world*. Madison: University of Wisconsin Press: 21-39.

Roth, Zachary 2008. "The McCain-Hagee connection", in *Columbia Journalism Review*, 7 de março de 2008, http://www.cjr.org/campaign_desk/the_mccainhagee_connection_1.php.

Rothstein, Mikael 2003. "UFO beliefs as syncretistic components", in Christopher Hugh Partridge (org.) *UFO religions*. London & New York: Routledge: 256-73.

Ruggiero, Guido 1985. *Boundaries of Eros. Sex crime and sexuality in renaissance Venice*. New York & Oxford: Oxford University Press.

Russell, Jeffrey Burton 1972. *Witchcraft in the Middle Ages*. Ithaca: Cornell University Press.

Rye, Ajit Singh [1993]. "The Indian community in the Philippines", in K.S. Sandhu & A. Mani (org.) *Indian communities in Southeast Asia*. Singapore: Institute of Southeast Asian Studies 2006:707-73.

Røthing, Åse 1998. *Sex, kjønn & kristentro*. Oslo: Verbum. Sabry, Mohammad 2008. "No Nigerian death verdict for 86 wives", in *Islam Online*, 22 de agosto de 2008, http://www.islamonline.net/servlet/Satellite?c=Article_C&cid=1219339673209&pagename=Zone-English-News/NWELayout.

Samson, Jane 2005. *Race and empire*. Harlow: Pearson Education.

Sarah, Elizabeth [1993]. "Judaism and lesbianism. A tale of life on the margins of the text", in Jonathan Margonet (org.) *Jewish explorations of sexuality*. Providence & Oxford: Berghahn Books 1995:95-101.

Scammell, G.V. 1989. *The first imperial age. European overseas expansion c. 1400-1715*. London & New York: Routledge.

Schalow, Paul Gordon 1992. "Kukai and the tradition of male love in Japanese Buddhism", in José Ignacio Cabezón (org.) *Buddhism, sexuality, and gender*. Albany: State University of New York Press: 215-30.

Scheidel, Walter [2004]. "Ancient Egyptian sibling marriage and the Westermarck effect", in Arthur P. Wolf & William H. Durham (org.) *Inbreeding, incest, and the incest taboo. The state of knowledge at the turn of the century*. Stanford: Stanford University Press 2005:93-108.

Schieffelin, Edward L. 1982. "The *Baua* ceremonial hunting lodge. An alternative to initiation", in Gilbert H. Herdt (org.) *Rituals of manhood*. Berkeley: University of California Press: 155-200.

Schimmel, Annemarie 1994. *Deciphering the signs of God. A phenomenological approach to Islam*. Albany: State University of New York Press.

Schmitt, Arno 1992. “Different approaches to male-male sexuality/ eroticism from Morocco to Usbekistan”, in Arno Schmitt & Jehoeda Sofer (org.) *Sexuality and eroticism among males in Moslem societies*. New York: Harrington Park Press: 1-24.

Seliktar, Ofira 2000. *Failing the crystall ball test. The Carter administration and the fundamentalist revolution in Iran*. Westport & London: Praeger.

Sellström, Tor 1999. *Sweden and national liberation in Southern Africa. Solidarity and assistance 1970-1994*. Uppsala: Nordic Africa Institute.

Sengers, Gerda 2003. *Women and demons: Cult healing in Islamic Egypt*. Leiden: Brill. Shahine, Gihan 1999. “Illegitimate, illegal or just ill-advised”, in *Al-Ahram* 18 de fevereiro de 1999, http://weekly.ahram.org.eg/1999/417/li1.htm.

Shaikh, Sa’diyya 2003. “Family planning, contraception and abortion in Islam. Undertaking *Khilafah*”, in Daniel C. Maguire (org.) *Sacred rights. The case for contraception and abortion in world religions*. New York & Oxford: Oxford University Press: 105-128.

Shapiro, Faydra 2006. *Building Jewish roots. The Israel experience*. Montreal & Kingston: McGill-Queen’s University Press.

Sharma, Parvez 2007. *A Jihad for love*. Documenário. EUA, Grã-Bretanha, França, Alemanha e Austrália.

Shelp, Earl E. 1994. “AIDS, high-risk behaviors, and moral judgments”, in James B. Nelson og Sandra P. Longfellow (org.) *Sexuality and the sacred. Sources for theological reflection*. Louisville: Westminster John Knox Press: 314-25.

Snoke, David 2004. “The Southern Presbyterian Church and racism”, in *www.cityreformed.org*, http://www.cityreformed.org/snoke/racism.pdf.

Solli, Britt 2005. “Norrøn sed og skikk”, in Arne Bugge Amundsen (org.) *Norges religionshistorie*. Oslo: Universitetsforlaget: 16-62.

Sommer, Elisabeth W. 2000. *Serving two masters. Moravian Brethren in Germany and North Carolina 1727-1801*. Lexington: University Press of Kentucky.

Stan, Lavinia & Lucian Turcescu 2007. *Religion and politics in post-communist Romania*. New York & Oxford: Oxford University Press.

Statistisk sentralbyrå 2006. “Fødsler og barn. Slekters gang”, in *SSB.no* 8 de março de 2006, http://www.ssb.no/vis/emner/00/02/10/ola_kari_ny/barn/main.html.

Steinsland, Gro 2005. *Norrøn religion. Myter, riter, samfunn*. Oslo: Pax.

Stephens, Walter 2002. *Demon lovers. Witchcraft, sex and the crisis of belief*. Chicago & London: The University of Chicago Press.

Stirrat, R.L. 1982. "Caste conundrums. Views of caste in a Sinhalese Catholic fishing village", in Dennis B. McGilvray (red) *Caste ideology and interaction*. Cambridge: Cambridge University Press: 8-33.

Stuart, Elizabeth 1995. *Just good friends. Towards a lesbian and gay theology of relationship*. London: Mowbray.

Suriyani, Luh de & Telly Nathalia 2008. "Indonesians rally, dance to protest anti-porn bill", in *www.reuters.com,* 11 de outubro de 2008, http://www.reuters.com/article/news-Maps/idUSTRE49A1F520081011.

Suwanbubbha, Parichart 2003. "The right to family planning, contraception, and abortion in Thai Buddhism", in Daniel C. Maguire (org.) *Sacred rights. The case for contraception and abortion in world religons*. New York: Oxford University Press: 145-65.

Svenska Dagbladet 2009. "Många präster vill viga homopar", in *Svenska Dagbladet,* 21 de janeiro de 2009, http://www.svd.se/nyheter/inrikes/artikel_2363793.svd.

Sykes, Hugh 2008. "Iran rejects easing polygamy law", in *news.bbc.co.uk,* 2 de setembro de 2008, http://news.bbc.co.uk/2/hi/middle_east/7594997.stm.

Søderlind, Didrik 2006. "Homofile dyr skaper strid", in *www.forskning.no,* 26 de setembro de 2006, http://www.forskning.no/Artikler/2006/september/1159184941.14/

Teague, K. 1989. "Heresy and its traces. The material results of culture", in Ian Hodder (org.) *The meaning of things. Material culture and symbolic expressions*. Unwin Hyman: 130-36.

Therborn, Göran 2004. *Between sex and power. Family in the world 1900-2000*. London & New York: Routledge.

Thompson, Ben 2003. "Gay marriage ban violates right to practice religion minister says", in *www.365gay.com,* 20 de fevereiro de 2003, http://365gay.com/NewsContent/022003mcc Marriage.htm.

Thompson, Julia 2008. "Chile's kids born mostly out of wedlock", in *The Valparaiso Times,* 24 de fevereiro de 2008. http://www.valparaisotimes.cl/content/view/292/388/

Thorenfeldt, Gunnar 2006. "— Muslimske kvinner har rett til orgasme", in *Dagbladet, 5 de* novembro de 2006, http://www.dagbladet.no/nyheter/2006/11/05/481907.html.

Thornberry, Malcolm 2006. "Mass arrests at Moscow gay, anti-gay marches", in *www.365gay.com,* 22 de julho de 2006, http://365gay.com/Newscon06/05/052706moscow.htm.

Times of India 2007. "Do Christians also practice caste system, asks SC", in *The Times of India,* 20 de julho de 2007, http://timesofindia/indiatimes.com/India/Do_Christians_also_practice_caste_system,_asks_SC/articleshow/2218560.cms.

Timm, Annette F. 2005. "Sex with a purpose. Prostitution, veneral disease, and militarized masculinity in the Third Reich", in Dagmar Herzog (org.) *Sexuality and German fascism.* New York & Oxford: Berghahn Books: 223-55.

Tiyavanich, Kamala 2007. *Sons of the Buddha.* Boston: Wisdom Publications.

Toledano, Ehud R. 1998. *Slavery and abolition in the Ottoman Middle East.* Seattle & London: University of Washington Press.

The Tribune 2008. "Dalit youth's eyes pierced for eloping with girl", in *The Tribune (India),* 9 de fevereiro de 2008, http://www.tributeindia.com/2008/20080110/Index.htm.

Turkish Daily News 2004. "Adultery crisis seems over", in *Turkish Daily News,* 15 de setembro de 2004, http://www.turkishdailynews.com.tr/archives.php?id=37664.

Udjus, Vidar 2008. "Skremt av trusler", in *Fædrelandsvennen,* 16 de março de 2008, http://www.fvn.no/nyheter/article566842.ece.

UKGayNews 2009. "Iranian reports on gay, lesbian relationships", in *www.gaynews.org.uk,* 21 de janeiro de 2009, http://www.ukgaynews.org.uk/Archive/09/Jan/2103print.htm.

UNODC (United Nations Office on Drugs and Crime) 2007. *Afghanistan. Female prisoners and their social reintegration.* Wien: United Office on Drugs and Crime.

Unterman, Alan 1996. *The Jews. Their religious beliefs and practices.* Brighton & Portland: Sussex Academic Press.

Urban, Hugh B. 2006. *Magia sexualis. Sex, magic, and liberation in modern western esotericism.* Berkeley, Los Angeles & London: University of California Press.

Urban, Hugh B. 2003. *Tantra. Sex, secrecy, politics, and power in the study of religion.* Berkeley, Los Angeles & London: University of California Press.

Uyl, Marion 2005. "Dowry in India. Respected and modern monstrosity", in Tine Davids & Francien van Driel (org.) *The gender question in globalization.* Aldershot: Ashgate: 143-58.

Vanita, Ruth 2005. *Love's rite. Same-sex marriage in India and the West.* New York: Palgrave Macmillan.

Ventura, Stephanie J. & Christine A. Bachrach 2000. "Nonconjugal childbearing in the United States: 1940–99", in *National Vital Statistics Reports,* 18 de outubro de 2000, http://www.cdc.gov/nchs/data/nvsr/nvsr48/nvs48_16.pdf.

Veyne, Paul [1983]. *Did the Greeks believe in their myths? An essay on the constitutive imagination.* Chicago: The University of Chicago Press 1988.

VG 2008. "Imamer protesterte mot festing in Oslo", in *VG,* 5 de outubro de 2008, http://vg.no/ nyheter/innenriks/artikkel.php?artid_537599.

Virdi, P.K. 1972. *Grounds for divorce in Hindu and English law.* Dehli: Motilal Banarsidass.
Vivekananthan, Majoran 2005. "Muslimsk ungdom har minst sex", in *Utrop*, 28 de fevereiro de 2008, http://www.utrop.no/art.html?artid=7767&catid=6.
Wafer, Jim 1997. "Muhammad and male homosexuality", in Stephen Murray & Will Roscoe (org.) *Islamic homosexualities. Culture, history, and literature.* New York: New York University Press: 87-96.
Walther, Daniel Joseph 2002. *Creating Germans abroad. Cultural policies and settler identities in Namibia.* Athens, Ohio: Ohio University Press.
Wanrooij, Bruno P.F. 1999. "Italy. Sexuality, morality and public authority. in Franz X. Eder, Lesley A. Hall & Gert Hekma (org.) *Sexual cultures in Europe. National histories.* Manchester & New York: Manchester University Press: 114–37.
Wawrytko, Sandra A. 1993. "Homosexuality and Chinese and Japanese religions", in Arlene Swidler (org.) *Homosexuality and world religions.* Valley Forge: Trinity Press International: 199-230.
Weeks, Jeffrey 1981. *Sex, politics, and society. The regulation of sexuality since 1800.* London & New York: Longman.
Weir, Alison 2000. *The six wives of Henry VIII.* New York: Grove Press.
Werbner, Pnina 2001. "Global pathways, working class cosmopolitian and the creation of transnational ethnic worlds", in Harry Goulbourne (org.) *Race and ethnicity. Critical concepts of sociology.* New York: Routledge: 108-29.
Westoff, Charles F., Ann Klimas Blanc & Laura Nyblade 1994. *Marriage and entry into parenthood.* Calverton: Macro International.
Wette, Wilhelm Martin Leberecht de (org.) 1856. *Dr. Martin Luthers Sendschreiben und Bedenken. Sechster Theil.* Berlin: G. Reimer.
Wette, Wilhelm Martin Leberecht de (org.) 1826. *Dr. Martin Luthers Sendschreiben und Bedenken. Zweyter Theil.* Berlin: G. Reimer.
White, David Gordon 1998. "Tantric sects and tantric sex. The flow of secret tantric gnosis", in Elliot R. Wolfson (org.) *Rending the veil. Concealment and secrecy in the history of religions.* New York: Seven Bridges Press: 249-70.
Wiesner-Hanks, Merry E. 2000. *Christianity and sexuality in the early modern world. Regulating desire, reforming practices.* London & New York: Routledge.
Wikan, Unni 1977. "Man becomes woman. Transexual in Oman as a key to gender roles", in *Man* 13:304-19.
Willis, Alan Scott 2004. *All according to God's plan. Southern Baptist missions and race 1945-1970.* Lexington: University Press of Kentucky.

Wilson, Liz 2003. "Buddhist views on gender and desire", in David W. Machacek & Melissa M. Wilcox (org.) *Sexuality and the world's religions*. Santa Barbara, Denver & Oxford: ABC-CLIO: 133-75.

Winterkjær, Trond & Jan Dalchow 2000. *BE — skitne, syndige meg*. Documentário. Noruega.

Yao, Xinzhong 2003. "Harmony of yin and yang. Cosmology and sexuality in Daoism", in David W. Machacek & Melissa M. Wilcox (org.) *Sexuality and the world's religions*. Santa Barbara, Denver & Oxford: ABC-CLIO: 65-99.

Yardley, Jim 1999. "Church's haunted house draws fire", in *New York Times*, 29 de outubro de 1999, http://query.nytimes.com/gst/fullpage.html?res=9E03E3DB1E38F93AA15753 C1A96F958260.

Young, Kathleen Zuanich 1995. "The imperishable virginity of Saint Maria Goretti", in Carol J. Adams & Marie M. Fortune (org.) *Violence against women and children. A Christian theological sourcebook*. New York: Continuum: 279-86.

Young, Serinity 2004. *Courtesans and tantric consorts. Sexualities in buddhist narratives, iconography and ritual*. New York: Routledge.

Zabel, William 2000. "Interracial marriage and the law", in Werner Sollors (org.) *Interracialism. Black-white intermarriage in American history, literature, and law*. New York & Oxford: Oxford University Press: 54-61.

Zarit, Jerry 1992. "Intimate look on the Iranian male", in Arno Schmitt & Jehoeda Sofer (org.) *Sexuality and eroticism among males in Moslem societies*. New York: Harrington Park Press: 55-60.

Zeitzen, Miriam Koktvedgaard 2008. *Polygamy. A cross-cultural analysis*. Oxford & New York: Berg Publishers.

Zuria, Anat 2004. *Sentenced to marriage/Mekudeshet*. Documentário. Israel. Zwilling, Leonard 1992. "Homosexuality as seen in Indian Buddhist texts", in José Ignacio Cabezón (org.) *Buddhism, sexuality, and gender*. Albany: State University of New York Press: 203-14.

Índice de imagens

Pág. 28 – A expulsão do Éden.
Pág. 36 – "Men on a Misson", calendário mórmon, 2011.
Pág. 38 – Buda sendo tentado por Mara.
Pág. 40 – Escultura de monge budista sobre base de quatro apoios.
Pág. 42 – *A anunciação*, de Eliseo Fattorini, d'après Fra Angelico, 1869.
Pág. 50 – Shakers, separados por sexo, dançando no hall de entrada em New Lebanon, Nova York, *c.* 1830.
Pág. 58 – Monge se masturba enquanto ouve as confissões de uma mulher, *c.* 1679-81.
Pág. 60 – Representação hindu de masturbação masculina e feminina realizada enquanto se assiste a um intercurso sexual. Dos muros do templo Lakshmana (século X), em Khajuraho, Madhya Pradesh, Índia.
Pág. 114 – A arte do amor segundo uma ilustração hindu.
Pág. 164 – Ânfora grega com ilustrações de homens cortejando rapazes, *c.* 540 a.C.
Pág. 166 – *The Ceremonial Dance to the Berdashe, Sauk and Fox (Meskwaki) Indians*, de George Catlin, década de 1830. A pessoa de dois espíritos está à direita, enquanto seus companheiros de tribo a provocam, mas também competem por sua atenção, considerada digna de honra.
Pág. 174 – Miniatura de Bíblia francesa Moraliseé do início do século XIII, mostrando dois casais do mesmo sexo sendo incentivados por demônios a ceder ao amor proibido.
Pág. 180 – *O cegamento dos sodomitas,* d'après Nicolaus Hoy, 1583.
Pág. 204 – *Hijras* têm um papel fundamental no hinduísmo.
Pág. 264 – *Leda e o cisne*, *c.* 1512-17, de Il Sodoma (Giovanni Antonio Bazzi).

Pág. 280 – *O redemoinho dos amantes: Francesca da Rimini e Paolo Malatesta*, cena da Divina Comédia de Dante, em uma aquarela de William Blake, 1824-27.

Pág. 300 – *Preparação de nobre tântrica antes do intercurso sexual*, do Rajastão, século XVIII.

Pág. 312 – O festival xintoísta Kanamura (Festival do Falo), em Kawasaki, Japão.

Pág. 314 – Um capuz de *lingam* em bronze.

Pág. 316 – Esculturas do século XVII que mostram homens fazendo sexo ao lado de animais no templo Jagannath, em Katmandu, Nepal. Essas representações podem ser de transgressões sexuais realizadas em rituais tântricos.

Pág. 318 – Herma grega, cópia de um original de Polyeuktos, *c.* 280 a.C., representando o estadista Demóstenes.